民國歷史與文化研究

二 編

第 6 冊

從「政聞社」到「國社黨」：
張君勱政黨理念及其實踐（1907～1938）

王 蕾 著

改人性與變制度
——張申府社會改造論研究

田 玉 才 著

花木蘭文化出版社

國家圖書館出版品預行編目資料

從「政聞社」到「國社黨」：張君勱政黨理念及其實踐（1907
～1938）王蕾 著／改人性與變制度——張申府社會改造論研
究 田玉才 著 -- 初版 -- 新北市：花木蘭文化出版社，2015〔
民104〕
目 2+94 面／目 2+164 面；19×26 公分
（民國歷史與文化研究 二編；第 6 冊）
ISBN 978-986-404-274-6 ／ 978-986-404-273-9
1. 張君勱 2. 學術思想 3. 政黨政治 ／ 1. 張申府 2. 學術思想
3. 社會哲學
628.08　　　　　　　　　　104012459 ／ 104012458

ISBN- 978-986-404-274-6　　　ISBN- 978-986-404-273-9

9 789864 042746　　　9 789864 042739

民國歷史與文化研究
二 編 第六冊　　ISBN：978-986-404-274-6 ／ 978-986-404-273-9

從「政聞社」到「國社黨」：
張君勱政黨理念及其實踐（1907～1938）

改人性與變制度——張申府社會改造論研究

作　者　王　蕾／田玉才
總 編 輯　杜潔祥
副總編輯　楊嘉樂
編　輯　許郁翎
出　版　花木蘭文化出版社
社　長　高小娟
聯絡地址　235 新北市中和區中安街七二號十三樓
　　　　　電話：02-2923-1455 ／傳眞：02-2923-1452
網　址　http://www.huamulan.tw 信箱 hml810518@gmail.com
印　刷　普羅文化出版廣告事業
初　版　2015 年 9 月
全書字數　76698 字／ 160690 字
定　價　二編 24 冊（精裝）台幣 45,000 元

從「政聞社」到「國社黨」：

張君勱政黨理念及其實踐（1907～1938）

王　蕾　著

作者簡介

王蕾，女，1988 年出生於陝西西安，2006 ～ 2013 年在西北大學、南京大學完成大學本科和碩士研究生學業，主要從事中國近現代史研究。在《書屋》、《歷史學家茶座》、《南方都市報》等刊物、報紙上發表歷史文化類文章多篇。現供職於清華大學新聞中心。

提　　要

　　作爲民國史上著名的政治人物和知識分子，張君勱在「政治國」與「學問國」之間，縱橫捭闔。基於此「兩棲」特質，以往研究者主要在思想史的脈絡中探討憲政民主、自由主義、社會主義、新儒家等相關問題，相對而言，對於張君勱民主憲政的路徑依賴——政黨政治，包括張君勱政黨理念的建構、闡述與躬行，則缺乏足夠關注。事實上，在張君勱畢其一生的憲政訴求中，政黨理念貫穿始終，在近代秩序重建的過程中，針對如何實現民主憲政、改良政黨政治，張君勱從制度層面進行了理性思考，並孜孜矻矻、身體力行地參與到組黨、造黨的實踐中，以期實現憲政民主的終極訴求。因此，本文以時間爲經線，以張君勱政黨理念及其實踐爲緯線，將考察重心投放於上世紀初張君勱「問政」肇始，到 30 年代致力於政黨建設與運作，也即從參與立憲組織「政聞社」到組建「中國國家社會黨」期間，張君勱政黨理念的建構與踐行，從而透視轉型時代知識分子對於「刷新中國政治」的思考、探索與嘗試。

　　本文大體分三個部分進行考察。第一部分包括第一、二章，圍繞張君勱早年，即從清末參加立憲組織政聞社，到民初共和政體建立後聯黨組黨，就張君勱政治立場的選擇、政黨理念的初建和實踐層面的初步嘗試進行論述。就張君勱的政治立場而言，在晚清「立憲」與「革命」的分流與爭論中，張君勱旗幟鮮明地加入立憲派。一方面，翻譯《穆勒約翰議院政治論》，從西方的政治制度中汲取養分，爲立憲政治提供學理上支持；另一方面，加入梁啓超等人組建的具有政黨性質的立憲團體——政聞社，以此爲契機，投身於立憲政治的實際運動中去。民初在共和體制下，張君勱初步形成了關於政黨政治的一套理念：第一，政黨政治是民主憲政的先決條件；第二，政黨爲「議會角逐之具」，要實現政治理念，必須整合小黨壯大黨勢，與反對黨「爭選舉，爭議席」。在政黨實踐上，張君勱相繼參與組建「共和建設討論會」和「民主黨」。

　　第二部分爲文章第三、四章，考察民初政治失序時期，張君勱如何從政黨政治入手，對憲政破產進行反思，並在此基礎上的政治訴求。民國以後，雖掛名「共和」的招牌，但實際上，國人所期望的民主政治並未實現。相反，接連不斷的黨爭與內閣危機，致使民國初年政治的嚴重失範。張君勱從政黨政治的角度對憲政破產的原因進行反思。張君勱認爲，缺乏現代政黨觀念是癥結所在，激進派，包括穩健派在內，不知如何履行現代政治，進行良性政治參與。旅歐期間，參照德、俄兩國的社會背景和革命經驗，張君勱選擇以德國社會民主黨爲標尺，依託「點滴改良」和「法律手段」，建立一個理想的政黨。建立理想政黨的前提與關鍵，則在於教育國民，養成並提高國民的政治能力和政治智識。因而，二十年代，張君勱開始將目光轉向謀求國民政治品格之提升的教育之路，創辦「國立自治學院」，培養政治人才。

第三部分為最後一章，以張君勱組建中國國家社會黨為核心，重點探討張君勱不同於國、共兩黨的制度思考，以及國難當頭基於民主的適當調試。北伐完成後，國民黨在全國推行「一黨訓政」。張君勱不滿於黨權高漲和人權低下，於 1932 年組建中國國家社會黨。由於政治生態的變化，張君勱提出「政黨合作」、「舉國一致」的模式，目的是使國家利益不因黨派間的爭鬥而受損，從而應對日本步步緊逼，國難當頭的危機局面。抗戰爆發後，國社黨以在野黨的形式保持論政地位，張君勱迎合救亡需要作出適當調適的同時，一以貫之的踐行民主政黨政治。當然，奉行離開武力地盤代之以漸進改良為模式的國社黨始終夾雜在國、共兩黨之間，憑藉有限的政治參與艱難發展，但張君勱對政黨政治、民主政治的思考、探索，並以此為基礎形成的一套制度建構，對當今改革深水期下的政黨建設不無借鑒作用。

目次

緒　論

　　王汎森在一次針對清末民初思想和學術史的講座中，借用日本學者丸山眞男「執拗的低音」一語，指代「晚清民初以來被逐漸遮蔽的思想」，並提出，「雖然已不再是主流的聲音，但依然存在，並且使歷史的層次更加豐富，需要我們去重訪（revisit）」〔註1〕。

　　本文的研究對象張君勱〔註2〕，民國時期無論是在學界還是政壇，都是一位聲名卓著的重量級人物。學術上，有「新儒學」開啓人之譽，政治上，則被冠以「中國憲政之父」。然而，他卻始終未能站到「主流」線上，尤其就政治而言，基本上是一個「失敗者」的形象〔註3〕，也許這就是所謂的「低音」。

　　誠然，主調與暗流，一起構成了歷史的多重面相。然而，在近代「新與舊」、「傳統與現代」涇渭分明的二元對立語境下，研究者很容易將「史實重建」和「價值判斷」混爲一談。因而，對這些「低音」進行「重訪」，首先要做的工作，在於對史料層層梳理，發掘以往遮蔽和忽略的東西；其次是要深入考量，這些所謂「舊派人」和「舊資源」，是否能經過重新整合，從而完成「對現狀的啓蒙與照亮」。

〔註1〕王汎森、葛兆光：《尋找「執拗的低音」》，《東方早報‧上海書評》，2011 年 7 月 24 日。

〔註2〕張君勱（1887～1969），原名嘉森，字君勱，號立齋，一字士林，別署世界室主人。祖籍江蘇寶山縣人，本人出生於江蘇省嘉定縣城。

〔註3〕張君勱晚年亦曾感慨：「一生所爲，可謂爲失敗之歷史。其主張民主，自由，法治，政黨政治，無一處不遭逆流之襲擊。」參見程文熙：《君勱先生之言行》，王雲五等著：《張君勱先生七十壽慶紀念論文集》，《近代中國史料叢刊》（續編），第 96 輯第 951 分冊，文海出版社，1983 年，第 1 頁。

　　青山遮不住，畢竟東流去。筆者無意探討其中的是非得失，只是本著「重
訪」的態度，以時間為經線，以政黨理念及實踐為緯線，架構起近代張君勱
如何作為「低音」，被遮蔽但長鳴於歷史的敘述中，以及他本人對憲政、民主、
政黨政治矢志不渝的探索。具體來說目的有二：第一，考察張君勱在近代的
政黨訴求和政治實踐，探明未曾把握到的或壓抑、或忽略的層面；第二，重
新發掘的歷史資源，如能拋磚引玉，在新的框架下整合成新資源，則不勝惶
恐，屬望外之喜矣。

一、研究緣起

　　近年來，知識分子研究作為學術界考察的熱點，吸納著各種力量的積極
參與，同時，也得到了社會的廣泛認同。〔註4〕其備受關注的原因之一，是從
知識分子自身扮演的社會角色和所處位置來說，無疑是思想界的敏感和前沿
地帶——作為先驅者，他們承擔著喚醒大眾的使命。因而，從研究者的角度
來看，知識精英所代表的「大文化」、「精英文化」，無疑具有豐富的內涵。尤
其是近代，在中西衝突的語境下，知識分子在傳統與現代間的掙扎、徘徊，
彰顯出鮮明的時代特色。

　　林毓生在論及「五四」知識分子如何回應中國的現實問題時，曾指出他
們係「藉思想、文化以解決問題的方法」（the cultural-intellectualistic approach）
〔註5〕，這種解釋模式在很長一段時間，作為研究此類問題的經典範式。然而，
按照臺灣學者林誌宏的話來說，這些所謂的「思想、文化途徑」，實際上仍然
無法擺脫來自政治的幽靈所困。〔註6〕反觀上世紀 20 年代的中國知識分子，

〔註4〕如唐小兵所總結，學院體制內而言，「余英時對於知識分子邊緣化的整體分
　　　　析、王汎森對於近代知識分子自我形象轉變之區分、錢理群對於二十世紀知
　　　　識分子精神史的持久關注、許紀霖對於二十世紀前半葉知識分子的心態史與
　　　　政治思想的研究、羅志田對於現代知識分子的思想與文化的一系列論述、章
　　　　清對於胡適派自由知識分子階層的書寫等，這些學者的著述無疑代表著學院
　　　　體制內對於民國知識分子歷史的最成熟的研究」；學院體制外，傅國湧、謝泳、
　　　　范泓、張耀傑等人用力甚勤，「形成密切互動的共同體」。參見唐小兵：《透視
　　　　民國知識分子史熱》，《南風窗》，2008 年第 9 期，第 87 頁。
〔註5〕林毓生：《五四反傳統思想與中國意識的危機》，《中國傳統的創造性轉化》，
　　　　三聯書店，1988 年，第 168 頁。
〔註6〕林誌宏：《民國乃敵國也》，「國立」臺灣大學歷史學研究所博士論文，2005 年，
　　　　第 17 頁。

陳獨秀在決定改變《新青年》的創辦初衷時，有這樣一段發人深思的話：「你談政治也罷，不談政治也罷，除非逃在深山人迹絕對不到的地方，政治總會尋著你的。」〔註7〕無怪乎胡適在時局激盪下亦不免落入俗套，稱政治是「不感興趣的興趣」。〔註8〕

對於本文的研究對象——張君勱而言，其一生「徘徊於學術與政治之間」，自稱「不因政治而忘哲學，不因哲學而忘政治」。張君勱「知識人」和「政治人」的兩棲形象，已受到學界的廣泛認可。〔註9〕同時，我們也應注意到，不同於胡適派學人群，其「政治人」的身份尤為鮮明。換句話說，其不囿於學問的象牙塔內坐而論道，而是積極入世，投身政治與社會實踐活動，力圖使其觀念及理想現實化。在自由主義語境中，與胡適派學人相對應，張君勱屬於「積極自由主義」，即許紀霖所稱的「行動的自由主義者」。因而，這種「問政」性格，是本文關注的第一個問題。

事實上，作為精英階層的一個代表，張君勱時常被作為考察的對象。在他身上，深刻的烙上了以儒家思想為本位的中國傳統文化，又接受了西方近代科學、哲學思潮的洗禮，這兩者都因為時代固有的特質發生形變，經過重新整合，形成了極具特色的思想觀念和精神傾向——關懷國事民瘼的觀念意識和倫理精神。當然，「每個時代都有它自己中心的一環，都有這種為時代所規定的特色所在……在近代中國，這一環就是關於社會政治問題的討論：燃眉之急的中國近代緊張的民族矛盾和階級鬥爭，……把注意和力量大都集中投放在當前急迫的社會政治問題的研究討論和實踐活動中」，〔註10〕因而，「從變法（維新運動）到革命（推翻清朝），政治鬥爭始終是先進知識群興奮的焦點。」〔註11〕

翻閱相關史料和前人研究著述，不難得出，張君勱對政治的拷問、出發點和落腳點，都放在了「憲政」二字之上。如他的學生王世憲亦曾說過，根據張君勱所發表的所有文字，包括政論式的文章，以及他的譯著，儘管表達

〔註 7〕陳獨秀：《談政治》，《新青年》，第 8 卷第 1 號，1920 年 9 月 1 日。

〔註 8〕臺灣學者江勇振在「胡適的學術與思想國際學術研討會」上曾專門指出，將「disinterested—interest」譯為「不感興趣的興趣」並不恰當，正確應譯為「超然的興趣」。

〔註 9〕參看鄭大華編：《兩棲奇才——名人筆下的張君勱　張君勱筆下的名人》，東方出版中心，1999 年，第 1 頁。

〔註 10〕李澤厚：《中國近代思想史論》，天津社會科學院出版社，2003 年，第 435 頁。

〔註 11〕李澤厚：《中國思想史論》（下），安徽文藝出版社，1999 年，第 825 頁。

的方式與表達的情緒有所不同，但都可以概括為簡單的幾個字，即憲政與政黨政治。〔註 12〕政黨政治，在張君勱看來，正是實現憲政的前提和手段，正如李昌奇所言稱：「其組織政黨，乃是要使憲法早日實現，使國家成為真正的民主憲政的國家。」〔註 13〕

通過組黨實現憲政理念，是張君勱孜孜矻矻、身體力行的政治路徑。在討論五四以後知識界的分野時，李澤厚曾指出，「除了接受馬克思列寧主義參加救亡革命這條道路之外，另一條繼續從事教育、科學、文化等工作的啟蒙方面，也應該得到積極的評價」，然而「中國根本沒有提供自由主義者以政治活動舞臺的機會。胡適等人二十年代盼望的好人政府仍然只能從屬和依附於封建軍閥，毫無作為。從二十年代起，自由派們的研究、討論也只能是書齋中不起實際作用的空議論。」〔註 14〕此語值得再商榷。原因在於，忽視了張君勱這一「書生組黨」派。張君勱「在清末民初政聞社時代，就在政黨萌芽期中，縱橫活躍」〔註 15〕；民國建立後，旋即加入「共和建設討論會」和「共和黨」，與他黨「爭議席」，進行政治角逐；30 年代，因不滿於國民黨「一黨專政」、「黨外無黨」，索性「太可恨了，造它一個黨」。因此，筆者關注的第二個問題，即是張君勱的政黨實踐，即在具體操作過程中，張君勱如何將理念付諸於現實，一步步實現「書生組黨」。

最後，是「造一個什麼樣的黨」的問題，即從制度上考察張君勱對政黨政治的建構。從晚清「大變局」到民國「共和制」，從北洋的「武人弄政」到國民黨「一黨專政」，在不同的歷史情境下，張君勱對「政黨」的定位與運作是不同的。始終貫穿於其中的，是張君勱對於「如何刷新中國政治」的思考，以及「如何實現憲政」的終極追求。其實，這才是最精彩，最值得關注的地方。不僅對歷史懷有「理解之同情」，也應從中認識到深層次的現實關懷，這樣的對話方才富有意義。否則我們只能不斷地哀歎前人的智慧，湮沒於浩瀚史海中，而喟然長歎，生發「念天地之悠悠，獨愴然而涕下」的思古幽情。

〔註 12〕王世憲：《追憶君勱先生》，朱傳譽主編：《張君勱傳記資料》（1），天一出版社，1985 年，第 28 頁。

〔註 13〕李昌奇：《行憲懷念張君勱先生》，朱傳譽主編：《張君勱傳記資料》（1），天一出版社，1985 年，第 31 頁。

〔註 14〕李澤厚：《中國思想史論》（下），安徽文藝出版社，1999 年，第 857～858 頁。

〔註 15〕梁敬錞：《君勱先生二三事》，朱傳譽主編：《張君勱傳記資料》（1），天一出版社，1985 年，第 67 頁。

二、研究現狀與難點

　　關於張君勱研究，臺灣方面起步較早，大陸開始於 80 年代，多是伴隨著
「文化熱」而認識張君勱的。近年來隨著思想的進一步開禁和解放，關於張
君勱的研究成果層出不窮。

　　宏觀上講，考察張君勱生命史的有兩部重要著作：鄭大華的《張君勱傳》
〔註16〕和金若傑（Roger B.Jeans,Jr.）的 Democracy and Socialism in Republican
China:The Politics of Zhang Junmai（Carsun Chang），1906～1941〔註17〕。兩者
皆佔據了翔實的史料，依據時間順序，對張君勱的生命歷程進行了勾勒。〔註
18〕不同的是，與鄭大華全面性描述相比較，金若傑則主要將張君勱看成是國
民黨、共產黨之間「第三勢力」的重要人物。另外，許紀霖在《無窮的困惑
——黃炎培、張君勱與現代中國》一書中，對黃炎培、張君勱在歷史脈絡裏
作了深度比較。然而，特定的時代背景所限，難免受意識形態干擾，在論述
張君勱被迫離開大陸時，被形容「走向了毀滅」。〔註19〕

　　學術界更多關於張君勱的研究，基本遵循傳統與現代、學術與政治兩個
軸心，從內在理路，即思想史的脈絡中探討其政治、哲學、文化思想的內涵、
流變。較爲突出者，如臺灣學者江勇振，在其碩士論文基礎上修改而成的《張
君勱》，雖成書較早，但涉及張君勱思想的多個面相〔註20〕；成慶在《尋找秩
序——中國思想史脈絡中的張君勱研究》一文中，將張君勱放在整個中國思
想史的傳統中來審視他在思想史中的位置，並從中挖掘出從晚清到民國歷史
變化中複雜的思想轉型過程。〔註21〕

〔註16〕鄭大華：《張君勱傳》，中華書局，1997 年。

〔註17〕Roger B. Jeans, Jr., Democracy and Socialism in Republican China: The Politics
　　　　of Zhang Junmai（Carsun Chang），1906～1941, LanHam, Maryland: Rowman &
　　　　Littkefielld Publishers, Inc., 1997.

〔註18〕關於這兩本書的評價，參看潘光哲：《「張君勱研究」前景的反思——以兩部
　　　　新著爲例》，《新史學》，第 10 卷第 1 期，第 147～161 頁。潘光哲認爲，兩位
　　　　作者在搜羅史料方面下足功夫，就當時而言，有相當大的成就，後人已經很
　　　　難在這方面有所突破。

〔註19〕許紀霖：《無窮的困惑——黃炎培、張君勱與現代中國》，上海三聯書店，1998
　　　　年。

〔註20〕江勇振：《張君勱》，臺北商務印書館，1978 年。收錄於朱傳譽主編：《張君勱
　　　　傳記資料》（5），天一出版社，1985 年。

〔註21〕成慶：《尋找秩序——中國思想史脈絡中的張君勱研究》，華東師範大學碩士
　　　　學位論文，2007 年。

就張君勱的政治思想而言，由於其紛繁複雜，糅雜了民族主義、國家主義、憲政主義、自由主義、民主主義、社會主義等多種思潮。幾乎每一個方面，都有學者關注。如丁三青主要在「自由主義」的語境下，通過對中國自由主義的中西思想淵源及其興衰流變的歷史脈絡的把握，對張君勱自由主義的結構形態，以及演變歷程進行了剖析。〔註22〕薛化元的研究主要集中在張君勱民主憲政思想與民族主義在歷史脈絡中的演變過程，優點是充分考慮了張君勱政治行為與其思想之間的互動關係。缺點在於未在理論上對該書所涉及的民主憲政、民族主義等問題給予足夠關注。〔註23〕近年來，張君勱社會民主主義思想亦成為新的關注點。如，何信全利用其著述的一個章節，考察了張君勱是如何將儒學思想同社會民主主義的主張結合起來。他認為，「張君勱試圖轉化儒學的某些基本價值，來和西方社會民主主義以及人權思想來作調和，從而試圖在會通中西的基礎上，尋找中國未來政治發展的道路」。〔註24〕此外，鄭大華、丁三青、翁賀凱等學者亦從不同角度，對此類問題有所涉及或論述。〔註25〕

關於張君勱政黨思想，目前學界出版的相關論著並不多。陳先初在其論文中，探討了不同時代張君勱的政黨觀，以及張君勱在政黨制度建設方面進行的探索，對本文梳理張君勱的政黨理念，幫助極大。〔註26〕李平輝則從宏觀上概括了張君勱政黨觀的幾個面相，然而，作者明顯受意識形態干擾，將張君勱定性為「一位資產階級政治家和思想家」，從而認為張「未能真正理解政黨的實質」，〔註27〕此種觀點顯然不夠客觀、公允。針對張君勱的組黨實踐，

〔註22〕丁三青：《張君勱解讀──中國史境下的自由主義話語》，南京大學出版社，2009年。

〔註23〕薛化元：《民主憲政與民族主義的辯證發展──張君勱思想研究》，臺北稻禾出版社，1993年。

〔註24〕何信全：《張君勱論儒學與民主社會主義》，《儒學與現代民主》，中國社會科學出版社，2001年，第131～149頁。

〔註25〕丁三青：《張君勱社會主義思想及其流變》，《徐州師範大學學報》（哲學社會科學版），2000年第9期；鄭大華：《國家、社會與個人──張君勱政治思想的演變》，《天津社會科學》，2004年第4期；翁賀凱：《張君勱民主社會主義思想的起源》，《二十一世紀》（香港）2008年8月，第108期；翁賀凱：《「國家社會主義下之計劃經濟」──張君勱1930年代的社會主義思想論析》，《福建論壇》（人文社科版），2007年第8期。

〔註26〕陳先初：《「以理想之政黨改造中國」──淺議張君勱的政黨觀》，《安徽史學》，2007年第2期。

〔註27〕李平輝：《張君勱的政黨思想探微》，《宜春學院學報》，2010年第3期。

學界多關注於 30 年代張君勱組建的中國國家社會黨，如薛長剛在自己的碩士
論文中，以國社黨的發展爲經，理論主張爲緯，考察了該黨的的歷史淵源、
成立背景、發展沿革、組織概況，並分析了國家社會黨的理論主張。〔註 28〕
巴圖則將研究時間段放長，考察了張君勱與民主社會黨的基本情況。〔註 29〕
這些都爲本文國社黨研究部分提供了借鑒，使筆者得以「按圖索驥」，閱讀相
關史料，釐清基本史實。

　　綜上所述，從政黨政治的角度對張君勱理念與互動做出系統考察的成果
尚付闕如。本文將建立在既有研究成果的基礎上，將研究重心投放於從參加
「政聞社」到「國社黨」公開這段時間，張君勱政黨理念及其實踐。主要考
察不同歷史背景下，張君勱對政黨制度的認知與設計，以及理念與實踐的之
間的互動。進而揭示張君勱爲「刷新中國政治」、尋找民族出路所做的不懈努
力。

　　對筆者來說，本課題的難點有如下三個方面：

　　第一，對張君勱政黨理念的把握。此處屬於思想史範疇，就思想史研究
而言，兩點至爲關鍵，一是「深度」，二是「廣度」。就「深度」來說，首先
需要站在和研究對象一樣的高度，方才能進行「對話」。張君勱在近代史上的
角色是多樣的，徜徉於「政治國」和「學問國」之間，縱橫捭闔。本文以張
君勱的政黨政治爲切入點，由於筆者功力有限，只能盡可能的做到「論述準
確」，對具體問題缺乏學理上的分析。比如，政黨制度實質上作爲舶來品，源
於西方的議會民主制度，本文以張君勱加入「政聞社」作爲其參與政黨活動
的開端，然而，就「政聞社」的性質而言，嚴格意義上來說，是否等同於西
方的政黨，具體區別又在哪裏？回答此類問題，需對西方的政黨制度有較爲
深刻的瞭解和認知。就「廣度」而言，由於本文在時間跨度上相對較大，涉
及晚清、民初、北洋、南京國民政府等多個階段，雖然張君勱組黨之心一以
貫之，但就具體情境而言，對政黨制度的設計有所不同。這就需要結合時代
背景，深入考察，方能對張君勱在不同階段，對「如何刷新中國政治」的思
考進行正確解讀。

　　第二，主旨提煉問題。導師曾多次告誡我們，寫文章要有「問題意識」，

〔註 28〕　薛長剛：《自由與權力間的徘徊：中國國家社會黨研究》，河北大學碩士學位
　　　　　論文，2008 年。
〔註 29〕　巴圖：《張君勱與中國民主社會黨》，中國人民大學博士學位論文，1994 年。

一篇論文，應該有明確的思路，要提煉其主旨所在。本文旨趣爲考察張君勱不同時期的政黨理念及爲踐行其政治主張所作出的努力，並試圖揭示其背後的動因。在實際操作過程中，由於張君勱政黨思想本身具有複雜性、多變性，是在具體歷史情境下對國家建制的探索，因而，張君勱對政黨的定位、功用也做了不同的思考和設計。這使得文章各個章節之間邏輯結構稍顯鬆散，所以在體現本文研究主旨上就存在一定的問題。通讀本文，難免會有「見樹不見林」的缺憾。

　　第三，史料問題。對歷史研究者來說，無論是注重實證研究的傳統史學，還是近年頗爲風靡的「新史學」，都離不開大量一手材料。文章必須做到「論從史出」，不說一句空話。對於人物研究而言，日記、檔案、往來書信、私人訪談和各類紀念性文章，是重建人物生平、考察各時期活動與觀點的前提與關鍵。以王汎森研究傅斯年爲例，其所依據的材料，不僅有各版本的傅斯年文集，各種新發現的傅斯年文字等，特別引人注目的是，其「可以利用保存在中研院歷史語言研究所，包括五個櫃子四千多件的傅斯年檔案」，「因爲近水樓臺的緣故，汎森可以直接讀到傅斯年所藏王國維《觀堂集林》和《古史辨》，從書的空白處傅的批註中，可以看到傅對王國維和顧頡剛的感覺」。〔註30〕近年來張君勱研究雖蔚然成風，但據筆者所見，幾乎沒有在史料上有所突破。這其中的主要原因，是相關史料散見於臺灣、美國，難以收集。〔註31〕以張君勱日記爲例，臺灣中央研究院文哲所收藏有《張君勱日記手稿》，這對把握張氏思想特質及發展演變、瞭解特定時期其政治文化活動具有重要參考價值，筆者受條件所限，無從看到。

三、研究思路與文章結構

　　「史學即是史料學」，由於研究者的方法與視野不同，傅斯年的這句論證被多方解讀，爭議不斷。在筆者看來，無論何種「路數」研究歷史，必須要經歷「上窮碧落下黃泉，動手動腳找東西」這樣一個過程。因此，本文以實證研究爲主，兼及政治學、社會學的一些方法、理論。比如在文章第四章，

〔註30〕葛小佳：《重建傅斯年學術與生命的歷程》，《書城》2010 年 4 期。
〔註31〕如張君勱以英文撰寫出版於 1926 年的「Bulletin of the National Institute of Political Science: Its Purpose and Its Work」，經筆者檢索，紙本僅存於美國華盛頓大學圖書館。張君勱胞弟張嘉璈的口述歷史資料，則存於美國哥倫比亞大學。

探討張君勱主長政治大學期間「聚攏人才」時，即是運用社會學「關係網絡」的概念，圍繞同鄉關係、留學關係、親戚關係、師友關係等展開分析，得出「這些錯綜複雜的關係，構成了不同層次的『倫』，從而形成了以張君勱爲中心的一批知識精英，相互啓發，彼此爭論，客觀上爲張君勱日後從事組黨活動，聚攏了人才」的結論。

然而，筆者認爲，在研究中運用多種研究方法，實際上「殊途同歸」。「上帝的歸上帝，凱撒的歸凱撒」，此種涇渭分明的表述，看上去好像很有道理，但是，學科制度和研究方法本來就是人爲的劃分，作爲以事實考察爲目的的歷史學來說，實在沒有必要「畫地爲牢」。在筆者看來，葛兆光先生有一個非常恰當的表述：本無畛域。〔註32〕

本文的研究思路大致分爲以下幾個方面：

首先，對張君勱政黨理念進行梳理。清末張君勱在日本參加立憲派之團體組織「政聞社」，是爲張君勱政黨活動之開端。民國肇造，留學歸來的張君勱，初步建構了政黨理念──「先政黨，後立憲」、「造大黨以競爭角逐」。而憲政破產，代之以武人亂政，使張君勱認識到，「武力政治」是造成亂象的根本原因，解決的關鍵在於建一支「理想之政黨」，「發達國民政治智識爲建黨前提」。因此，20年代初，張君勱轉向「謀求提升國民政治品格的教育之路」，創辦國立政治大學。大革命後，張君勱對國民黨的「一黨獨大」展開了批判，決定「組它一個黨」。隨著時局變化，提出了「政黨合作」與「舉國一致」的政治主張。

其次，考察政黨理念與實踐的互動。根據對張君勱政黨理念的梳理勾勒，從而論述其具體參黨、組黨實踐。作爲「行動主義」的知識分子，本文考察的重點之一，即是如何將政黨訴求落到實處。民初，本著「造大黨以競爭角逐」，張君勱隨即投入到組黨的實際活動中，相繼有「共和建設討論會」和「民主黨」之成立；南京國民政府時期，鑒於對國民黨的不滿，索性另造一個黨，是有中國國家社會黨之成立。在內外形勢變化的情況下，張君勱認同了政府當局，致書蔣介石、汪精衛，表示率領國家社會黨「共赴國難」。

最後，探討理念及實踐背後的意圖。在考察近代張君勱政黨理念及實踐時，不能就事論事，應放置「大變革」、各種力量交錯制衡的大背景下。清末

〔註32〕參看葛兆光：《本無畛域──從〈我之小史〉說到資料的解讀》，《本無畛域──書評七篇》，海豚出版社，2010年，第10頁。

加入政聞社，是爲對「立憲派」的認同。民初鑒於共和體制，「造大黨以政治角逐」。至憲政失敗，張君勱又發出「建一支理想政黨」的呼聲，從而轉向教育，以塑造學識、道德理性和政治能力上之「先行之士」。因不滿國民黨「訓政」，張君勱發起組建國家社會黨，但隨著時局變化，即「國難當頭」的情況下，張君勱在該黨的政治訴求上有所調整。因此，在考察張君勱政治訴求時，必須深入挖掘其背後的政治意圖，尋找邏輯起點。

文章架構如下：

第一章論述清末「立憲」與「革命」分野的歷史語境下，青年張君勱的立場選擇。張君勱「問政」之始，即旗幟鮮明的加入立憲派，以參加具有政黨性質的「政聞社」爲契機，投身於立憲政治的實際運動中去。考察早年張君勱政治路徑選擇及其原因，是理解張君勱始終堅持民主憲政和政黨政治的有效途徑。

第二章分析民國初年張君勱政黨理念的初構與實踐探索。武昌革命爆發後，繼以共和政體建立。學成歸國的張君勱，一方面憑著對西方政治制度較爲精準的把握，一方面基於在日參與政聞社的實際經歷，初步形成了關於現代政黨政治的一套理念。張君勱認爲，政黨是憲政發生與實現的先決條件。面對黨禁開放、政黨林立的局面，政黨須爲「議會角逐之具」。因而，對由「立憲派」發展而來的「穩健派」而言，要實現政治理念，必須聯合國內的實力派，整合同主義之小黨，「另造成一個大黨」。有鑒於此，張君勱積極投身到組黨的實踐中去，是故有「共和建設討論會」和「民主黨」的成立。

第三章主要研究民初憲政失敗後張君勱的反思及訴求。由於共和方案的破產，北洋軍閥橫行，政黨政治流於形式，實質是各派系的爭權逐利。兩度赴歐的張君勱，參照德國、俄國的社會背景和革命經驗，對中國未來的政治走向進行了重新審視。提出方案爲：以德國社會民主黨爲標尺，依託「點滴改良」和「法律手段」，建立一支理想的政黨，以「理性政治」取代 「武力政治」。在張君勱看來，建立理想政黨的前提與關鍵，則在於教育國民，以提高國民的政治能力和品格。

第四章以張君勱主長國立自治學院作爲切入點，探討張君勱將目光轉向謀求國民政治品格之提升的教育之路。以政治大學爲「試驗田」，張君勱爲培養今後在學識、道德及政治能力上健全的「先行之人」，進行了全新的嘗試與塑造。客觀上來講，出長政治大學，爲張君勱日後組黨籠絡了大量的人才—

一從教員到學生，很大一部分成為「國家社會黨」的成員。

　　第五章是本文的最後一部分，圍繞張君勱「再造政黨」展開分析。鑒於「九・一八」前後民族危機破在眉睫，國民政府卻打著「一黨專政」、「黨外無黨」的口號，對國民實施「訓政」，張君勱遂於 1932 年發起組建中國國家社會黨，以國家、民族建設為宗旨。根據時局變化，提出「政黨合作」、「舉國一致」的模式，目的是適當加強國家層面的權力，使國家利益不致因為黨派之間的爭鬥受損。張君勱及其所領導的國社黨，也在國民黨當局表現出願意讓出部分政治資源的溫和態度時，表示願與政府攜手合作，共赴國難。國民黨也從事實上，承認了國社黨的合法存在。

第一章　早年張君勱對立憲政治的
認同及嘗試

　　清末中國政壇上，「立憲派」和「革命派」是兩支重要的政治力量。由於政治視野不同，兩者的政治主張與手段存在著根本性的差異。尚處於青年時期的張君勱，不僅對梁啓超等人的立憲理念表示認同，在非此即彼的歷史語境下，旗幟鮮明地發文聲援立憲派，更以加入具有政黨性質的「政聞社」爲契機，投身於立憲政治的實際運動中去。考察早年張君勱對立憲政治的認同及其嘗試，爲理解張君勱緣何始終堅持民主憲政的理念和政黨政治的實踐，提供了有效參照。

第一節　清末「立憲」與「革命」的分野

　　晚清是一個大變革的時代，甲午戰爭是其中一個關鍵的節點，因爲變化的步伐，在 1895 年之後驟然加遽。〔註1〕蕭功秦對此的解釋是，甲午戰敗，使得中國的政治與知識精英產生一種前所未有的危機感，強烈而持續。正是在這種危機感的驅動下，形成一種強烈而亢奮的變革動力，引導國人更爲主動地參與體制變革。「這種由於危機感而引發的自覺地變革意識與政治行動結合起來，使人們能動地發起了一次又一次的變革運動，從此以後，中國進入一個由人們的群體性的自覺意識參與的政治變動時代」。〔註2〕

〔註 1〕有關 1900 年以後中國變化加速的觀點和論證，參見 Marry C. Wright （ed.），China in Revolution, The First Phrase,1900～1913, New Heaven, 1968, p.1～63,「Introduction: The Rising Tide of Change.」
〔註 2〕蕭功秦：《危機中的變革：清末政治中的激進與保守》，廣東人民出版社，2011年，第 14 頁。

變革的直接目的，是在外國侵略和王朝衰退的雙重壓力下，實現民族救亡。為此，主動參與其中的先知先覺者，圍繞著這一問題，開展了兩大政治運動，分別代表著解決問題的不同途徑和理路。一個是康有為、梁啟超領導發起的維新運動，主張從制度上變更國體，通過在全國廣泛的組織學會、創辦報刊和興建學堂，傳播民權思想和君主立憲的政治主張；另一個是擁有西方教育背景的孫中山所領導的革命運動，孫中山借助海外華僑、秘密會社、基督徒、傳教士等社會邊緣人物的幫助，〔註3〕成立革命團體，試圖憑藉激烈、暴力的手段，徹底推翻清王朝的統治。

這兩股運動的分歧，在清政府推行新政後加劇。以 1905 年為界，前期清政府在文化、教育、軍事、社會等領域進行了一系列的革新，由於未涉及制度層面，新政招致「沒有誠意」的批評。至日俄戰爭發生，國人目睹西方專制大國被東方君主立憲小國打敗，似乎找到了適用於中國的救亡模式，如實業家張謇所語——「日本的勝利和俄國的失敗是立憲主義的勝利和專制主義的失敗」，「立憲」成為高漲的話語。流亡日本的康有為、梁啟超，以及國內部分紳商、士人，開始為清政府施行立憲政體奔走呼吁，在中國掀起立憲浪潮。

與熱衷君主立憲相反，持激進主義的孫中山，則穿越於越南、日本、美國與檀香山之間，為革命事業尋找支持。經過幾次會商，孫中山將幾個散漫的革命團體聯合起來，在日本東京成立統一的革命組織：中國同盟會。在成立儀式上，孫興奮的宣稱：「自今日起，俊等已非清朝人矣。」恰巧屋頂上的一塊木板掉落，他繼而風趣的感歎：「此乃顛覆滿清之預兆！」〔註4〕以同盟會的機關報《民報》為陣地，革命派發起與立憲派的論戰，他們辯稱，中國並不需要一個「過渡時期」，有必要立刻推翻滿族王朝，建立共和國。

1906 年 9 月 1 日，清政府頒佈了預備立憲詔書，宣佈效法西方，仿行憲制。這一決定，受到了立憲派的歡迎，「凡通都大邑，僻壤遐陬，商界學界，無不開會慶祝」〔註5〕。精神領袖梁啟超，用他春風化雨的「魔力之筆」，積極為立憲造勢，與革命派展開了激烈的論戰。論戰之外，兩派逐漸將政治理念訴諸行動。同盟會的成立，極大推動了革命勢力的擴張，「如同一個近代的

〔註3〕Harold Z. Schiffrin, Sun Yat-Sen and the Origins of the Chinese Revolution, Berkeley, 1968, p.27.

〔註4〕徐中約：《中國近代史》（上），香港中文大學出版社，2010 年版，第 469 頁。

〔註5〕淞隱居士：《立憲盛典文牘論說初編序》，《立憲盛典》，上海文宜書局，1906 年。

政黨，同盟會提供了一個統一的中央組織，它為全國所有革命與進步力量提供了彙聚點」，〔註6〕在武昌起義爆發以前，各地起義多達十次。〔註7〕

　　立憲派為督促清廷盡快立憲，開展了聲勢浩大的立憲運動。梁啓超認為，政治改革的成功與否，不能僅靠政府，而是要看國民有無促進政府改革的能力，而「此能力之練成，必賴有一機關，若今者能合熱誠而同主義之人以組織一機關乎！」職是之故，梁啓超開始在日本醞釀成立立憲組織，同國內的「預備立憲公會」、「憲政籌備會」、「憲政公會」等組織，用合法鬥爭的方式，敦促清政府推行憲政。

　　「立憲」與「革命」的分野，在社會各階層中產生了巨大的影響，尤其對負笈海外的留學生而言，其懷揣「尋求救國之道」的天然使命，在這兩股潮流的衝擊下，對祖國救亡之主義與手段，呈現出涇渭分明的態度。以留日學生為例，作為清末最大規模的出洋群體〔註8〕，「吾國留學日學生達二千餘人，對於祖國救亡之主義，分『種族革命』與『政治革命』兩派。所謂種族革命者，欲以激烈手段推翻滿清君主也。所謂政治革命者，欲以和平手段運動政府實行憲政也。」〔註9〕學生們不僅熱烈地參與到立憲派與革命派的論戰中，極大推動了立憲、革命等理念的傳播，同時，他們紛紛加入革命與立憲團體，介入實際的政治運動。

第二節　立憲政治：張君勱的路徑選擇

一、「問政」初始：加入「政聞社」

　　張君勱參與實際政治活動，即是在日本求學期間。受清廷預備立憲鼓舞，1907 年 10 月 17 日，梁啓超、蔣智由、徐佛蘇、麥孟華等人領導發起了政聞社，張君勱以發起人之一的身份，出席了東京錦輝館舉行的成立大會。〔註10〕

〔註6〕Harold Z. Schiffrin, Sun Yat-Sen and the Origins of the Chinese Revolution, Berkeley, 1968, p.8～9.

〔註7〕徐中約：《中國近代史》（上），香港中文大學出版社，2010 年版，第 470 頁。

〔註8〕費正清編：《劍橋中國晚清史（1800～1911）》（下），中國社會科學出版社，1985 年版，第 393 頁。

〔註9〕徐佛蘇：《創辦政聞社之主義及其源流》，丁文江、趙豐田編：《梁啓超年譜長編》，上海人民出版社，1983 年，第 416 頁。

〔註10〕徐佛蘇：《創辦政聞社之主義及其源流》，丁文江、趙豐田編：《梁啓超年譜長編》，上海人民出版社，1983 年，第 416 頁。

政聞社是一個具有政黨性質的立憲團體，梁啓超謂之「政黨之椎輪」〔註11〕。其以「實行國會制度，建設責任政府；釐定法律，鞏固司法權之獨立；確立地方自治，正中央與地方之權限；慎重外交，保持對等權利」〔註12〕爲政治綱領，並創辦《政論》雜誌，從事輿論宣傳。人員組織上，政聞社設總務員一人，常務員兩人，負責實際社務。常務員之下分設庶務、書記、會計、編纂、調查、交際六科，各設主任一人。六科之外，又設評議員若干人。張君勱擔任了評議員，並任職於編纂科。〔註13〕還是一名學生的張君勱，爲何會受到梁啓超的委任呢？〔註14〕

張君勱留日時，適逢「立憲派」與「革命派」的論戰塵囂日上。最初迫於生計，張君勱向平日經常閱讀的《新民叢報》投稿。〔註15〕他生平的第一篇譯著，《穆勒約翰議院政治論》，摘自英國自由主義學者穆勒（John Stuart Mill）的《代議政治論》（On Representative Government），發表於《新民叢報》第4年第18號上。在譯文正文前的「小引」中，張君勱稱，摘譯此文是鑒於「國之大患，莫如其人民取往昔親密之關係，一旦裁而斷之，而其論英人種政治之天才，在善通舊制，以適新需」，而今號稱有心救國之士，卻「背於西方進化之成例」，鼓吹革命，因而他「取西方先哲之說以爲國民借鑒」。〔註16〕可

〔註11〕 《政聞社宣言書》，《政論》，第1號，1907年10月7日，第16頁。是文中，梁啓超特別提出，不直接稱政聞社爲「政黨」，是因爲「凡一政黨之立，必舉國中賢才之同主義者，盡網羅而結合之。夫然後能行政黨之實，而可以不辱政黨之名。今政聞社以區區少數之人，經始以相結集，國中先達之彥，後起之秀，其懷抱政治的熱心，而富於政治上之知識與能力者，尚多未與聞。」劉東在《梁啓超之政黨觀淺析》一文中認爲，政聞社有既定的宗旨，明晰的主義和完整的組織機構，又有鼓吹言論的機關刊物《政論》，具有現代政黨的性質。參見劉東：《梁啓超之政黨觀淺析》，河南大學碩士學位論文，2010年，第27～29頁。

〔註12〕 《政聞社宣言書》，《政論》，第1號，1907年10月7日，第10～24頁。

〔註13〕 《政聞社開會紀事》，《政論》，第2號，1907年11月15日，第139～140頁。

〔註14〕 關於梁啓超與張君勱的交往始末，參看拙文：《相逢平生師友間：清末民初的張君勱與梁啓超》，《書屋》，2012年第5期。

〔註15〕 張君勱原本是公費留日，但因「對理化素不發生興趣，喜歡攻讀法政」，張君勱考入早稻田大學政治經濟科預科。這違背了寶山縣派遣學生專門學習理化知識的初衷，遂停止了對他的資助。因而張君勱找到爲《新民叢報》寫稿的工作，每月可得60餘元，以應付生活開支。參加張君勱：《我的學生時代》，《再生周刊》，1948年第239期，第8頁。

〔註16〕 程文熙：《張君勱先生年表長編》（3），朱傳譽主編：《張君勱傳記資料》（2），天一出版社，1985年，第279頁。

以看出，張君勱藉此主張的正是英國式的改良道路與議會模式。〔註17〕某種程度上來說，張君勱的層層探討和深入分析，爲論戰中的立憲派提供了支持。〔註18〕梁啓超正是在閱讀了該文後，對張君勱欣賞有加，「自是相從合作」。

張君勱加入政聞社後，一方面在《政論》雜誌上積極撰文，發表有關國內外情勢的政論。〔註19〕另一方面，張君勱被派遣回國，以聯絡各立憲團體和立憲派人士，促其聯合，共同促使清政府速開國會，施行憲政。1907年11月，張君勱與黃可權趕赴上海，競相奔走，「不達目的則不已焉」，終有立憲團體的初步聯合——「國會期成會」的成立。在這之後開展的國會請願簽名運動中，政聞社也扮演了重要的角色。張君勱在給梁啓超的信中寫到：「國會期成會事所運動之省份，以吾社爲獨多，而總共人數尚不滿萬。（安徽六七百，山東口百，湖南二千餘，江蘇現所簽者不過四五百）。此間社員覺辦事人於此方面並未注意，故此次甚望多得一二萬人，爲一極大之請願，以雪吾社不能活動之恥。前在神戶所談，謂合廣東、西兩省，得萬餘人尚非難事，則函致粵中時，必須得一極熱心、極有力之人運動此事，以必達此目的而後已，此最東京社員所希望者也。」〔註20〕

1908年2月，政聞社總部遷至上海，東京方面的事務交由張君勱與羅孝高、彭熙民、向瑞琨等人具體負責。〔註21〕這段時間，張君勱的行動與組織能力初露端倪，對問題的思考也愈發成熟、穩健。5月，張君勱就政聞社的具體運作致函梁啓超：「至所言今後進行，一營生產事業，一有血性者須多入官

〔註17〕學者翁賀凱對張君勱《穆勒約翰議院政治論》一文進行了細緻的考察，認爲其「在很大程度上爲張君勱畢生的憲政民主思想奠定了一個基調」。參見翁賀凱：《張君勱憲政民主思想的起源——以〈穆勒約翰議院政治論〉爲中心的考察》，《清華大學學報》（哲學社會科學版），2008年第5期。

〔註18〕一年後，張君勱又在《新民叢報》第4年23號上發表《論今後民黨之進行》，此文除說明立憲派祈求從速立憲，可不必將漢滿兩族作硬性之分裂及排斥外，並主張民黨（此指維新黨而言）應先練習議政，及在輿論上著手，俾以監督政府。參見程文熙：《張君勱先生的政治思想：從變法維新到民主社會》（2），朱傳譽主編：《張君勱傳記資料》（6），天一出版社，1985年，第223頁。

〔註19〕張君勱在《政論》第一期發表《外國半年記事》，第二期發表《國會與政黨》、《海外大事記》。

〔註20〕張嘉森（張君勱，下同）：《致任公、蛻庵兩先生書》，丁文江、趙豐田編：《梁啓超年譜長編》，上海人民出版社，1983年，第453頁。

〔註21〕丁文江、趙豐田編：《梁啓超年譜長編》，上海人民出版社，1983年，第443頁。

場，廣占勢力。」〔註22〕他強調，「吾國今日政治之基礎，萬不能置之國民身上。以大多數之愚民，雖日日哭訴於其旁，猶之無益。」〔註23〕可以看出，此時張君勱已經認識到，政治基礎不在國民，而需借助一隻強有力精英組織，進入政界，廣占勢力，才能有所作爲。

是年 8 月，正當國會請願運動處於高潮時，政聞社卻招來滅頂之災。當時，政聞社社員、法部主事陳景仁以個人名義電奏清廷，要求期以三年召集國會，並攻擊主張延緩憲政進程的憲政大臣於式枚。此舉直接導致政聞社被清廷查禁。〔註24〕就其實質而言，乃是清政府深恐立憲派發展壯大，「殺雞儆猴」之舉。

政聞社被禁，並未影響張君勱對立憲政治的追求。1909 年 6 月，在梁啓超的支持下，張君勱聯合前政聞社社員吳貫因、蕭堃、向瑞彝在東京成立「諮議局事務調查會」，宗旨爲「調查中央直省之權限和各項行政，藉求諮議局權限之確定，及直省政治之改良」，並主辦了生平第一份刊物《憲政新志》。〔註25〕

二、立憲傾向的原因分析

在清末「立憲」與「革命」涇渭分明的歷史語境下，張君勱似乎毫不猶豫，追隨梁啓超，旗幟鮮明的加入立憲派，投身於立憲政治的實際運動中去。〔註26〕這其中的緣由，從客觀上考量，是受其家庭背景及教育經歷影響，從主觀上來看，則與他個人對梁啓超的崇拜與認同有關。

〔註22〕張嘉森：《致任公先生書》，丁文江、趙豐田編：《梁啓超年譜長編》，上海人民出版社，1983 年，第 466 頁。

〔註23〕張嘉森：《致任公先生書》，丁文江、趙豐田編：《梁啓超年譜長編》，上海人民出版社，1983 年，第 466 頁。

〔註24〕丁文江、趙豐田編：《梁啓超年譜長編》，上海人民出版社，1983 年，第 468 頁。

〔註25〕程文熙：《張君勱先生年表長編》（4），朱傳譽主編：《張君勱傳記資料》（2），天一出版社，1985 年，第 283 頁。

〔註26〕張君勱曾說過：「當時留學生分爲革命與立憲兩派，在革命派言之，好像立憲派主張立憲是爲了做官。要知政治上能成爲一黨一派之主張，倘若僅僅爲了做官，決不能成爲一個派別，因爲動機不純潔，無法號召別人的。當時立憲派主張政治改革，不以推翻滿清相號召，其最大動機有八個字：『革命雖成，滿蒙必失』。心中恐怕內亂延長，招致國外強鄰侵入。」參見張君勱：《吾國政黨發展之回顧與吾黨之將來》，《再生周刊》，1946 年第 109 期。

（一）家庭背景與教育經歷

張君勱出身於一個儒醫兼經商的家庭，其祖父銘甫曾在四川省任知縣，頗有政聲。政事之餘，銘甫究心於醫卜星象，尤精於宋儒義理之學。及厭倦仕途，退居田間，甫定居於江蘇省嘉定縣城。至父親祖澤，學醫於蘇州曹倉州，相繼在上海、南翔一帶開設診所，因醫術高明，在當地很有威望。〔註27〕

六歲起，張君勱即入家塾，自幼便被教導關心民瘼、匡扶社稷。君勱聰穎，「對所讀論語，提出質疑，迥不平凡」〔註28〕。十二歲時，張君勱被母親送到李鴻章創辦的上海廣方言館學習。〔註29〕雖然授課方式依然如傳統四書五經，需熟讀背誦，但授課的內容，卻包含了數學、化學、物理和西洋歷史等，使張君勱瞭解，「世界上除了做八股及我國固有國粹之外，還有若干學問」。〔註30〕這「若干學問」，自然包括典章政制的啟蒙。國文老師袁觀瀾，「治漢儒通今致用之學」，尤為注重歷代政治、掌故輿地，「諸生翕然宗之」。〔註31〕對於張君勱而言，「對於政治制度之興趣，袁先生實啟之」〔註32〕。在教授「三通」時，袁先生對弟子們說：「吾國文物典章制度寓於其中矣」。〔註33〕這對張君勱影響頗深，直至晚年，張君勱仍在發文探討「三通」對於研究中國政治思想的意義。除卻學校規定的必讀書目，君勱還自行選讀了《資治通鑒》、《曾文正全集》、《日知錄》等。〔註34〕其幼時好友回憶：「我送問君勱，

〔註27〕　程文熙：《君勱先生之言行》，王雲五等著：《張君勱先生七十壽慶紀念論文集》，《近代中國史料叢刊》（續編），第96輯第951分冊，文海出版社，1983年，第9～10頁。

〔註28〕　程文熙：《張君勱先生年表長編》（2），朱傳譽主編：《張君勱傳記資料》（2），天一出版社，1985年，第274頁。

〔註29〕　時張家「經商挫敗，境況蕭然」，但父母非常重視子女的教育。據張君勱的妹妹張幼儀回憶：「爸爸下定決心，不管家裏經濟狀況如何，他都不會犧牲兒子的教育」。見張邦梅著、譚家瑜譯：《小腳與西服：張幼儀與徐志摩的家變》，黃山書社，2011年，第46頁。

〔註30〕　張君勱：《我的學生時代》，《再生》，1948年第239期，第7頁。

〔註31〕　汪祖、黃炎培、沈恩孚：《袁觀瀾先生事略》，《中華教育界》，1930年第8期，第119頁。

〔註32〕　程文熙：《張君勱先生年表長編》（2），朱傳譽主編：《張君勱傳記資料》（2），天一出版社，1985年，第275頁。

〔註33〕　劉義林、羅慶豐：《張君勱評傳》，百花洲文藝出版社，2010年，第8頁。

〔註34〕　張公權：《我與家兄君勱》，王雲五等著：《張君勱先生七十壽慶紀念論文集》，《近代中國史料叢刊》（續編），第96輯第951分冊，文海出版社，1983年，第104頁。

羅店一鎮，某家某人，意態如何，彼皆茫然。唯某家藏有某部好書，彼必牢記不忘。」〔註35〕

　　家庭背景和早期的教育經歷，直接培養並塑造了張君勱的士大夫氣質，以及「以天下為己任」的政治品格。與此同時，也讓儒家的倫理道德無形中成為張君勱日後「問政」的一個出發點。臺灣學者江勇振將其概括為「深深地浸潤在文化傳統之中的行動主義者的雛形」〔註36〕，此語不錯。

　　張君勱與西方政治思想及現代學術的正式接觸，則始於在日本早稻田大學攻讀政治經濟科期間。當時的早稻田大學，正是明治時期日本傳播現代自由思想的前鋒。〔註37〕據張君勱回憶，「當時的教授教政治學的是浮田和民，教國際法是中村進午，教憲法是有賀長雄，教財政學是田中穗積，教經濟學是鹽澤昌貞……政治學所用的參考書是威爾遜的《國家論》，柏基士的《憲法》，經濟學是薩禮門的《經濟原理》，國際法的參考書是奧本海的《國際法》」。〔註38〕從課程設置及參考書目來看，張君勱接觸的西方政治經濟思想頗為廣泛，但對其影響最大的，則是英美的憲政民主思想：「讀威爾遜國家論、蒲徠士美國共和論、陸克氏政府論、密爾氏代議政治論，與安森氏英國憲法及其慣例各書」，「我自青年時代即有志於制憲事業」。〔註39〕

（二）對梁啟超的崇拜與認同

　　從維新變法開始，梁啟超便活躍於公眾舞臺，其聲名也因提倡立憲變法大造。張君勱進入廣方言館的第二年，適逢康有為、梁啟超師徒領導的維新運動受阻。戊戌政變後，清廷通令各省逮捕康有為與梁啟超。在「廣方言館」的門口，也高懸著康、梁二人的大幅照片。這引起初諳國事的張君勱的注意。這兩位「逃犯」，正是致力於危機中「求變」，以挽救政治窳劣、在夷人槍炮

〔註35〕 金侯城：《童年時代的張君勱先生》，王雲五等著：《張君勱先生七十壽慶紀念論文集》，《近代中國史料叢刊》（續編），第 96 輯第 951 分冊，文海出版社，1983 年，第 39～40 頁。

〔註36〕 江勇振：《張君勱》，朱傳譽主編：《張君勱傳記資料》（2），天一出版社，1985年，第 120 頁。

〔註37〕 關於 19 世紀末 20 世紀初日本早稻田大學在政治思想上的傾向，參看〔日〕內田滿著、唐亦農譯：《面向美國政治學的志向性——早稻田政治學的形成過程》，上海三聯書店，2001 年。

〔註38〕 張君勱：《我從社會科學跳到哲學之經過》，《義理學十講綱要》，中國人民大學出版社，2006 年，第 172 頁。

〔註39〕 《中華民國民主憲法十講·自序》，上海商務印書館，1947 年，第 1 頁。

下顏面盡失的清王朝的舵手。在張君勱眼裏，全然呈現出「救世者」的姿態。一紙「緝拿令」，竟成爲張君勱對梁啓超深感欽佩之肇始，也奠定他一生心繫謂危、委身國是的基調。〔註40〕

　　1903 年，馬相伯在上海徐家匯天文臺創辦震旦學院，教授拉丁、英、法、德文，以培養中國的翻譯人才。此時，流亡日本的梁啓超不僅在《新民叢報》刊登出該院的招生啓事，還特地撰寫《祝震旦學院之前途》一文。梁在是文中指出：「士生今日，不通歐洲任一國語言文字者，幾不可以人類齒。」懷著對梁啓超的崇拜，張君勱對震旦學院也心嚮往之：「某天我見新民叢報登有震旦學院新聞──招生新聞──梁任公並說中國之有學術，自震旦學院始。這話非常刺激吾的腦筋。於是我就想進這個學堂，每半年要繳學費百多兩銀子，我設法繳了。」〔註41〕

　　梁啓超流亡到日本後，通過他所創辦的《清議報》和《新民叢報》，將「立憲」、「內閣」、「政黨」等概念源源不斷地介紹給國人，在很長一段時間裏，執中國輿論之牛耳，引起大批知識分子競相傳閱。〔註42〕針對國家制度設計和社會秩序整合，以梁啓超爲核心的立憲派認爲，仿傚西方推行憲政才是解決這一問題的根本途徑，宣稱「制定憲法，爲國民第一大業」〔註43〕，「立憲者，以憲法規定國家之組織及各相關機關之權限，與夫人民之權利義務，而全國上下共守之以爲治者也」。〔註44〕憲法集中體現了人民的公益，但利益的表達，則離不開位於國家與個人之間的中介組織。因而，憲政的實現必須依賴政黨政治，「立憲政治，惟有政黨能運用之……立憲政體，固非借政黨不能運用」〔註45〕。

〔註40〕 程文熙：《張君勱先生年表簡編初稿》（上），朱傳譽主編：《張君勱傳記資料》（2），天一出版社，1985 年，第 253 頁。

〔註41〕 張君勱：《我的學生時代》，《再生》1948 年第 239 期，第 7～8 頁。

〔註42〕 《清議報》從 1898 年辦到 1901 年，出版後，即風行海內外。每期銷售三千餘冊，發售和代售點有 38 處，在知識界影響很大；《新民叢報》從 1902 年辦到 1907 年，內容「包羅萬象」，一般銷數在一萬份上下，且每期都要被人再版或翻印，多的再版十餘次。《新民叢報》流行甚廣，國內外寄售點有八九十處，全國各地都有人在傳閱。參看丁守和主編：《辛亥革命時期期刊介紹》（1），人民出版社，1982 年，第 1、143 頁。

〔註43〕 梁啓超：《進步黨政務部特設憲法問題討論會通告書》，《飲冰室合集》（4），「文集」之三十，中華書局，1989 年，第 82 頁。

〔註44〕 梁啓超：《國民淺訓》，《飲冰室合集》（8），「專集」之三十二，中華書局，1989 年，第 4 頁。

〔註45〕 梁啓超：《將來百論》，《飲冰室合集》（3），「文集」之二十五，中華書局，1989

「在專制政體下，決無容政黨發生之餘地。政體既歸於立憲，則無論其國體為君主為共和，皆非籍政黨不能運用……非真立憲之國不能有真政黨，然非有真政黨之國亦不能真立憲。二者互相為因，互相為果」〔註46〕。

　　這些觀念對張君勱影響很大，是故有 1906 年編譯密爾的《代議制政府》發表在《新民叢報》之舉，也有被梁啓超收至麾下，加入政黨性質的政聞社，從事立憲活動。值得注意的是，在這個過程中，張君勱得以借助並利用自清末起梁啓超積累起來的個人威勢和人際關係，尤其是在憲政運動中，張君勱與立憲派建立起良好關係，逐漸獲得相應的「政治能力」。而這種「政治能力」，則為張君勱日後組黨，奠定了堅實基礎。

年，第 199～200 頁。

〔註46〕梁啓超：《敬告政黨及其黨員》，《飲冰室合集》（4），「文集」之三十一，1989 年，第 1～5 頁。

第二章 民初張君勱政黨理念的 初構與實踐探索

武昌革命爆發後，繼以共和政體建立。由西方照搬而來的共和體制，爲政黨政治的發生與運作提供了土壤。再加之革故鼎新，民氣大盛，是故從事政治運動之人紛紛組黨，造成民初政黨林立的局面。由清末「立憲派」和「革命派」演化而來的「穩健派」和「激進派」，在梁啓超、孫中山等人的積極推動下，希冀拉攏合併各小黨派，形成新的大黨，從而以國會爲中心，展開政治角逐。

學成歸國的張君勱，一方面憑著對西方文化政治制度較爲精準的把握，一方面基於在日參與政聞社的實際經歷，初步形成了關於政黨政治的一套理念。在他看來，組建政黨是通往民主憲政的必由之路，是憲政發生與實現的先決條件。具體言之，政黨須爲「議會角逐之具」，穩健派要實現政治理念，必須介入政界，廣占勢力，尤其是要聯合國內的實力派，整合同主義之小黨，「另造成一個大黨」。有鑒於此，在歸國後的這段時期，張君勱積極投身到組黨的實踐中去。

第一節 民初政黨政治之生態

根據《中華民國臨時約法》，「人民有言論、著作、刊行及集會、結社之自由」，是故清末久受壓抑的民氣得以舒展。不僅原有的革命團體和立憲團體紛紛改爲政黨，凡是從事政治運動者，亦大都列名黨籍，或利用不黨之名，

三五結合，俯仰於諸黨之間。〔註1〕「綜其數目，殆達三百有餘」。〔註2〕因而，各政黨組織一時「茁如雨後筍，遮如參天雲」。

這其中，主要有三股政治力量影響著中國政局的走向。它們是：孫中山為首的激進派，梁啟超、張謇為首的穩健派〔註3〕，以及袁世凱為首的北洋派。〔註4〕鑒於袁世凱掌握著實權，激進派和穩健派都希望通過對各黨派的重新分化組合，形成新的大黨，以國會（包括臨時國會）為中心進行角逐，從而掌握或分享國家權力。

就激進派而言，1912年3月，孫中山領導的清季革命運動中堅——同盟會由秘密改為公開，勢力大漲。但隨著孫中山辭去臨時大總統，臨時政府北遷，同盟會江河日下。〔註5〕在這種情況下，為了臨時參議院中的席次和政黨內閣的理想，同盟會先後合併了統一共和黨、全國聯合進行會、國民公黨、國民共進會、共和實進會，於1912年8月25日在北京湖廣會館召開了六黨合併成立大會，正式組成國民黨。〔註6〕推舉孫中山為理事長，黃興、宋教仁、王寵惠、王人文、王芝祥、吳景濂、張鳳翔、貢桑諾布爾等8人為理事。其政綱為：「促成政治統一；發展地方自治；實行種族同化；注重民生政策；維持國際和平」。〔註7〕

〔註1〕樸庵：《責不黨者》，《中華民報》，1912年10月1日。轉引自張玉法：《民國初年的政黨》，嶽麓書社，2004年，第12頁。

〔註2〕謝彬、戴天仇等：《民國政黨史・政黨與民初政治》，中華書局，2007年，第8頁。

〔註3〕在學術著作中多以「保守派」稱之。筆者認為，「保守」一詞有失偏頗，根據這一派的各黨政綱，多冠以「政治經驗近於以穩健為進步一派」，或「所取主義當以穩健進步為既歸」。因此，乃用「穩健派」稱之，並與清末「立憲派」區別開來。

〔註4〕李劍農：《中國近百年政治史（1840～1926）》，復旦大學出版社，2002年，第268頁。

〔註5〕張玉法將同盟會江河日下的境遇概括為：「第一，參議院北遷後，其議員受舊勢力的包圍；其二，孫中山辭臨時大總統職後，政治大局由袁世凱操縱；其三，南京留守府取消後，沒有足與北京政府對抗的勢力；其四，唐紹儀內閣辭職，使同盟會在中央政治失勢；其五，保守派的部分團體合併而成共和黨，聯合參議院中的第三黨，已足向同盟會挑戰。」參見張玉法：《民國初年的政黨》，嶽麓書社，2004年，第53頁。

〔註6〕六黨合併始末參見張玉法：《民國初年的政黨》，嶽麓書社，2004年，第54～58頁。

〔註7〕謝彬、戴天仇等：《民國政黨史・政黨與民初政治》，中華書局，2007年，第50頁。

國民黨成立後，參議員之席次躍居優勢。「在臨時參議院一百三十四人中，約占六十餘人，以與政敵共和黨之四十餘席次相較，實爲三與二之比」。「國民黨當是時，實具有左右議場之勢力」。〔註8〕

穩健派系清末立憲派發展而來，成員亦包括地主士紳和部分革命黨人。其政治主張由君主立憲轉成擁護民主共和制度，力主穩健主義。然而，就如何實現聯黨造黨，穩健派內部卻有了分歧。有人主張聯絡袁世凱，有人則主張聯絡黎元洪以自重。後者如徐拂蘇，他在給梁啓超的信中稱：「覺時局將有結果，黨派當著先組織，並細察國中將來黨派，其一爲現政府黨，袁爲魁，其一爲民黨，孫爲魁。此兩派人皆比較的有大黨希望。然此兩黨，皆非吾輩所能與之一致行動……弟再四思之，刻下以加入黎黨爲得。」〔註9〕

是故，1912年5月9日，以統一黨與民社爲中心，聯合國民協進會、國民公會、國民黨（潘鴻鼎組）和國民共進會（徐謙、陳錦濤等所組），穩健派政黨共和黨正式成立於上海，〔註10〕以「對抗全盛之中國同盟會」。共和黨推舉黎元洪爲理事長，張謇、那彥圖、章炳麟、程德全、伍廷芳爲理事，林長民、湯化龍、王印川、范源濂、劉瑩澤、黃雲鵬等人爲幹事。共和黨黨義爲：「保持全國統一，採取國家主義；以國家權力，扶持國家進步；世界之大勢，以平和實利立國。」〔註11〕

共和黨組成後，「在臨時參議院勢力，幾架同盟會上」，「參議院議員除西藏迄未選派外，計共一百二十席，同盟會與共和黨各占四十餘席」。〔註12〕國民黨成立後，兩黨勢均力敵，競爭甚爲激烈。

第二節　張君勱政黨理念的初步建構

畢業返國後的張君勱，擔任寶山縣議會議長，並與其弟張公權等共同在

〔註8〕謝彬、戴天仇等：《民國政黨史・政黨與民初政治》，中華書局，2007年，第51頁。

〔註9〕丁文江、趙豐田編：《梁啓超年譜長編》，上海人民出版社，1983年，第599頁。

〔註10〕各黨合併過程參見張玉法：《民國初年的政黨》，嶽麓書社，2004年，第89～95頁。

〔註11〕謝彬、戴天仇等：《民國政黨史・政黨與民初政治》，中華書局，2007年，第48、49頁。

〔註12〕謝彬、戴天仇等：《民國政黨史・政黨與民初政治》，中華書局，2007年，第49頁。

上海發起了神州大學與國民協會〔註 13〕。在日本參與政聞社的這段經歷，使張君勱對政黨政治有了初步認識。一方面，就政黨制度而言，其是「國民熱心於政治上自然而生之現象」，是憲政發生與實現的先決條件；另一方面，鑒於民初黨禁開放，多黨林立，張君勱就政黨的具體運作指出，穩健派應該聯合袁世凱為首的實力派，以此吸納賢才，為日後「造成一大黨」鋪路。

一、「先政黨，後立憲」

張君勱對「政黨」的定義為：「政黨者國民之結合而求其意見之實行者也」。〔註 14〕他認為，政黨是「天賦人權」的體現和要求，是「國民心理」發展到一定階段，「熱心於政治上自然而生之現象」。〔註 15〕

政黨制度和憲政體制之間，存在怎麼樣的邏輯關係呢？張君勱做了一個形象的比喻：「譬之樹，憲法政治果也，政黨花也，世界從無無綻花而可以獲果者，又豈有無政黨而憲法政治可希冀者。反言之，世界無無政黨之立憲國，亦無有政黨之專制國。」〔註 16〕政黨先於憲法政治而存在，也是後者得以實現的必要條件。所以張君勱說，「故今者，吾全體國民與夫少數之為民請命者，誠知此為救時不二法門，則合大群以動政府，以訴國民，吾知其必有達目的之一日」。〔註 17〕

在張君勱看來，在專制時代，「政府非萬不得已，必不甘一日棄其所憑藉以讓人」。到了近世，國民政治意識開始覺醒，政治參與欲望增強，政府卻「言論之所有事皆不過消極之禁止」。因而，「合大團體提出條件以要求政府之實行」。「大團體」即是政黨，它是民意的代表和產物。〔註 18〕所以張君勱說「吾聞以政黨產出立憲政治，不聞以立憲政治產出政黨」，並強調「非政黨發達於今日，必不能推倒此專制政治於將來，必不能選舉立憲政治之實」。〔註 19〕

〔註 13〕 神州大學擬仿照日本早稻田大學的教育體制，以培養政治和法律人才為目的。但因種種緣故，並未辦成。國民協會的宗旨在於養成國民的政治習慣，「以謀中華民國之統一，促進共和國體之完成」。參看鄭大華：《張君勱傳》，中華書局，1997 年，第 28 頁。

〔註 14〕 張嘉森：《國會與政黨》，《政論》，第 2 號，1907 年 11 月 15 日，第 52 頁。

〔註 15〕 張嘉森：《國會與政黨》，《政論》，第 2 號，1907 年 11 月 15 日，第 61 頁。

〔註 16〕 張嘉森：《國會與政黨》，《政論》，第 2 號，1907 年 11 月 15 日，第 54 頁。

〔註 17〕 張嘉森：《國會與政黨》，《政論》，第 2 號，1907 年 11 月 15 日，第 54 頁。

〔註 18〕 張嘉森：《國會與政黨》，《政論》，第 2 號，1907 年 11 月 15 日，第 54 頁。

〔註 19〕 張嘉森：《國會與政黨》，《政論》，第 2 號，1907 年 11 月 15 日，第 59 頁。

在這一點上，張君勱與其長期追隨的梁啟超有本質上的區別。梁啟超認為，政黨是立憲政治發酵的結果：「立憲政體，固非藉政黨不能運用。然政黨尤必在立憲政體之下乃能發育。」〔註20〕這就是為什麼他將政聞社譬喻為「政黨之椎輪」──即非真正的政黨，而是政黨的準備形式。換句話說，只有當憲法頒佈、國會召開時，在憲政模式的基礎上，政黨才會應運而生。針對這種看法，張君勱以自由黨、少年意大利〔註21〕以及虛無黨分別促成了德國、意大利、俄羅斯等國立憲的事實作比，予以反駁，並聲明道：「政黨者乃政治上至要至緊之物，而不容一日緩者也」。〔註22〕

二、造大黨以競爭角逐

政黨政治是實現憲政的先決條件。具體到政黨的運作，張君勱說，「觀羅馬英美之文明，全恃其政黨之競爭角逐而來。」〔註23〕也就是說，各政黨必須通過政治角逐，取得議會多數，組成政黨內閣，其所倡導之主義方針才能落實。因此，具體到穩健派今後的發展，張君勱認為，不能僅恃主義之純潔，超然於上，而是要聯合國內的實力派，整合同主義的小黨，「另造成一個大黨」，與對立黨在國會中進行政治角逐。

首先，針對中國政治格局和穩健派今後發展，張君勱分析道，「竊謂今後中分天下者，袁、孫二黨而已」，「袁、孫二派皆非能建設今後之國家者，雖合無益」。擺在穩健派面前的有兩條路──「超然獨立，另標政綱，與天下共見」，或者「與兩黨之一想提攜，以行吾輩所懷抱」。就實際情況來看，「立憲國中輿論之功，勢不能僅恃其主義之純潔，必也與人爭選舉，爭議席」。

其次，張君勱向梁啟超建議，穩健派應該借助國內的實力派，另造一個大黨。「目前捨擇二派而提攜之，別無他法。」〔註24〕與徐拂蘇、湯覺頓等人「聯黎」的意見相左，張君勱認為，立憲事業的進行和實現，需要聯合以袁世凱為首的實力派。他說，「袁氏為人詭譎多術，頗不易合」，但聯合的目的不在與其爭奪政權，而是借助袁世凱的勢力「以發展支部於各省」，況且「北方官僚中表同情於吾輩者，頗不乏人，藉此以吸收才智之士」，以「造成一大

〔註20〕滄江：《將來百論》，《國風報》，1911 年第 15 號。
〔註21〕即青年意大利黨。
〔註22〕張嘉森：《國會與政黨》，《政論》，第 2 號，1907 年 11 月 15 日，第 61 頁。
〔註23〕張嘉森：《國會與政黨》，《政論》，第 2 號，1907 年 11 月 15 日，第 61 頁。
〔註24〕丁文江、趙豐田編：《梁啟超年譜長編》，上海人民出版社，1983 年，第 600 頁。

黨以爲改革事業之中堅」，從而使議會政治和政黨政治的宏圖得以實現。有了大的政黨，袁「雖欲不聽命於我，安得可焉」，「持此術以與袁氏合，爲道當亦非難」。〔註25〕

此種認識，一方面源於政聞社查禁的事實，使張君勱堅信，必須進入政界，廣占勢力，方才有所作爲；另一方面，是基於激進派政黨和政治團體在民初聲勢大造，而穩健派卻勢力分散。因而，張君勱希望借助政治資本雄厚的袁世凱，吸納賢才，爲日後「造成一大黨」鋪路。本著這一目標，張君勱隨即投入到組黨的實際活動中，相繼有「共和建設討論會」和「民主黨」之成立。

第三節　民初張君勱的組黨實踐

一、「共和建設討論會」

1912 年 2 月，張君勱與湯化龍、林長民、孫洪伊、黃可權、向瑞琨等人在上海發起組建了共和建設討論會，「是爲張君勱繼『政聞社』後所爲第二次之政黨組織。」〔註26〕經過三個月籌備，4 月 13 日在上海老靶子路戻虹園召開了共和建設討論會成立大會，頒佈綱領性文件《中國立國大方針商榷書》，並選舉編輯幹事 1 人，文書幹事 4 人，會計幹事 3 人，庶務幹事 3 人，交際幹事 40 餘人。〔註27〕其中，湯化龍爲實際負責人，張君勱擔任交際幹事。〔註28〕經過聯絡和發展，到 1912 年 6 月，「省會成立者閩、魯、湘、贛、蜀、滇、秦、晉八省，以外各省各州邑成立約二十處，會員殆逾萬人」。〔註29〕

共和建設討論會的成立，是有鑒於「清帝退位，國體改成共和以後，舊制全行消滅，新制尚待設立」，因此「乃謀結合一部分之團體，商榷海內賢俊，

〔註25〕丁文江、趙豐田編：《梁啓超年譜長編》，上海人民出版社，1983 年，第 600～601 頁。

〔註26〕程文熙：《張君勱先生與蘇俄》（上），朱傳譽主編：《張君勱傳記資料》（2），天一出版社，1985 年，第 190 頁。

〔註27〕《共和建設討論會開成立大會紀事》，《共和建設討論會會刊》，1923 年 4 月，第 83，84 頁。

〔註28〕職員名單參見《共和建設討論會職員名單》，《共和建設討論會會刊》，1923 年 4 月，第 87～88 頁。

〔註29〕《梁任公先生知交手箚》，沈雲龍主編：《近代中國史料叢刊》續編，第 10 輯第 97 分冊，文海出版社，1974 年，第 165～166、171 頁。

澄心研究於吾國重重建設事業」，〔註30〕是爲「討論民國建設諸問題以爲組織
政黨之備」〔註31〕。共和建設討論會的骨幹構成，是基於各省數年來之諮議
局聯合會，〔註32〕會員均屬「政治經驗近於以穩健爲進步一派」，「以此主義
協謀國是，則吾國種種建設對外必取乎和平政策，對內必取乎實利政策」，〔註
33〕概括說來，即是「所取主義當以穩健進步爲既歸」。〔註34〕

　　在具體運作上，共和建設討論會強調建立「強有力之政府」，在這個基礎上，
實行良性政黨政治。而「欲行完全政黨政治，必以國中兩大政黨對峙爲前提」。
民初持同樣穩健基調的政治團體亦不在少數，但「小黨分立並非國家之福明」，
況且，「政黨之爲物又以政見爲本位，而非以個人爲本位者也。」〔註35〕因而，
文化幹事林長民說：「一國之中，不可無兩大政黨，一急一緩，互相頡頏，以躋
於平。民國成立，人心爲之一振，一時奮發之氣，急進黨易於成立，亦易於發
生，即在今日，亦頗有此現象，緩進之黨發達，或當稍後。觀近日政團中取穩
健主義者已有多數，主義既同，斷無分門戶以爭意見之理。」〔註36〕

　　有鑒於此，張君勱等人積極投身於各黨之間的聯絡和斡旋。曾一度試圖
聯合在民國公會、國民協進會、民社、統一共和黨及部分國民黨人的基礎上
成立的共和黨，然因領袖人選問題有分歧而未遂。於是張君勱、湯化龍、孫
洪伊、向瑞琨等人決議，「另造一黨，合國中人物，共同發起」，以梁啓超和
蔡鍔爲領銜發起人〔註37〕。張君勱相信，「如此辦法，則以極大之第三黨必可

〔註30〕《共和建設討論會開幕成立大會紀事》，《共和建設討論會會刊》，1923 年 4 月，
　　　　第 83 頁。
〔註31〕《共和建設討論會章程》，《共和建設討論會會刊》，1923 年 4 月，第 79 頁。
〔註32〕《共和建設討論會開幕成立大會紀事》，《共和建設討論會會刊》，1923 年 4 月，
　　　　第 83 頁。
〔註33〕《共和建設討論會開幕成立大會紀事》，《共和建設討論會會刊》，1923 年 4 月，
　　　　第 84 頁。
〔註34〕《共和建設討論會開幕成立大會紀事》，《共和建設討論會會刊》，1923 年 4 月，
　　　　第 84 頁。
〔註35〕《中國立國大方針商榷書》，《共和建設討論會會刊》，1923 年 4 月，第 66～67
　　　　頁。
〔註36〕《共和建設討論會開幕成立大會紀事》，《共和建設討論會會刊》，1923 年 4 月，
　　　　第 85 頁。
〔註37〕事實上，湯覺頓、徐復蘇、藍公武等人紛紛致函梁啓超，反對其接受張君勱
　　　　的建議，另建並領導一個大黨。梁啓超本人從贊成兩黨制而非多黨制出發，
　　　　亦不同意張君勱的組黨計劃，因此，他「既未參加第三黨的發起，也未加入
　　　　該黨，僅以個人資格，暗中爲該黨盡力而已。」參見曾業英：《梁啓超與民主

造成，而吾輩政見之發揮，較之加入他團者必易爲力」。〔註38〕

二、「民主黨」

　　1912 年 9 月 27 日，共和建設討論會聯合張君勱胞弟張公權負責的國民協會、共和促進會、民國新政社、共和統一會和共和俱進會等團體，正式成立民主黨，成爲獨立於國民黨、共和黨之外的「第三黨」。〔註39〕民主黨的黨綱是：「普及政治教育、用戶法賦自由、建設強固政府、綜合行政改革，調和社會利益。」〔註40〕並特別說明不汲汲於政權之爭，而「專注全力以普及政治知識，傳播政治信條」。〔註41〕可以看出，民主黨的政綱乃依共和建設討論會之舊，採穩健主義。

　　民主黨成立後，除設上海本部外，積極發展勢力於各省。「其支部之於在各省者，所在多有。分佈之在於各府、州、縣者，亦數百起。近且日日擴張，銘乎盛矣」。〔註42〕「各地支部及交通部達七八十處。如天津『燕支部』，曾於梁啓超回國時舉行歡迎會，由孫洪伊介紹梁演說。如桂林支部，由共和建設討論會支部改組而成，國會議員選舉時，曾與國民黨展開激烈的鬥爭。」〔註43〕

　　民主黨成立後不久，發生了所謂「外蒙問題」。《俄蒙協約》發表，全國人心激憤。對於張君勱來說，雖本希望借助政治資本雄厚的袁世凱，聯絡各黨派，爲日後「造成一大黨」鋪路，但見其「因循坐誤，一事不舉」，故撰文討伐，發《袁政府對蒙事失敗之十大罪》於《少年中國》周刊，〔註44〕成爲「首舉反袁的第一人」〔註45〕。張君勱也因此不得不中斷在國內的組黨活動，於 1913 年初流亡歐洲。

　　黨》，《近代史研究》，1995 年第 1 期。
〔註38〕丁文江、趙豐田編：《梁啓超年譜長編》，上海人民出版社，1983 年，第 646 頁。
〔註39〕謝彬、戴天仇等：《民國政黨史·政黨與民初政治》，中華書局，2007 年，第 51 頁。
〔註40〕鄭大華：《張君勱傳》，中華書局，1997 年，第 33 頁。
〔註41〕《民主黨出現之內容》，《申報》，1912 年 8 月 25 日，第 2 版。
〔註42〕《論民主黨》，謝彬、戴天仇等：《民國政黨史·政黨與民初政治》，中華書局 2007 年，第 250 頁。
〔註43〕張玉法：《民國初年的政黨》，嶽麓書社，2004 年，第 107 頁。
〔註44〕程文熙：《張君勱先生年表長編》（5），朱傳譽主編：《張君勱傳記資料》（2），天一出版社，1985 年，第 285 頁。
〔註45〕鄭大華：《張君勱傳》，中華書局，1997 年，第 37 頁。

　　從「共和建設討論會」到「民主黨」，張君勱都在爲自己「另造一個大黨」
的計劃競走奔波。章炳麟曾用杜甫詩句「蟄龍三冬臥，老鶴萬里心」書聯贈
張。此語不差。一方面，這與民國初年的政治環境有關：「同盟會與統一共和
黨合併爲國民黨，握有參議院絕對多數之權。至是國會選舉之結果，國民黨
在兩院占五百席，又爲絕對多數，其他各黨大駭。」〔註46〕因而，穩健派必
須使分散的力量聚成一股合力，「與人爭選舉，爭議席」，方能發揮發揮黨勢。
〔註47〕另一方面，這與張君勱矢志不渝的政黨政治的追求有關，他認爲，只
有在強有力的中央政府的可靠保證下，以政黨與政治的良性互動爲表徵，憲
政方能步入正軌。

　　綜上所述，民國建立後，共和政體取代皇族專制，對知識群而言，不啻
爲「前途輾轉之機」。此時，張君勱從制度層面到操作層面，對政黨政治已有
了相當的認識。因而，當黨禁開放、選舉施行、國會召開等外部條件充分具
備時，張君勱意識到，議會政黨政治行將開啓。是故，他積極投入到政黨的
組建中，與對立黨進行政治角逐，獲得合法性的政治參與。

　　民初的政黨試驗，實際是移植西方憲政制度的產物，是競爭性議會政黨
政制的具體運用。政黨制度發軔於英國，行於世界各國。在民國初年，英、
法、美、德、日等國的兩黨或多黨制，成爲知識界對政黨政制的主要認知來
源。良性的政黨政治運作，是通過合法選舉，進入政治過程，當政黨成爲執
政黨後，通過控制議會即組織政府執掌政權，將政黨意志上昇爲國家意志。
在野黨則通過發揮監督作用，影響國家政權。但事實上，對穩健派還是對激
進派而言，組建政黨更像抓住一根救命稻草，將其視爲實現政治抱負、救國
圖強的靈丹妙藥。諸多因素掣肘，使中國難以形成類似西方的議會民主政治，
步入良性有序的政黨政治軌道。〔註48〕

〔註46〕陳功甫：《中國最近三十年史》，商務印書館，1928年，第106頁。
〔註47〕對此，高一涵曾批評立憲派說「這黨宗旨在和平改革，無論什麼時代，只要
　　　　容許他們活動，他們都可俯首邊就；到了他們不能活動的時期，也可偶然加
　　　　入革命黨；但是時局一定，他們便仍然依附勢力，託庇勢力之下以從事活動。」
　　　　參見李劍農：《中國近百年政治史（1840～1926）》，復旦大學出版社，2002
　　　　年，第320頁。
〔註48〕對民初政黨政治流產之原因分析，參見王建華：《夭折的合法反對：民初政黨
　　　　政治研究（1912～1913）》，江蘇人民出版社，2010年，第232～254頁。

第三章 憲政失敗的反思與 理想政黨的訴求

　　20 世紀一、二十年代，張君勱兩度赴歐。〔註1〕此時，從西方直接照搬而來的議會制政體，卻無法作為一劑良藥，消弭辛亥革命後中國政壇的混亂形式。接連不斷的黨爭與內閣危機，致使民國初年政治的嚴重失範，由此「進一步導致對早期議會政治反動的袁世凱的『強人政治』與帝制運動」〔註2〕，共和方案即告破滅。袁氏去世後，北洋各派系之間的爭鬥使得民國政治惡濁、亂象叢生，政黨、議會、內閣，這些憲政的關鍵因子，被武人玩弄於鼓掌，形成「軍閥橫行，政客流毒，黨人附逆，議員賣身」的局面，是有「安福國會」、「豬仔國會」等醜聞。

　　面對憲政失敗的現實，相當一批知識分子對共和政體喪失信心，如孫中山，開始轉向在集權政治與重拾「革命」中謀求新的出路。〔註3〕在歐洲求學的張君勱，雖自言入了「學問國」，但無時無刻不在思考中國政治的走向。參照德、

〔註1〕第一次為 1913 年至 1916 年，因反對袁世凱，張君勱被迫流亡歐洲，以日本早稻田大學畢業生資格入柏林大學，攻讀博士學位。袁世凱復辟後，因受梁啓超電召回國，襄助反袁起義。第二次為 1919 年至 1921 年，隨同梁啓超，以中國赴巴黎和會代表團非正式顧問的身份，前往歐洲參觀訪問。後獨自留在德國，師從著名唯心主義哲學家倭伊鏗，研究哲學問題。1921 年底，陪同應邀來華講學的杜里舒返國。

〔註2〕蕭功秦：《危急中的變革：清末政治中的激進與保守》，廣東人民出版社，2011 年，第 3 頁。

〔註3〕關於孫中山思想轉換的過程與原因，參看申曉雲：《從「憲政」到「黨治」——孫中山「再造民國」思想轉換透視》，《南京社會科學》，2011 年第 6 期。

俄兩國的社會背景和革命經驗，張君勱對民國政壇惡濁、憲政「走投無路」的根本原因進行反思，並重新審視和思索政黨政制有關的問題，到底要建一支什麼樣的黨，以達到政治上的良性互動，建黨的基礎和前提又是什麼？

第一節　歐遊觀感與反思

一、以德為師：對德國社會民主黨的認同

　　20 世紀的頭二十年，正是歐洲發生「天崩地裂」的時代，第一次世界大戰的爆發，不僅改變了歐洲傳統政治格局，還衍生了新的政治制度：俄國在以列寧為首的布爾什維克黨的帶領下，通過暴力革命實現了無產階級專政。與此同時，德國革命及後續發展也頗為引人注目，德國在社會民主黨的主政下，建立了德意志共和國。

　　張君勱兩次赴歐，大部分時間都是在德國度過，因語言、文字和環境優勢，且與中國相似的社會背景——歐戰失敗後衍生出諸多問題，如財富集中於少數人手中、嚴重的貧富懸殊，促使他對德國革命進行了細緻的觀察與研究。提倡社會公道、公平正義的社會主義很快吸引了他的目光。同樣走社會主義道路的還有蘇俄，那麼，就中國的具體情況而言，究竟哪條道路更適合中國？是走德國社會民主黨的道路？還是走俄國布爾什維克的道路？張君勱選擇了前者。

（一）革命方式：點滴改良

　　德國的社會民主黨與俄國的布爾什維克，所追求的目標，都是實現社會的公平與公正，兩者的根本分歧在於實現社會公道的方式與途徑。張君勱反對俄國式的階級鬥爭和暴力革命，認為如此只會導致「流血和獨裁」。在張君勱看來，社會主義本身就是避免暴力與革命的最佳途徑，因為社會主義的實行，避免了貧富分化，則「社會革命之禍或者可免」〔註 4〕。因此他說：「居今日工業未興之中國，欲確定工業之新組織，免階級之戰爭，捨自始採取社會主義而施行社會所有法外，殆無他道。」〔註 5〕至於日後社會主義的實施，

〔註 4〕張君勱：《社會所有之意義及德國煤礦社會所有法草案》，載張嘉森：《新德國社會民主政象記》，商務印書館，1922 年，第 308 頁。

〔註 5〕君勱（張君勱，下同）：《懸擬之社會改造同志會意見書》，《改造》，第 4 卷第 3 號，1921 年 11 月 15 日，第 6 頁。

「方法貴乎漸進，而行事貴乎徹底」〔註6〕。

　　張君勱在與張東蓀的信中詳細闡述了自己的觀點，即認同溫和的「點滴改良」，而非暴力的流血革命。〔註7〕首先，張君勱指出，「革命為一種政治的、社會的、文化的激烈變動，當其由舊而新，由靜而動，其間自不能無種種之甘苦喜懼與成敗得失」，而中國現狀，正是束縛於四千年來承襲的舊思想和舊制度，所以，凡是革命，「不論其所爭為思想，為政治，為民族，為社會」，由於是改造舊時代進入新時代不得不然的方法，應該予以歡迎。然而，對各種革命應該有所取捨，否則「化成民俗的目的不可不得而達也」。〔註8〕論革命者往往對革命秉持兩種態度，一種是推崇備至，頂禮膜拜；另一種將革命看成是權宜之策，不可作為常態對待，因此著重剖析其來龍去脈。〔註9〕張君勱從後者的角度出發，從實踐層面對俄、德兩國革命作了比較，全面闡述了他為什麼認為中國只能走德國社會民主黨改良之路，而不能走俄國布爾什維克激進道路的理由。

　　張君勱還稱，「俄藍寧輩之所為，震驚一世之力，可謂前無古人」，但不顧生計上之影響，不可作為規矩和方圓。他進一步打比方，孟賁之勇，離婁之巧，為世人欽羨，但教人者，不應該「強人以期至乎孟賁至乎離婁」，而應「勉人以練筋骨勞體肢」，尋規引矩。德國革命正是「建築於五十年訓練之上，醞釀於四年戰事之中」，得到國民的擁護，建立政府，頒佈憲法，蹈常襲故，「為人人所可共有」。所以，對於列寧領導的俄國革命，他固然「佩其主義之高，進行之猛」，但於「根基之深厚，踐履之篤實」，張君勱推崇德國社會民主黨的道路。〔註10〕

（二）革命手段：法律手段

　　在社會革命的手段上，兩者存在著明顯不同：俄國採用的是非法律的暴

〔註 6〕君勱：《懸擬之社會改造同志會意見書》，《改造》，第 4 卷第 3 號，1921 年 11
　　　月 15 日，第 12 頁。

〔註 7〕張君勱與張東蓀的三封信以《中國之前途：德國乎？俄國乎？》為題，刊登
　　　在 1920 年 7 月 15 日出版的《解放與改造》上。

〔註 8〕君勱、東蓀：《中國之前途：德國乎？俄國乎？》，《解放與改造》，第 2 卷第
　　　14 號，1920 年 7 月 15 日，第 1 頁。

〔註 9〕君勱、東蓀：《中國之前途：德國乎？俄國乎？》，《解放與改造》，第 2 卷第
　　　14 號，1920 年 7 月 15 日，第 2 頁。

〔註10〕君勱、東蓀：《中國之前途：德國乎？俄國乎？》，《解放與改造》，第 2 卷第
　　　14 號，1920 年 7 月 15 日，第 2～3 頁。

力手段，而德國採取的是法律手段。具體說來，表現在以下幾個方面：

（一）俄藍寧革命成功後，解散國民會議而以全俄蘇維埃代之；德於革命初期雖召集蘇維埃，其後廢之而代以國民會議。（二）俄之蘇維埃限於勞動階級；德之國民議會，一切國民均有選舉權被選舉權。（三）俄之代表機關，為一階級所佔之蘇維埃；德之代表機關為國民會議，此外輔之以蘇維埃，得參與立法。（四）俄之土地國有，工業國有，由蘇維埃認可，不出賠償而強徵收之；德憲法上亦認國有主義，然其施行方法由議會議決，且採取賠償主義。（五）藍寧政府抱持數十年來社會黨不與資產階級合組政府之大義；德革命之初，以多數派獨立派組織純社會黨內閣，其後獨立派出閣後，多數派與其他資產階級合組混合內閣。（六）藍甯氏以為在革命後之過渡期內，對於資本家之參政、集會、報紙應加限制，故施行貧民專制；德則無此狀態。〔註11〕

張君勱稱自己「僕為希翼以法律手段解決社會革命之一人」，所以他對俄國這種非法律的暴力強制手段「不敢苟同」〔註12〕。俄國布爾什維克否認平等的普選權，暴力推翻了代表民意機構的國民議會，故「彼之所謂幸福者，猶是藍寧一二人之所謂幸福」，而全俄民意之所謂幸福，並不在此。這兩年來俄國勞民傷財，殺人流血的慘禍相隨而俱至，生靈塗炭，苦不堪言。〔註13〕他總結道：「國之所以立，必賴法律。苟無法律，國且不存；所謂法者，其成立也，必有一定之機關，一定之順序；若苟以少數人之力從而更易之，則法為非法，而國必亂。誠以今日吾以強力推翻人，則明日人亦得以強力推翻吾。如是兩相推翻，雖有利國福民之美意，亦且變為禍國殃民之暴舉矣。」〔註14〕職是之故，他進一步否定了蘇俄式革命，「其勇猛固可嘉，若為所學取法在此，則吾未之敢承。」當然，張君勱深知，舊秩序的打破與新秩序的建立，不能「悉依昔日法律而圖改革」，應該向德國一樣，「鼓動國民求議會多數然後本多數後盾以組織政府實行革命」，即由政府進行改革，「偏於議會策略，故失

〔註11〕君勱、東蓀：《中國之前途：德國乎？俄國乎？》，《解放與改造》，第 2 卷第 14 期，1920 年 7 月 15 日，第 7 頁。

〔註12〕君勱、東蓀：《中國之前途：德國乎？俄國乎？》，《解放與改造》，第 2 卷第 14 期，1920 年 7 月 15 日，第 8 頁。

〔註13〕君勱、東蓀：《中國之前途：德國乎？俄國乎？》，《解放與改造》，第 2 卷第 14 期，1920 年 7 月 15 日，第 4 頁。

〔註14〕君勱、東蓀：《中國之前途：德國乎？俄國乎？》，《解放與改造》，第 2 卷第 14 期，1920 年 7 月 15 日，第 8 頁。

於社會主義，而得於法律主義」。〔註15〕

顯而易見，張君勱認爲，德國社會民主黨所踐行的民主社會主義，爲今後建構國家制度的方向。他說：「願追隨國人之後，以自效於此 20 世紀社會民主主義之革命潮流者也。」而社民黨點滴改革的路徑，也自然成爲張君勱組黨的榜樣。在他看來，依託法律手段，才能達到政治上的良性互動。

二、武力政治：民國亂象的根本所在

既然德國能在社會民主黨的帶領下，走民主社會主義的道路，爲何中國在辛亥革命後，既沒有穩定的政府，也沒有制定出民主的憲法，而是時局紛擾，流於動蕩？張君勱從政黨的角度對憲政民主失敗的原因進行了檢討。

首先，張君勱從根源上將中西方政治進行了一番比較：「聞之較數千年東洋政治與近百年西方政治之異同者，必曰吾專制而彼則民治，吾無憲法而彼有之，彼有個人自由之保障而吾無之，彼教育其民惟恐其不智而吾則行愚民之術。」之所以會有此種差異，是因爲「吾爲武力解決，而彼則理性解決」。〔註16〕

武力之解決，即「一二黠且智者，挾其權謀術數，以號召徒黨，或嘯聚一方，或削平大難而定天下於一尊，至數千年歷朝鼎革之局，無一次而能外此公例者矣。惟其最後之解決，恃力而不恃理，故常以一人爲主，而國民則奴隸耳，機械耳，其輔佐則攀龍附鳳者耳」。〔註17〕

理性之解決，即「凡是政治之主張，雖有急進緩進之異，大抵挾其所說，以鼓動其國民，必待日久成熟，而後和之者日眾。惟其所恃武器，爲口舌，爲紙筆，彼此之對待，有人格關係，而絕非一二草澤英雄使貪使詐之比。故西方政治上非無個人之爭，而其決之也以主張之是非，以贊成者之多少。其所以黨派分立，而能成從容揖讓之治理者此也」。〔註18〕

〔註15〕君勱、東蓀：《中國之前途：德國乎？俄國乎？》，《解放與改造》，第 2 卷第 14 期，1920 年 7 月 15 日，第 9 頁。

〔註16〕君勱：《國民政治品格之提高》，朱毓魁編：《現代論文叢刊》，第一冊，上海文明書局，1925 年，第 59 頁。

〔註17〕君勱：《國民政治品格之提高》，朱毓魁編：《現代論文叢刊》，第一冊，上海文明書局，1925 年，第 59 頁。

〔註18〕君勱：《國民政治品格之提高》，朱毓魁編：《現代論文叢刊》，第一冊，上海文明書局，1925 年，第 59 頁。

　　正是這種「武力解決」和「理性解決」，造成了具有本質差異的「武力政治」和「理性政治」。此種政治生態的差異，決定了中國缺乏德國民主黨成功的社會根基。清社易屋，民國肇造，從議會到政黨，源自西方的一套民主制度直接嫁接在新生政權的藩籬內。然而，在張君勱看來，這些都流於表面和形式，並未就此形成類似於西方的「理性政治」。相反由於國民缺乏政治組織能力，造成了「武力解決」的政治慣性──南北武人稍不遂意，便「怒目拔劍以其矣」，以至於「清命既終，不旋踵而二次革命，二次之不足，而有三四次乃至無窮次」〔註19〕。職是之故，政黨談何「從容揖讓」，反而成為武人弄政奪權的工具，遑論憲政在中國的真正實現。

　　張君勱還認為，「理性政治必起於個人良心上之自由，本此自由以擬成公意，於是為政策，為法律，蓋政治上人與人之分合，以政見為主，非以人為主，人與人之相待為平等的，而絕無所謂操縱與網羅。及其政策見諸施行，則合乎人之心理之同，然初不加利誘威迫於其間」。〔註20〕

　　然而中國現所謂代議之士，並不能代表民意監督政府，也不盡心盡力制定政策：「當其入黨之時，本無所謂主義，入之既久，而無所希冀，或出怨言，或顧而之他」；所謂政黨領袖，「固嘗奔走國事，稍識西方政治活動之大義矣。然一旦利害發生，則互相競進，雖朋友之誼且不顧，又遑論乎黨」。〔註21〕所以，譬如袁世凱及各路軍閥之流，「為政治活動者，不知政治上之主義，而但知個人之功名競爭」，這也是黨派傾軋的源頭，「故處同一黨者，此傾彼軋，易受敵人以可攻之間隙。政黨之對壘，惟恐我之不勝而人之不敗，故絕不解英人所謂平等競爭（fair play）之原則。凡以此故，十年九亂，而今日已陷於無政府之狀況。」〔註22〕

　　張君勱無不傷感的感歎：「自中國之有政黨，彼此之相仇恨不兩立。遍世界吾未之前聞焉。甲黨以乙黨為卑鄙為賣國，乙黨以甲黨為卑鄙為賣國。今也黨派之分裂愈多，其仇恨亦愈深。昔之相仇在兩黨，今則起於同室。譬之

〔註19〕君勱：《國民政治品格之提高》，朱毓魁編：《現代論文叢刊》，第一冊，上海文明書局，1925年，第59頁。

〔註20〕君勱：《國民政治品格之提高》，朱毓魁編：《現代論文叢刊》，第一冊，上海文明書局，1925年，第60頁。

〔註21〕君勱：《政治活動果足以救中國耶》，《改造》，第3卷第6號，1921年2月15日，第1頁。

〔註22〕君勱：《學術方法上之管見──與留法北京大學諸君話別之詞》，《改造》，第4卷第5號，1922年1月15日。

治絲者，結愈糾紛，而愈纏之不已。則結終未有解者也。」〔註23〕

　　在此需要指出的是，除了張君勱對民初的政黨生態極爲不滿，學界、政界亦多有人抨擊，如時人記錄：

> 　　自民國初元至今，政黨之產生，舉其著者，亦以十數，其真能以國家爲前提，不藐視法令若弁髦，不汲汲圖擴私人權利者，能有幾何？而聚徒黨，廣聲氣，恃黨援，行傾軋排擠之慣技，以國家爲孤注者，所在多有。且爭之不勝，倒行逆施，調和無人，至愈激烈而愈偏宕。即持有良好政見者，亦爲意氣所蔽，而怪象迭出，莫知所從。蓋吾國人對於政黨政治之觀念，極爲薄弱。當政黨之結合，初不以政見也，或臭味相投，或意氣相孚，質言之，感情的結合而已，然此猶其上焉者也。其下焉者權勢的結合而已，金錢的結合而已。〔註24〕

　　可見，當功名、地位、利害等問題成爲關注焦點時，便會發生黨派之間相互傾軋的惡濁現象，所以，若以今日之人心談論政治活動，談論政黨憲政，「是以民國以來之紛擾爲未足而求其重演一番而已」。〔註25〕若要改變這種現狀，必須以西方的「理性政治」取代「武力政治」，「能如是者，始能推翻四千年治亂循環之局，而爲東方政治創一新紀元」。〔註26〕

第二節　理想政黨的訴求

　　有感於西方的「理性政治」，張君勱分析了民國以來政治窳劣的根本原因，即所謂「武力政治」。如何以西方的「理性政治」取代中國的「武力政治」，張君勱認爲，必須組建一支理想的政黨。而建立理想政黨的關鍵，在於教育國民，提高國民的政治能力和政治品格。

〔註23〕　君勱：《政治活動果足以救中國耶》，《改造》，第 3 卷第 6 號，1921 年 2 月 15 日，第 4～5 頁。

〔註24〕　謝彬、戴天仇等：《民國政黨史・政黨與民初政治》，中華書局，2007 年，第 6～7 頁。

〔註25〕　君勱：《政治活動果足以救中國耶》，《改造》，第 3 卷第 6 號，1921 年 2 月 15 日。

〔註26〕　君勱：《國民政治品格之提高》，朱毓魁編：《現代論文叢刊》，第一冊，上海文明書局，1925 年，第 60 頁。

一、「欲以理想之政黨改造中國」

張君勱指出，「武力政治」是社會進步的最大窒礙。所以今後的根本任務，是將「武力政治」轉變爲西方式的「理性政治」。實現這個任務的前提，是由社會之力培養理性，建立一個理想的政黨，「理想政黨成，則理性政治實現必矣。」〔註27〕

那麼張君勱如何理解和設計他所謂的「理想政黨」呢？張君勱說：「吾以爲以政黨訓練國民之政治紀律，發達國民之政治智識，實爲第一要義。」他指出，理想之政黨與民初以來私營逐利的「政黨」名同實異，「政黨爲國民政治教育機關，而不以之爲議會角逐之具」。〔註28〕具體來看，一個「理想政黨」需要遵循的活動準則包括：

第一，政黨當斷絕與軍人之勾結，專向國民身上下工夫。

第二，政黨之武器，在以口舌以筆墨造成輿論，絕對斷絕武力關係。

第三，政黨經費應由本身籌劃，不應向政府討一文錢。

第四，政黨每年應開大會，討論政策及經過情形，且記載發表之。

第五，政黨應刊佈小冊子，以宣傳其主義政策。

第六，政黨應時時開演說大會，隨時隨地供給以國民應需之政治知識。

第七，政黨黨員以守紀律、守主義爲唯一信條。

第八，政黨與政黨間，應有交讓精神，對於敵黨政府，又應有兩三年之忍耐，以待其從容辰布，不可存朝上臺夕推翻之心理。

第九，政黨當相戒，勿以金錢贖買選民及議員，以腐敗其政治道德。

第十，政黨之於內爭，不得利用外國金錢或軍械，以壓倒反對

〔註27〕君勱：《國民政治品格之提高》，朱毓魁編：《現代論文叢刊》，第一冊，上海文明書局，1925年，第67頁。

〔註28〕君勱：《國民政治品格之提高》，朱毓魁編：《現代論文叢刊》，第一冊，上海文明書局，1925年，第64頁。

黨。〔註 29〕

　　張君勱特別強調，政黨要標出主義與政策。唯如此，才可以杜絕各黨派之間的相互傾軋。他分析說：「國會之與政府，政黨之與政黨，所為勾心鬥角者，不外人的問題。惟其但爭人而不爭主義，故國民之智識永不發達，國家政治權力之中心，永在一種朋黨之手中」。因而，他指出：「今後誠有志於政治運動者，當拋棄人的問題而專以政策主義宣傳於國民。」不寧唯是，政策與主義，不能僅僅列舉於紙面的政見書中，而要落實在實際之中，譬如「將黨綱開全國大會交黨員表決」、「將黨綱交付審查委員會而說明所以採不採之理由」、「將黨綱作為小冊之說明書以分配於國民」、「根據黨綱在大選舉時演說於公眾」、「根據黨議而在政策上行駛其質問權力」等等。〔註 30〕

　　作為政黨的一份子，黨員一要遵守紀律，二要肯為主義犧牲。〔註 31〕只有「有守紀律之分子」，方能使「政黨自身之組織而良」，進而「有步調一致之行動」，「驚天動地」之大事可成。〔註 32〕他以俄國革命為例：「彼藍寧之所以大功告成者，豈不以持此十萬守紀律、為主義犧牲之黨員同心一德之所致乎？」〔註 33〕

　　至於政黨經費，應從哪裏籌備呢？張君勱認為，最重要的是自力更正，不應依賴政府。他批評說，「吾以八九年之政黨觀之，從未聞黨員曾為本黨負擔一文經費者也」，反觀西方各國之政黨，其費用之浩繁，雖「遠在吾黨之上」，但全憑自籌解決。〔註 34〕所以今後「理想政黨」的經費來源，亦不能「搖尾乞憐於人」，「辦機關報有費，本黨總部支部之支持有費」，只有自謀黨費，才不致鉗制於他人，喪失獨立性。

〔註 29〕　君勱：《國民政治品格之提高》，朱毓魁編：《現代論文叢刊》，第一冊，上海文明書局，1925 年，第 65 頁。

〔註 30〕　君勱：《國民政治品格之提高》，朱毓魁編：《現代論文叢刊》，第一冊，上海文明書局，1925 年，第 61 頁。

〔註 31〕　君勱：《國民政治品格之提高》，朱毓魁編：《現代論文叢刊》，第一冊，上海文明書局，1925 年，第 63 頁。

〔註 32〕　君勱：《國民政治品格之提高》，朱毓魁編：《現代論文叢刊》，第一冊，上海文明書局，1925 年，第 65 頁。

〔註 33〕　君勱：《國民政治品格之提高》，朱毓魁編：《現代論文叢刊》，第一冊，上海文明書局，1925 年，第 63 頁。

〔註 34〕　君勱：《政治活動果足以救中國耶》，《改造》，第 3 卷第 6 號，1921 年 2 月 15日，第 3 頁。

二、「發達國民政治智識爲建黨前提」

既然「今後國家之生死存亡，獨視政黨」，那麼，如何建設一個「理想政黨」，即建立「理想政黨」的前提是什麼？

首先，張君勱指出中國政治不振、政黨政治無法步入正軌的原因：「國民乏政治訓練之所致」。國民識字者不多，識字而熱心政治者亦不多，至於「熱心政治而知投票權之可貴者」更少。這就怪不得在國會選舉時，各政黨以金錢爲號召。由於缺乏政治知識，投票者視金錢爲理所應當，議員也理所應得。「政府黨與反對黨恬然不以爲怪」。〔註35〕

因而，「國民政治智識之發展，尤爲政黨唯一根本；國民而無智識，則政黨如無根之樹，不終朝而枯槁以死耳。」〔註36〕國民是政黨安身立命、爭取作爲的關鍵：「有有智識之國民，知所反對或贊成焉，則政黨得所憑藉以展其懷抱；其反對焉，則少數者自安緘默，以待異日之捲土重來。」〔註37〕

既然國民的政治品格和智識，直接影響著中國的政治生態。那麼反過來說，沒有高素質的國民，就無法建設一支「理想政黨」，理性政治，暨民主政治就永遠沒有實現的可能。所以發達國民政治智識，是建立「理想政黨」的關鍵和前提。具體措施包括：

第一、普及教育，使政治權力移於大多數人民身上。

第二、所謂大多數人民，應以有職業之農工商爲中堅，而摒除無職業之士。

第三、廓清舊日一切黨派關係。〔註38〕

培養有政治意識和智識的國民成爲當務之急，而最有效的途徑在教育。張君勱說：「欲求有此種能力之國民，方法甚多，而根本上不外教育普及人人自覺，人人有知識，夫而後可以語夫政治語夫選舉」。落實到具體的操作層面時，「小學中學應注重團體生活，高等學校以上應仿各國大學聯合會之制，學

〔註35〕 君勱：《政治活動果足以救中國耶》，《改造》，第 3 卷第 6 號，1921 年 2 月 15 日，第 3 頁。

〔註36〕 君勱：《國民政治品格之提高》，朱毓魁編：《現代論文叢刊》，第一冊，上海文明書局，1925 年，第 64 頁。

〔註37〕 君勱：《國民政治品格之提高》，朱毓魁編：《現代論文叢刊》，第一冊，上海文明書局，1925 年，第 65 頁。

〔註38〕 君勱：《政治活動果足以救中國耶》，《改造》，第 3 卷第 6 號，1921 年 2 月 15 日，第 5 頁。

生分黨而坐。有首領，有黨員。主義之尊重、紀律之確守，視爲一種信條」。
〔註 39〕而教育的內容，張君勱認爲應包含兩個方面，一方面是政治能力的養成，包括「尊主義、守紀律」，另一方面是社會功德心，養成「社會效力之精神」。

　　需要指出的是，在張君勱從事政治活動之始，就極爲重視對國民政治品格的啓蒙與培養。他認爲國家發達的一個重要基點，即爲「獨立自治之國民」，〔註 40〕因而在共和建設討論會的主張中曾明確提出，建設強有力的中央政府最可靠的保證，是英式「政黨內閣」，所需做的重要準備是要「增進國民程度」，「政黨內閣其最勁之後援實在國民，非有健全之國民，安得有健全之政黨；非有健全之政黨，安得有健全之政黨內閣」。所以，「爲國家計爲政黨計，捨訓練國民和以哉？此眞政客之最大責任也。」因而，需要「輸進國民政治常識」、「引起國民政治興味」、「激勵人民政治道德」。〔註 41〕張君勱曾感慨：

> 我曾經目擊民元的國會選舉，初選復選，都以賄成，選民如此，議員如此，這個民國能否維持，大家已發生疑問。如其現在選民、現在議員不能維持下去，是否應當開發教育、開發實業，或另有其他方法，以提高人民程度，以鞏固民族基礎。一國以內，先要人民的知識力、道德力充實，然後才有好政治，如果不然，天天空口希望好政治，是無用的。我因爲懷疑民元以後的政治。所以時常心上要求一種最基本的方法，對民族之智力、道德與其風俗升降之研究，時常感覺必要。可以說，因爲國內政治的惡濁，迫得我採取一種思考的態度。〔註 42〕

　　綜上所述，張君勱否定了民國以來追名逐利、以奪得政權爲目的的政黨模式，而是認爲當下中國，最需要從教育國民、提高其政治能力入手，建立一支理想政黨，從而實現民主憲政的終極追求。張氏的這些看法，是基於對開國以來政壇惡濁的深刻反思，也是他屢次參與造黨的根本動因。值得注意

〔註 39〕 君勱：《政治活動果足以救中國耶》，《改造》，第 3 卷第 6 號，1921 年 2 月 15
　　　　日，第 5 頁。
〔註 40〕 張嘉森：《國會與政黨》，《政論》，1907 年第 2 期，第 4 頁。
〔註 41〕 《中國立國大方針商榷書》，《共和建設討論會會刊》，1923 年 4 月，第 67～
　　　　72 頁。
〔註 42〕 張君勱：《我從社會科學跳到哲學之經過》，《義理學十講綱要》，中國人民大
　　　　學出版社，2006 年，第 176 頁。

的是，清末以來，中國知識界一直就國民性改造問題進行著探索，新文化運動更是以啓蒙的方式將這種思考引向深入並在社會上形成共識。然而，張君勱亦注意到，雖國中之仁人義士，一致認爲「國民政治智識、政治品格上下一種根本救治之工」，但依然爲局面所困，無可自拔，這是因爲「其終不肯下此根本救治之工」〔註43〕。有鑒於此，張君勱開始將目光轉向謀求國民政治品格之提升的教育之路，「拼力於政治社會的教育，而期其收效於十年百年之後」。〔註44〕

民國政治失範，政黨制度不良，使得時人對移植而來的政黨制度產生質疑，提出了反黨、不黨甚至是毀黨等論說，如上海《獨立周報》所刊發的言論：

> 夫政黨何物也？質言之，直可謂爲一種壟斷國家權利之公司或總會云爾。其商標則所謂國利民福也，其基本金則直接或間接搜括而得之民脂民膏也，其奔走依附之人，則各欲醬割國家權利之一分而棲息其中以自養者也。故自政黨之一怪物呱呱墮地於吾國，而吾國政界遂以多事。一年以來，國事紛擾，政爭劇烈。吾民昔昔震恐，恒無寧處之日，蓋無所而非政黨之爲崇也。……苟爲救國計，非毀盡一切之政黨，而本吾眞正純潔之民意以爲治，未有能濟者。〔註45〕

另有知識分子失去信心後，索性拋開政治，專心做起學問。如傅斯年，呼籲「文化革命」先於「政治革命」，主張率先建立一個「學術社會」。他們的口號是：「二十年不談政治」，「做學問不問實際應用」。〔註46〕

對此，已有研究者注意到中國的知識群在向西方學習的過程中的「功利性」和「拿來主義」。「凡是他們認爲比中國好的，中國沒有的東西，拿來就用，不加深究。他們引入西方的政黨政治思想也是爲了挽救民族危亡，實現民族獨立、國家富強，這使他們在論述政黨思想時多帶有強烈的功利性、工具性、實用性的色彩。他們在論述政黨與政黨的政治問題，給人以生搬硬套

〔註43〕 君勱：《政治活動果足以救中國耶》，《改造》，第 3 卷第 6 號，1921 年 2 月 15 日。

〔註44〕 君勱：《政治活動果足以救中國耶》，《改造》，第 3 卷第 6 號，1921 年 2 月 15 日，第 6 頁。

〔註45〕 少公：《痛哭中華民國之前途》，《獨立周報》，1913 年第 14～15 號合刊。

〔註46〕 王汎森：《傅斯年：中國近代歷史與政治中的個體生命》，三聯書店，2012 年，第 230～231 頁。

的感覺，而一旦實踐不通或效果不好，他們便灰心失望，棄之如敝履，這種實用主義的態度在民初政黨思想和政黨政治實踐中是很明顯的。」〔註47〕

作為憲政主義的堅守者，張君勱始終認為政黨是實現其政治訴求的前提條件。問題的關鍵在於，要建立一支「理想的政黨」，而國民是政黨安身立命、爭取作為的關鍵。因而，張君勱將目光轉向謀求國民政治品格之提升的教育之路，身體力行，投入到建校辦學的教育活動中。

〔註47〕楊緒盟：《移植與異化：民國初年中國政黨政治研究》，人民出版社，2005 年，第 138～139 頁。

第四章　轉向「謀求提升國民政治品格」的教育之路

　　20 世紀二十年代，張君勱否定了政黨為「政治角逐之具」的政治模式，由於張君勱並不認為當時的政黨有參政的能力，遂將政治活動的前提定位於提高國民政治品格的教育功能上。因此，1923 年 9 月，應江蘇省長韓國鈞的聘請，張君勱在上海主持創辦了「國立自治學院」，以謀「發達人民之政治品格及自治之智識」。兩年後，奉北京政府教育總長章士釗之命，學校易名為「國立政治大學」。1927 年 4 月，「政大」在北伐軍佔領上海時被國民黨強行關閉，歷時不過四載，「共招生四次，約 200 餘人」〔註1〕。需要指出的是，政治大學雖沒有培養出嚴格意義上的畢業生，但無論是教師還是學生，都在張君勱日後的組黨生涯中扮演了相當重要的角色。

第一節　「政大」之創辦經過與目的

　　自治學院的創辦，客觀上來講，與當時地方自治風潮的盛行密不可分。最先提議創辦自治學院的，是江蘇國會議員姚文楠等人。其曾在 1923 年 6 月向省長「敘述創辦本院之需要與迫切」。同時，時任江蘇省教育會會長的袁觀瀾，亦有類似的請求。韓國鈞「對於現在政治備感苦痛」，因而，完全同意創辦一所自治學院，以「促進民治，發揚法治，養成自治人才」。〔註2〕故電請

〔註 1〕傅益光：《我所知道的張君勱》，徐朝鑒主編：《文史資料存稿選編》（12），中國文史出版社，2002 年，第 297 頁。

〔註 2〕《國立自治學院發起及創辦經過的報告》，中國第二歷史檔案館編：《中華民

張君勱回滬，著手建校事宜。

張君勱欣然接受了邀請，此時，他正對國內「武力政治」和國民政治能力倍感失望：「蓋國號共和，而共和之人的元素，上自政府，下至人民，其缺焉不具。」〔註3〕故將目光轉向國民教育和啓蒙。張君勱說，「吾常念之，政治者，人爲者也，以人之意志構成者也」〔註4〕，「吾人誠見夫東方政治之惡與夫西方政治之善，則其所以求而得之者，亦自有道，曰養成新式人才而已。」〔註5〕因而，創辦政治學院與他通過教育提高國民智識的邏輯理路不謀而合。

經北京教育部批准，國立自治學院開始了建校準備工作。9月下旬，張君勱來到上海，設學校籌備處於上海慕爾鳴路 37 號，「各事進行非常迅速，十月十九日送到緣起，二十日送到理由書，十一月十日即將全部章程送到」。〔註6〕在校址方面，張君勱親自赴蘇州、常州等地考察，但無合適之地。最後選在中國公學在吳淞獅子橋爲開辦大學部的 120 畝地，其尚未付清地價，一時難以開辦。故張君勱與校方商議後買下，2 萬元鉅款由江蘇督軍、省長及張謇捐助。〔註7〕在新校址竣工前，暫定於愛文義路 88 號。〔註8〕在改名國立政治大學後，校舍遷至吳淞舊提署，「其旁餘地二十畝爲新校舍基地」。〔註9〕經費方面，則由江蘇省每年從年度預算中撥出 8 萬元。

國史檔案資料彙編》，第三輯「教育」，江蘇古籍出版社，1991 年，第 248 頁。

〔註 3〕《國立自治學院緣起》，中國第二歷史檔案館編：《中華民國史檔案資料彙編》，第三輯「教育」，江蘇古籍出版社，1991 年，第 233 頁。

〔註 4〕在《國立自治學院緣起》一文中，張君勱說：「國民教育普及，故國中有正確之輿論，此因國民智識之提高，而民治乃有以善其用，則其所以賴乎人者一也；內閣因輿論而進退，甲去而乙代興，故怨政府不積於一人，而甲乙可因時發揮所長，此所以保全人才者又一也；其政治家之行已立身，以政見爲旨歸，平日在學校社會，既養之有素，而前後輩互相銜接，規隨之中，能有所創作施爲，此則政治家之培植有方，而因收得人之效者又一也。」參見《國立自治學院緣起》，中國第二歷史檔案館編：《中華民國史檔案資料彙編》，第三輯「教育」，江蘇古籍出版社，1991 年，第 233 頁。

〔註 5〕張君勱：《政治教育四論甲篇》，《教育與人生》，1923 年第 10 期。

〔註 6〕中國第二歷史檔案館編：《中華民國史檔案資料彙編》，第三輯「教育」，江蘇古籍出版社，1991 年，第 248 頁。

〔註 7〕《一周間之國內教育界：國立自治學院之校址》，《教育與人生》，1923 年第 6 期，第 2 頁。

〔註 8〕《張君勱之國立自治學院談》，《申報》，1923 年 11 月 14 日，第 14 版。

〔註 9〕張嘉森：《論教化標準：國立政治大學新學舍成立記》，《晨報七週年增刊》，1925 年第 12 期，第 114 頁。

　　1923 年底，國立自治學院開始在北京、上海、武漢三地招生，「聞邇來索詢章程者，每日必有信函二三十封」。〔註10〕根據《申報》刊出的招生廣告，學生的報考資格爲：「具有舊制中學畢業資格領有畢業證書，或新制高級中學修業一年領有修業證書。」考試科目包括國文（作文）、英文（作文翻譯）、數學（代數幾何）、物理學、歷史地理五門學科及口試。〔註11〕口試由張君勱親自主持考覈，非常嚴格。〔註12〕最終自治學院第一年錄取學生 55 名，另外有 28 名爲備取。〔註13〕

　　從自治學院對學生的選拔來看，條件非常嚴格，時人稱其爲「採精兵主義」〔註14〕。在自治學院的開學日上，張君勱對這些精心選拔的學生們寄予厚望，開宗明義地指出：政治、社會改良的實現，依賴於「施者」和「受者」，「自施者言之，先懷一鵠的，而提攜其受者使與之相符。自受者言之，或安行行焉，或勉強焉，要必能容納施者之言，然後相董而成風尚。」〔註15〕因此，自治學院的學生應擔起「施者」的重任，「懷抱移風氣之宏遠，以期有撥亂反正去惡遷善之日」。〔註16〕

　　在國立自治學院易名國立政治大學後，張君勱重申了這種教育理念，他說：「十年來國家認爲舊時政俗之不適，而思所以易之者，由來已久，顧時至今日，猶未達於正軌，則以政俗必有所以先行之之人，必先有所謂文化之擔負者（Kuturtager），而後乃有所附麗；非僅譯其學說，採其條文之所有濟焉。」〔註17〕

〔註10〕《自治學院之進行》，《申報》，1923 年 11 月 24 日，第 15 版。
〔註11〕其中，數學、物理學任選其一參加考試。參見《國立自治學院招生》，《申報》，1923 年 12 月 24 日，第 1 版。
〔註12〕程文熙：《君勱先生之言行》，王雲五等著：《張君勱先生七十壽慶紀念論文集》，《近代中國史料叢刊》（續編），第 96 輯第 951 分冊，文海出版社，1983 年，第 20 頁。
〔註13〕《吳淞國立自治學院定期開學》，《申報》，1924 年 2 月 26 日，第 14 版。
〔註14〕曲江：《我所認識的張君勱先生》，朱傳譽主編：《張君勱傳記資料》（1），天一出版社，1985 年，第 91 頁。
〔註15〕張君勱：《自治學院開學日訓勉學生詞》，《教育與人生》，1924 年第 22 期，第 239 頁。
〔註16〕張君勱：《自治學院開學日訓勉學生詞》，《教育與人生》，1924 年第 22 期，第 240 頁。
〔註17〕張嘉森：《論教化標準：國立政治大學新學舍成立記》，《晨報七週年增刊》，1925 年第 12 期，第 115 頁。

從這個角度講，張君勱是懷著精英政治的意識，以自治學院爲搖籃，培養出政治能力與道德健全的「先行之人」，以期改變民國亂象，「非可望諸人，尤貴乎志趣純潔意向堅定人士，以爲天下先」。具體來說，在自治學院，學生不是「學得一技以糊口」，也不是「襲取法政之智識，以得一官」，而是要在三方面達到健全人才：從學識養成看，「不可不求造詣深遠」，從道德理性看，是「知廉恥」、「曉共和之大義，以爲善良之公民」，從政治能力看，是「研求各國政治制度」，爲中國開出一劑良方。〔註18〕

第二節　辦學特點

張君勱以自己的幼時教育經歷，將中國的傳統教育特點歸納爲：

> 但以讀書識字爲教育，而遊戲則否，一也；教育之法，但令學生背誦，重記憶而絕不開發其悟性，二也；父兄師長以嚴屬方法約束學生，令其勿鬧，而絕不計及孩時生理上活動之需要，三也；先生偶而講解，聽學生學爲先生之口調，不計其眞正瞭解與否，四也；但有書本教育，而無實物教育，如手工之類，五也；所謂德育，以聽父母師長號令爲第一詢條，而絕不容其有一毫自由意志之表示，六也。……（學生）則記誦咕囁之才耳，循規蹈矩之子弟耳，非一國之公民也，非全人格之發展。〔註19〕

以政治大學爲「試驗田」，張君勱爲培養今後在學識、道德及政治能力上健全的「先行之人」，進行了新的嘗試與塑造。

一、通識教育，政治爲主

張君勱說：「校雖取名政治，然所研究，舉一切社會現象而概括之，非徒通其學也，要在采其政俗之精義，求其共守之規矩。」〔註20〕其所分省政、市政、鄉政、社會四科，學生的共同必修課程，包括數學、科學概論、哲學

〔註18〕張君勱：《自治學院開學日訓勉學生詞》，《教育與人生》，1924 年第 22 期，第240 頁。

〔註19〕張君勱：《學生自治：北京平民中學演講稿》，《教育雜誌》，1923 年第 15 卷第9 號，第 1～2 頁。

〔註20〕張嘉森：《論教化標準：國立政治大學新學舍成立記》，《晨報七週年增刊》，1925 年第 12 期，第 115 頁。

概論、政治地理、論理學、心理學、社會學、倫理學等等，〔註 21〕非常重視通識教育。

　　在這其中，最重要的還是政治相關科目的學習。就本科生而言，政治思想史、市政論、政黨論、中國行政組織等課程所佔學時最多。〔註 22〕而本科畢業生若進入研究科，則需在政治、經濟、社會三大科目中選擇題目進行研究。研究題目如下：

政治科	經濟科	社會科
單一國與聯邦國	中央地方財政之劃分	社會改良
中央地方權限問題	裁釐加稅問題	勞資調劑問題
美德瑞加四國之邦憲比較	地方稅問題	勞動組合
省憲問題	累進所得稅問題	工廠法
總統制與內閣制	地價差增稅問題	童工與女工
政黨政治之利害	地方公款之調查	工業自治
職業代表制之研究	預算編制	大工業社會所有
社會主義之國家論	經界問題	各國社會運動近況
各國地方制度之研究	天賦問題	俄國革命之因果
省之文官制度	幣制統一問題	德國革命之因果
選民調查之方法與格式	單一發行銀行制與聯合準備制	社會主義之趨勢
選舉法改良問題	中國人口問題	個人主義與社會主義
比例選舉法問題	經濟學最近之趨勢	物質文明之利害
婦女參政問題		工業發達後之城市與鄉村
各國選舉實況		大家族與小家族
國際聯盟		民治與教育
國民軍制問題		鄉村教育
各國市制之比較		義務教育
美國二三十年來市制之革新運動		移民殖邊問題

〔註21〕王世憲：《追憶張君勱先生》，朱傳譽主編：《張君勱傳記資料》（1），天一出版社，1985 年，第 28 頁。

〔註22〕參看《國立自治學院章程》，中國第二歷史檔案館編：《中華民國史檔案資料彙編》，第三輯「教育」，江蘇古籍出版社，1991 年，第 239～242 頁。

吾國市制草案		
鄉村改良運動		
古代鄉約之研究		
政治學最近之趨勢		
憲法學最近之趨勢		
中國政治思想之發展		
中國政治之變遷		

資料來源：《國立自治學院章程》，中國第二歷史檔案館編：《中華民國史檔案資料彙編》，第三輯「教育」，江蘇古籍出版社，1991 年，第 242～244 頁。

可以看出，政治科目的研究題目最多，也最為集中，圍繞的不外乎時局的緊要問題，如政制、憲法、選舉、政黨等。經濟科和社會課的研究題目，亦圍繞此類問題展開。張君勱希望學生利用所學知識，對這些政治、社會、法制等問題進行學理上的分析與探討，「以改造吾國家」。

二、實踐中養成政治能力

除了對政治知識與理論的研習，自治學院尤為注重在實踐中養成學生的政治能力，不僅有「議院法與議會實習」等安排，〔註 23〕還專門開設了直接進行政治參與的調查機構。如此一來，「則所學自不至流於空虛，而為閉門之車轍」。〔註 24〕

因造就市政人才，學校特設市政專門科，張君勱聘請留美市政碩士董修甲組織「市政調查會」，以「調查歐美市政狀況、編譯市政著述、提倡本國市政改良」為宗旨，分財政、工程、法律、城市設計、公共營業、公安、衛生、公共娛樂等八科。為日後舉行市政博覽會之需，市政調查會先後向歐美各大市征集各種市政規章及模型。〔註 25〕據《申報》報導，美國的某市為其寄來了關於「十年之財政計劃」、「美國通都大市之市政府」、「美國密執安州政府之組織」以及

〔註 23〕　《國立自治學院章程》，中國第二歷史檔案館編：《中華民國史檔案資料彙編》，第三輯「教育」，江蘇古籍出版社，1991 年，第 240 頁。
〔註 24〕　《國立自治學院緣起》，中國第二歷史檔案館編：《中華民國史檔案資料彙編》，第三輯「教育」，江蘇古籍出版社，1991 年，第 236 頁。
〔註 25〕　《吳淞政治大學之市政調查會》，《道路月刊》，1926 年第 16 卷第 1 號，第 2～5 頁。

「茶市制公債報告表」等資料。〔註26〕其後，又接到「美國本薛而凡尼亞州州長寄來關於郡政府及市政府法律三厚冊」，更有「關於各級政府之附律多冊」。〔註27〕針對國內各省市制情況，學院設「政制調查會」，即「專爲收集國內政法財政資料之機關」，〔註28〕對各省財政預算、地方自治等內容進行調查。

另外，學校還舉辦了一些政治活動，如議會實踐的自治會和辯論會。據張君勱當時的學生王世憲回憶，張君勱非常重視自治會的「政黨活動」，「並時常以主辯的身份，參加我們的辯論會」。〔註29〕《申報》對某次政治討論會報導如下：

> 國立政治大學之討論會於前日二十五晚（星期五）舉行，第一次辯論會辯論題爲『多數政治與少數政治』，辯論者爲該校校長張君勱與該校教授劉英士。首由金井羊博士主席致介紹詞，次二君互相答辯，雄論滔滔，口若懸河。聽眾俱大爲動容。〔註30〕

三、學生自治

學院既以培養自治人才爲鵠的，則非常重視學生自治能力的養成。張君勱曾說：「學生云者，非一國之選民也，非工廠之工人也；其師之司教也，非君主之號令，非廠主之營利；故不以與政府或工廠比。然所以必行自由之制者，日所以完成人格之自由發展。如是，則便於養成獨立自治之國民；否則，所以阻礙其天機，而日後國家必受大損耳。」換言之，「學生自治乃一種教育上之方法，非以學生資格之完全無缺，而令其以主人翁自居焉。」〔註31〕

因而，在教育方法上，學院採取歐美大學的教授方針，鼓勵學生「自強自立」：「學生勒名學籍，自擇科目，按時登堂；爲師者獨立講臺，口授所學，鐘鳴課罷，師生如路人，鮮有相識者。學生平日行動，非學校所過問，三年業終，則攜文憑敲門磚」。〔註32〕

〔註26〕《國立政大市政調查會之進行》，《申報》，1925 年 12 月 17 日，第 10 版。
〔註27〕《國立政大市政待查會近訊》，《申報》，1926 年 4 月 3 日，第 7 版。
〔註28〕《自治學院征集各縣財政預算》，《申報》，1924 年 1 月 9 日，第 14 版。
〔註29〕王世憲：《追憶張君勱先生》，朱傳譽主編：《張君勱傳記資料》（1），天一出版社，1985 年，第 28 頁。
〔註30〕《國立政治大學之政治討論會》，《申報》，1925 年 11 月 23 日，第 10 版。
〔註31〕張君勱：《學生自治：北京平民中學演講稿》，《教育雜誌》，1923 年第 15 卷第 9 期，第 5～6 頁。
〔註32〕《國立自治學院緣起》，中國第二歷史檔案館編：《中華民國史檔案資料彙

至於學生治理，也授權於學生自己，「使之設為自治會」。另外，學校還鼓勵成立種種學生團體和組織，「學生中樂於活動者，得發揮所長，他日之領袖人才，得以養成」。比如，一部分學生組成了「以研究社會科學為宗旨」的「社會科學社」（N.I.S.G Social Science Society）。社團委員由學生選舉產生〔註33〕，社團活動由學生自己組織。「社會科學社」下設讀書委員會和出版委員會，讀書會「每周二集會一次，社員於集會時必須將所擇定研究之書籍藉口頭的或文字的提出，摘要翻譯或批評以訓練社員讀書之能力，並謀相互問知識之增進與個人意見之交換」。出版會負責期刊的出版工作，「其第一種定期刊物即將與社會見面，刊物名稱為《社會科學》週報，將由時事新報發行」。〔註34〕

四、塑造道德理性

就道德對於政治的重要性，張君勱援引柏拉圖「化民」之說，稱國家的進步，民眾的開化，有賴於「高遠之理想家掌政權」，「轉移風氣之責歸之少數政治家，則其重視個人人格之發展」。等到民智已開，「則所施者永以承認人民人格為前提，則自不背於道德之旨」。〔註35〕因此，自治學院對學生的培養，尤注重道德理性的塑造。在政治學院的開學典禮上，張君勱就強調說自治學院的宗旨在於「養成有道德的政治人才」。〔註36〕

在談到英國牛津、劍橋大學時，張君勱這樣描述道德心的潛移默化：「學生入某院，食宿於此，擇傅一人，彼此之相處，有宴會之往還，遊戲之共樂，政談之練習，所以使其講習乎從容揖讓之儀，而發達其公共道德心者，無微不至。」這種教育方法，「非圖學者焉，實英國政治家之產地焉」。〔註37〕以其為教育榜樣，「他的政大學生，老師與學生同一伙食，學生如有困難，君勱先生無不為之解決」。所以，他的學生稱：「政大學生，對於君勱先生敬愛備

編》，第三輯「教育」，江蘇古籍出版社1991年，第235頁。
〔註33〕孫師毅當選數據，徐昌頤當選為會計，下設讀書委員會，徐雲亭、譚家驊為委員。
〔註34〕《國立自治學院社會科學社成立》，《學生雜誌》，1924年第11卷第11期，第128頁。
〔註35〕張君勱：《政治教育四論乙篇》，《教育與人生》，第14期，1924年1月14日，第141～142頁。
〔註36〕《國立自治學院開學記》，《申報》，1924年2月28日，第14版。
〔註37〕《國立自治學院緣起》，中國第二歷史檔案館編：《中華民國史檔案資料彙編》，第三輯「教育」，江蘇古籍出版社，1991年，第235～236頁。

至，有如北大學生對於蔡孑民先生一樣。」〔註38〕

第三節 同人聚合：教員群體分析

政治大學的人事組織，主要包括兩大群體：學校董事會〔註39〕和學校教職人員。就學校的順利創辦而言，離不開多位校董的奔走努力，「袁觀瀾、沈信卿、黃任之、張仲仁諸先生皆為幫忙之人」，尤其是在資金方面，張謇、史量才慷慨解囊，為學校墊付大部分房金。〔註40〕在江蘇省因財政支絀決議將自治學院停辦時，諸位董事也紛紛對該校進行輿論聲援。

根據學院規定，教授、特別講師、講師等教員均由院長聘任。〔註41〕因此，政治大學的教授，由張君勱親自聘請面試，除了少數國學老者外，都是剛剛學成歸國的青年才俊，平均年齡在30歲以下。〔註42〕茲將學校主要教員的個人情況列表如下：

姓　名	職　位	教育背景	履　歷	備　註
陳伯莊	總務長兼經濟學教授	哥倫比亞大學學士	前廣州市工務局局長，廣東經濟調查主任，漢口工商銀行行長	
瞿世英	教務長兼哲學教授	燕京大學學士、碩士	前燕京大學平民大學教授	

〔註38〕 曲江：《我所認識的張君勱先生》，朱傳譽主編：《張君勱傳記資料》（1），天一出版社，1985年，第91頁。

〔註39〕 該校常務董事為黃炎培、沈信卿、史量才三人，參見《自治學院董事會紀》，《教育與人生》，第13期，第131頁。另有董事會成員25位，分別是張季直、范靜生、蔡孑民、張伯苓、袁觀瀾、黃任之、沈信卿、沙武僧、王甸伯、嚴孟繁、汪精衛、段少滄、黃伯雨、姚子讓、冷御秋、郭鴻聲、張仲仁、蔣竹莊、馮幼偉、蔣抑卮、錢新之、談丹崖、袁述之、史量才、周作民等，參見《國立自治學院董事年限表》，中國第二歷史檔案館編：《中華民國史檔案資料彙編》，第三輯「教育」，江蘇古籍出版社，1991年，第246頁。

〔註40〕 程文熙：《君勱先生之言行》，王雲五等著：《張君勱先生七十壽慶紀念論文集》，《近代中國史料叢刊》（續編），第96輯第951分冊，文海出版社，1983年，第19頁。

〔註41〕 《國立自治學院章程》，中國第二歷史檔案館編：《中華民國史檔案資料彙編》，第三輯「教育」，江蘇古籍出版社，1991年，第238頁。

〔註42〕 王世憲：《追憶張君勱先生》，朱傳譽主編：《張君勱傳記資料》（1），天一出版社，1985年，第28頁。

張爾田	國學教授	監生	北京大學、北京師範大學教授，清史館纂修、浙江通志局纂修，已出版有《史微》、《玉溪生年譜會箋》、《后妃傳稿》等，著名國學專家	張東蓀的哥哥
陸鼎揆	法律通論講師	美國密切根 Nechegan 大學法學博士	中國公學商科大學教授	
范綺	倫理學講師	日本高等師範畢業，又同校專攻科畢業教育學士		
朱恩德	體育主任	北京高等師範體育科畢業	參與了歷屆遠東運動會，俱獲首選	
郭夢良	編譯委員	北京大學法學士		
胡善恒	圖書主任	北京大學法學士		
余良猷	註冊主任	燕京大學文學士		
翁鋼夫人 Mrs.Ungren	歷史教授	海德堡大學哲學博士	在英國劍橋大學專攻歷史	德國哲學家凱塞林 Keyserling 之妹
黎蘭女士 Miss Leary	英文教授	美國特開司 Tedas 大學文學學士	中國函授學校英文教授	
耶律納克	政治系科目		德國基爾大學教授，著有《行政法》等	
享更思			美國新派社會學之翹楚，曾任克拉克大學社會系主任，10 年後辭職，轉任密次女子大學社會系主任，對種族學、人口論、優生學等頗有貢獻	向密次大學請假兩年
吳芝			哈佛大學中國學院主任，對於中國哲學頗有研究，故為哈佛中國學院創始人	哈佛至政大的交換教授

藍特雷			德國社會學家	政大名譽教授
羅文幹		牛津大學法學碩士	北大教授	
劉英士		哥倫比亞大學碩士	任職於東吳大學，又任暨南大學政經系主任，主編《讀書雜志》	
潘光旦		哥倫比亞大學生物學碩士	光華大學教授	
吳經熊		密西根大學博士	曾赴倫敦大學、巴黎大學、哈佛大學考察，光華大學教授	
張東蓀	哲學教授	日本東京帝國大學哲學系、私立哲學館（後來的東洋大學）		
孫德謙	國文教授		國學家，以治諸子之學著名	
萬選	政治學教授		博士，短期做過清華大學校長	
岑德彰			聖約翰大學教授	岑春萱之侄

資料來源：《國立自治學院聘定教員》，《申報》，1924 年 1 月 28 日；《政治大學添聘外
　　　國教授》，《申報》，1926 年 6 月 25 日；《自治學院授藍特雷名譽教授紀》，
　　　《申報》，1925 年 3 月 24 日；〔韓〕吳炳守：《研究系知識分子的文化權
　　　力及基礎》，《史林》，2002 年第 1 期，第 80 頁；傅益光：《我所知道的張
　　　君勱》，徐朝鑒主編：《文史資料存稿選編》（12），《中國文史出版社》，2002
　　　年，第 298 頁。

　　除表中所列人員外，陳霆銳、朱亦松、聞一多、吳國楨、甘介侯等人也
先後在政治大學任職。從學校的教職人員構成來看，他們大多與張君勱有著
比較深厚的私誼，或者因共同的學術旨趣走在一起。下面僅就以上主要教員
作一人物譜系分析。

　　張君勱與張東蓀早在 1906 年日本留學期間就已相識，且在當時，「張君
勱與張東蓀的私交，幾可以孿生兄弟觀之，友誼之篤，鮮有倫比者」，「他們

之所以有深厚的友誼，蓋由於學問興趣相近，政治主張一致的關係，而最令人樂道的，是二人皆以師禮事梁啓超，且始終如一」。〔註43〕張爾田是張東蓀的哥哥，由此結識張君勱。潘光旦不僅與張君勱同為江蘇寶山縣人，且兩人的父親是世交。〔註44〕聞一多是因潘光旦、張禹九（張君勱八弟）和瞿菊農的關係，進入政治大學，任訓導長。〔註45〕劉英士在哥倫比亞大學研究院獲政治經濟學碩士學位，歸國後由張禹九介紹在政治大學講授政治及社會學。劉英士在紐約時曾與潘光旦一起到郊外農場打過工，後來則成了政治大學的同事。〔註46〕羅文幹、胡善恒、瞿世英、郭夢良與張君勱是摯友，郭夢良甚至是張君勱與其夫人王世瑛的介紹人〔註47〕。1923 年 9 月，張君勱、胡善恒、徐六幾、郭夢良、瞿世英五人以唯心史觀結為團體，標四點盟約於北京西山靈光寺，「謂得一新生命，負新責任」。〔註48〕

　　這些錯綜複雜的關係，構成了不同層次的「倫」，即「從自己推出去的和自己發生社會關係的那一群人裏所發生的一輪輪波紋的差序」。〔註49〕也就是說，在張君勱出長政治大學的這段時間裏，圍繞著同鄉關係、留學關係、親戚關係、師友關係等，逐漸形成了以張君勱為中心的一批知識精英，他們相互啓發，彼此爭論，從客觀上為張君勱日後從事組黨活動，聚攏了人才。

　　1927 年，北伐軍攻佔上海後，因拒絕執行國民黨令各學校念「總理遺囑」的要求，政治大學被國民黨關閉。〔註50〕在建校三年多的時間中，張君勱似

〔註43〕張朋園：《梁啓超在民國初年的師友關係》，朱傳譽主編：《張君勱傳記資料》（7），天一出版社，1985 年，第 52 頁。

〔註44〕黃延復：《清華傳統精神》，清華大學出版社，2006 年版，第 284 頁。

〔註45〕聞一多：《雅舍懷舊——憶故知》，中國友誼出版公司，1986 年，第 47～48 頁。

〔註46〕《劉英士年表》，秦賢次編：《劉英士先生紀念文集》，臺灣蘭亭書店，1987 年，第 368 頁。

〔註47〕王世憲：《追憶君勱先生》，朱傳譽主編：《張君勱傳記資料》（1），天一出版社，1985 年，27 頁。郭夢良於在校期間突然病逝，張君勱非常傷心，曾組織公祭活動藉表追悼。見《張君勱等今日公祭郭夢良》，《申報》，1925 年 12 月 6 日，第 15 版。

〔註48〕程文熙：《君勱先生之言行》，王王雲五等著：《張君勱先生七十壽慶紀念論文集》，《近代中國史料叢刊》（續編），第 96 輯第 951 分冊，文海出版社，1983 年，第 19 頁。

〔註49〕費孝通：《鄉土中國》，生活·讀書·新知三聯書店，1985 年，第 25 頁。

〔註50〕張君勱曾回憶道：「北伐軍到上海後，國民黨要各學校念『總理遺囑』，否則停辦。我寧可學校停辦，決心不念。後來，我的政治大學果然停辦了。我學校圖

乎告別了從前的政治活動，一門心思，撲在了教育上面。據其學生回憶：「當時從提倡本身，到校舍完成，繼而處理校務，規劃課程，聘請教授，都是他一人在非常艱苦的環境下完成的。」〔註 51〕張君勱也曾在給女友王世瑛的通信中描述校務的繁雜：「以吾儕畫天指地之才，而必苦之以瑣務，恐非天之困人，而人以自困耳。」〔註 52〕

那麼，緣何張君勱事無鉅細，為政治大學傾入大量心血呢？筆者認為有兩方面原因。一方面，正如前文所提及的，基於對開國以來政壇惡濁奪的深刻反思，張君勱將目光轉向謀求國民政治品格之提升的教育之路，以國立政治大學為「試驗場」，從學識、政治能力及道德品格多方面塑造健全之公民；另一方面，張君勱正是為日後組黨儲備人才。早在 1920 年，還在歐洲的張君勱便在給黃溯初的信中說：「（張君勱）所念念不忘者，在延攬同志而已。惟內地吾黨旗幟不鮮明，則招致新人才之舉，無由著手，故任公宣佈方針，及此後雜誌之論調，總以打破軍閥，改進社會為標目，要之應與世界潮流相應，不可專顧國內環境而已。」〔註 53〕在張君勱籌建自治學院之時，據其日記所載：「與東蓀、築山、霆銳、振鐸等十餘人，商量辦一理想雜誌，以唯心史觀為中心概念，待各方響應者多，再提起組黨問題。以東蓀為主幹，六幾為編輯。欲為吾國思想界，成一種新分野。」〔註 54〕

由此可見，張君勱一直對組黨事宜「念念不忘」，只是時機尚未成熟。他曾明確向人透露有意組黨，只因人才和經費問題無從著落，尚未直接付出實踐。〔註 55〕而出長政治大學，正好為他日後組黨提供了契機——從教員到學

書，全被中央政治學校接收去了。」參見張君勱：《社會主義思想運動概觀》，朱傳譽主編：《張君勱傳記資料》（6），天一出版社，1985 年，第 261 頁。

〔註51〕王世憲：《追憶張君勱先生》，朱傳譽主編：《張君勱傳記資料》（1），天一出版社，1985 年，第 28 頁。

〔註52〕程文熙：《君勱先生之言行》，王雲五等著：《張君勱先生七十壽慶紀念論文集》，《近代中國史料叢刊》（續編），第 96 輯第 951 分冊，文海出版社，1983 年，第 20 頁。

〔註53〕丁文江、趙豐田編：《梁啟超年譜長編》，上海人民出版社，1983 年，第 898 頁。

〔註54〕程文熙：《君勱先生之言行》，王雲五等著：《張君勱先生七十壽慶紀念論文集》，《近代中國史料叢刊》（續編），第 96 輯第 951 分冊，文海出版社，1983 年，第 20 頁。

〔註55〕曲江：《我所認識的張君勱先生》，朱傳譽主編：《張君勱傳記資料》（1），天一出版社，1985 年，第 91 頁。

生，很大一部分成爲「國家社會黨」的成員。政治大學像一個「大搖籃」，老師輩們的思想、理念在此發酵、碰撞；學生輩們對張君勱執弟子之禮，在行爲、觀念等方面深受其影響，致使很多人畢生追隨張君勱，如馮今白、蔣勻田、譚開雲、王世憲等「活躍分子」，後來都成爲黨內的骨幹，被黨內的革新勢力稱爲「政大系」〔註56〕。

〔註56〕中國第二歷史檔案館編：《中國民主社會黨》，檔案出版社，1988 年，第 375
　　　　～376 頁。

第五章　再造政黨：中國國家社會黨的成立與公開

在張君勱看來，「二十年來之中華民國，有政府而實等於無政府，有制度而實等於無制度，混沌而已，搗亂而已。」〔註1〕以往各懷的救國方案和主義，「幾乎可以說都是庸醫亂投藥」，「醫而不知其庸已是可憐，乃竟至惹起包醫的爭鬥更是不堪。」〔註2〕北伐完成後，國民黨初掌政權，推行「一黨訓政」。且不說國家建設與制度探索方面，「紛亂如麻」，連「訓政」也效果不濟，反而令其成為眾矢之的，共產黨、「人權派」、青年黨，無不對準「一黨專政」、「黨外無黨」的口號，猛烈開炮。

出於對國民黨「一黨訓政」的強烈不滿，張君勱及其同人先是通過雜誌發聲。其後，隨著時機的成熟，張君勱遂決定，「太可恨了，組它一個黨」，是有中國國家社會黨之成立。隨著民族危機的加深，張君勱根據局勢變化，提出了「政黨合作」、「舉國一致」的模式：「標舉國一致之旨與各黨之一律加入政府，所以去彼此攻訐彼此搗亂之病」。

第一節　北伐後之政治生態

一、國民黨「一黨訓政」

1928 年 6 月，隨著北伐軍佔領平、津，北洋軍閥徹底垮臺。國民黨人認為，此時「統一」大局業已完成，依據孫中山的革命程序論，理應進入「訓

〔註 1〕君勱：《國家民主政治與國家社會主義》（上），《再生》，第 1 卷第 2 期，1932年 6 月 20 日，第 1 頁。
〔註 2〕記者：《我們所要說的話》，《再生》創刊號，1932 年 5 月 20 日，第 8 頁。

政時期」。遂在蔣介石的主導下，以似「嬰兒之母」的中國國民黨，撫養、教育「政治知識與經驗之幼稚」如初生嬰兒的國民大眾〔註3〕，全面推行訓政。

（一）以黨治國

「以黨治國」是孫中山訓政理念的重要內容。在對國民黨順利改組後，高度集權的「黨治」手段是其重新整合社會秩序的重要路徑。〔註4〕蔣介石承其衣缽，認為「政府是由黨產生出來的，黨是政府的一個靈魂，政府完全要黨來指導，要黨員來擁護，輔助，才能實行我們黨的政綱。」〔註5〕

1928年10月3日，在國民黨中央常務委員會通過了訓政時期的綱領性文件──《訓政綱領》。根據其內容，國家權力並分為政權和治權，政權由國民黨全國代表大會代表國民行使，治權則在國民黨引導、監督下，由國民政府總攬並執行。〔註6〕這使得國民政府成為「在黨的指導下的一個最高行政機關」〔註7〕。其後，在第三次全國代表大會通過的《確定訓政時期黨、政府、人民行使政權治權之分際及方略案》中，更是明確指出，「以中國國民黨獨負全責，領導國民，扶植中華民國政權、治權而使之發展，以入憲政之域」。〔註8〕

置於政府之上的國民黨，不僅確立了其在訓政體制中的政治領導核心地位，同時，壟斷了重要官員的任免權和國民政府組織法的修訂權。從制度上看來，國民黨中央成為國家權力的核心，黨權、黨法凌駕於國權和國法之上。

（二）空有人權

在《訓政時期約法》中，寫入了類似西方民主憲法賦予人民的自由權力，如「中華民國國民無男女、種族、宗教、階級之區別，在法律上一律平等」，

〔註3〕《確定訓政時期黨、政府、人民行使政權治權之分際及方略案》（1929年3月21日），榮孟源主編：《中國國民黨歷次代表大會及中央全會資料》（上），光明日報出版社，1985年，第658頁。

〔註4〕參看申曉雲：《從「憲政」到「黨治」──孫中山「再造民國」思想轉換透視》，《南京社會科學》，2011年第6期。

〔註5〕《黨員的責任和地位與組織紀律之重要》（1926年8月），見張其昀主編：《先「總統」蔣公全集》（1），臺北中國文化大學1884年版，第518頁。轉引自王兆剛：《國民黨訓政體制研究》，中國社會科學出版社，2004年，第43頁。

〔註6〕全文共列6條，參見《訓政綱領》（1928年10月3日），羅家倫主編：《革命文獻》，第22輯，中國國民黨黨史編委會，1984年，第316頁。

〔註7〕耿雲志等著：《西方民主在近代中國》，中國青年出版社，2003年，第448頁。

〔註8〕《確定訓政時期黨、政府、人民行使政權治權之分際及方略案》（1929年3月21日），榮孟源主編：《中國國民黨歷次代表大會及中央全會資料（上）》，光明日報出版社，1985年，第658頁。

人民享有居住、宗教信仰、遷徙、通信、結社集會、發表言論、刊著作、財產、請願、訴訟、考試、服公務等權利和自由。〔註9〕但在條文中，均有「依法律享有」、「非依法律不得停止或限制之」等字眼，是謂「法律限制主義」。這就是說，實際掌握立法權的國民黨完全可以按照己願，對約法規定的種種權利和自由進行限制或取締。

　　據統計，從南京國民政府建立至抗戰爆發，國民黨制定的踐踏民權的法律、法規、條例多達數十種。〔註10〕如《懲治盜匪暫行條例》、《暫行反革命治罪法》、《危害民國緊急治罪法》、《首都新聞檢查暫行條令》、《出版法》、《圖書雜誌審查辦法》等。這其中，多以限制、剝奪人民言論、出版、結社自由為目的，旨在鉗制人民思想，強化國民黨統治。以1932年國民黨中央宣傳部頒佈的《宣傳品審查標準》為例，其規定「闡揚本黨主義者」、「闡揚本黨政綱政策者」等為「正當的宣傳」，「宣傳共產主義及鼓動階級鬥爭者」、「宣傳無政府主義、國家主義及其他主義而有危害黨國之言論者」為「反動的宣傳」。〔註11〕

　　此外，打著「訓政」旗號的國民黨，嚴格限制人民的參政權。在中央，《訓政綱領》第一條即「由中國國民黨全國代表大會代表國民大會領導國民行使政權」，國民黨全國代表大會閉會期間，「以政權託付中國國民黨中央執行委員會執行之」。〔註12〕地方上，儘管國民黨圍繞著「地方自治」做了若干規劃，但由於經費問題及忙於「剿共」，只有自治之名，而無自治之實。

　　人權的低下與國民黨黨權的高漲之間，形成鮮明落差。時人感慨道：「從前是官國、兵國、匪國，到了現在，又加上黨國，不知中華幾時才有民國呢？」〔註13〕

　　綜上所述，在南京國民政府甫造、國民黨著手實施「訓政」的這段時間

〔註 9〕《中華民國訓政時期約法》（1931年5月12日），羅家倫主編：《革命文獻》，第23輯，中國國民黨黨史編委會，1984年，第630～637頁。

〔註10〕耿雲志等著：《西方民主在近代中國》，中國青年出版社2003年，第457頁。

〔註11〕《宣傳品審查標準》（1932年11月24日），中國第二歷史檔案館編：《中華民國史檔案資料彙編》，第五輯第一編，「文化」（1），1994年，江蘇古籍出版社，第89～90頁。

〔註12〕《訓政綱領》（1928年10月3日），羅家倫主編：《革命文獻》，第22輯，中國國民黨黨史編委會，1984年，第316頁。

〔註13〕《張孝若致胡適函》（1927年7月31日），中國社會科學院近代史研究所中華民國史組編：《胡適來往書信選》（上），中華書局，1979年，第524頁。

里，國民黨完成了由黨、政二元模式向「以黨治國」、「黨在國上」的一元模式的轉變。國民黨禁止它黨存在，國民黨中央明確規定，「中國國民黨根據以黨治國之原則，不許其他政黨在中國境內有所活動，如發現有此種組織及反動言論與行為，應以政治的力量予制裁消滅之。」〔註14〕

國民黨構建的「訓政」體制，王奇生稱為「結構形式上仿擬蘇俄一黨專政政體，內涵上融入了蔣介石的君治理念，是國民黨一黨專政和蔣介石軍事獨裁相整合的體制」。〔註15〕民權的流失與高層的內鬥，從根本上背離了民主憲政的軌道，使其終成一句漂亮的口號。

二、「訓政」之下的政治氛圍

國民黨在全國推行訓政，事實上，看似到手的政權，卻如政治學教授張奚若所描述：「治理國家和建設國家方面卻一籌莫展」。即使秉承「國父遺訓」，實行訓政，但施政手段和效果皆不如人意，「訓政」文本和貫穿執行中的零散操作，反而令反對的聲音愈加明晰，各種思潮藉此活躍、盛行。相應的，也為業已成立的政黨和新興團體的發展，提供了契機。

先來看馬克思共產主義。其在傳播初期因具有強烈的「民粹主義色彩」和「道德主義」〔註16〕，被中國的一部分知識分子所接受。隨著「十月革命一聲炮響」，俄國布爾什維克革命的成功，現實層面的勝利使本以宣傳西方民主自由、以啟蒙民眾為要務的新文化運動的領導者如陳獨秀、李大釗，及這個運動的積極參加者如毛澤東、蔡和森、周恩來、瞿秋白、惲代英、林育南等人，迅速轉向以階級鬥爭為訴求的俄國布爾什維克派所代表的馬克思主義，並在1921年成立了中國共產黨。

大革命初期，共產黨尚能與國民黨保持合作，但隨著北伐後期的「清黨」運動，共產黨的勢力受到打擊。然而，其理論學說卻並未因此消弭，反而受

〔註14〕「第三次全國代表大會未及討論各案審查報告」第9號，國民黨中央1929年6月6日第16次常會通過，見《中央黨務月刊》第13期，1929年8月。轉引自王兆剛：《國民黨訓政體制研究》，中國社會科學出版社，2004年，第81頁。

〔註15〕王奇生：《黨員、黨權與黨爭：1924～1949年中國國民黨的組織形態》，上海書店出版社，2009年，第179頁。

〔註16〕參看李澤厚：《中國思想史論》（下），安徽文藝出版社，1999年，第97～982頁。

到熱捧。據牟宗三回憶：「民十八、十九、二十年左右，國民黨的統治正在蒸蒸日上，共產黨政治失敗，但思想宣傳上卻取得了壓倒的優勢。知識分子一般意識上的傾向都爲共產黨的思想所吸引。坊間書肆，滿坑滿谷，都是他們的小冊子。」〔註17〕甚至在政黨建設方面也要強於國民黨，研究者稱，「（國民黨）無論是在理想勸誘、利益推動，以及緻密的組織、鐵的紀律方面，根本無法與它打不死的政治對手（共產黨中國支部）相比」〔註18〕。

胡適等自由主義知識分子，則彙集於《新月》雜誌，將這份純文學的刊物，轉爲發表政論之地。當上海特別市黨部代表陳德微（時任上海市教育局長）在三全大會上提出一份《嚴厲處置反革命分子案》，指出「反革命分子包括共產黨、國家主義者、第三黨及一切違反三民主義之份子」〔註19〕時，胡適按捺不住，寫下了著名的《人權與約法》。《新月》第2卷第2期刊登了此文，並在「編輯後言」中表明了辦刊方針的轉變：

> 上期預告的《平論周刊》一時仍不能出版。這消息或許要使少數盼望它的朋友們失望，正如我們自己也感到悵惘。但此後的新月月刊，在平論未出時，想在思想及批評方面多發表一些文字，多少可見我們少數抱殘守缺的見解。我們歡迎討論的來件（我們本有「我們的朋友」一欄），如果我們能知道在思想的方向上至少，我們並不是完全的孤單，那我們當然是極願意加緊一步向著爭取自由與自由的大道上走去。〔註20〕

隨後，羅隆基、梁實秋、王造時等緊隨其後，針對國民黨當局空有人權、無視法治、限制自由的現狀，發表了大量的文章。〔註21〕

國民政府宣佈「訓政」後，還有一股活躍的勢力值得注意，即以《醒獅》周報爲中心，發表大量政論反對國民黨一黨秉政的中國青年黨。該黨的成立可追溯至1923年，由曾琦、李璜等人創辦於法國巴黎，「本國家主義之精神，採全民革命之手段，以外抗強權，力爭中華民國之獨立與自由；內除國賊，

〔註17〕 牟宗三：《五十自述》，鵝湖出版社，1989年，第64頁。
〔註18〕 戴晴：《在如來佛掌中——張東蓀和他的時代》，香港中文大學出版社，2009年，第211頁。
〔註19〕 《陳德政之提案：嚴厲處置反革命份子》（1929年3月26日），參見胡適致王寵惠信附件，《胡適來往書信選》（上），中華書局，1979年，第509～510頁。
〔註20〕 《編輯後言》，《新月月刊》，第2卷第2號。
〔註21〕 相關研究參見劉群：《新月社研究》，復旦大學博士學位論文，2006年。

建設全民福利的國家為宗旨」。提倡國家主義，反對階級鬥爭，是青年黨政治訴求的核心。〔註22〕在國民黨定都訓政後，青年黨即以《醒獅》作為宣傳陣地，對國民黨一黨專政提出了激烈的批評，如《對時局的宣言》中所指：「專制政體，無論何種屬性，何人當權，根本阻礙自由思想，違背平等原則，破壞博愛精神，使人民失自動的能力。文化受無理的阻礙，國家因之衰落，社會因之凝滯」，國民黨假借「訓政」這一「巧妙的名詞」，為「施專制之護符」，中國青年黨「是決不能加以贊同的」。〔註23〕

同時，青年黨從「多黨政治」的角度出發，抨擊訓政理念：「欲求今後中國政治走入憲政軌道，非實行政黨政治不可。所謂政黨政治者，至少須有兩個以上之大黨，彼此提攜攻錯，相與上下，於政治軌道之內，一切攻權之授受，勢力之消長，不訴之於武力而訴之於選舉，不竟之以軍事，而竟之以政策。」〔註24〕由於對國民黨當局的批判和「不合作」的態度，中國青年黨遭到國民黨的壓迫：「《醒獅》等刊物被查禁，許多成員被逮捕。雖然黨的總部還設在上海，但因其黨魁曾琦於 8 月 30 日在上海法租界被捕，後經法籍律師請保獲釋去日本，執行委員會委員長一職不得不由李璜代理，總部也不得不轉入地下」〔註25〕。

第二節　張君勱對國民黨的批判──以《新路》雜誌　為中心

1928 年 2 月，張君勱與時任青年黨代理主席的李璜在上海秘密創辦《新路》雜誌，至被國民黨嚴令禁刊時，共刊行 10 期〔註26〕。《新路》的創辦，

〔註22〕　參見周淑真：《中國青年黨在大陸和臺灣》，中國人民大學出版社，1993 年，第 37～47 頁。

〔註23〕　《中國國家青年團全國代表大會對時局宣言》（1927 年 7 月 23 日），中國第二歷史檔案館編：《中國青年黨》，檔案出版社，1988 年，第 110 頁。

〔註24〕　平生：《汪精衛辭職與今後之國民黨》，《醒獅》周報，第 149～150 期合刊，轉引自周淑真：《中國青年黨在大陸和臺灣》，中國人民大學出版社，1993 年，第 91～92 頁。

〔註25〕　周淑真：《中國青年黨在大陸和臺灣》，中國人民大學出版社，1993 年，第 90 頁。

〔註26〕　本文所用《新路》之文章，均為陳正茂編：《新路半月刊》，收入《中國青年黨史料叢刊》，第二輯，國史館印行，1994 年。其收錄了《新路》第 1 卷第 1 期至第 8 期，第 9、10 期並未看到。

是基於張君勱等人對北伐後國民黨構建的訓政體制的不滿，他們以此爲輿論陣營，對國民黨「一黨專制」、「黨外無黨」、限制人權進行了多個方面的批判，是爲「大革命失敗後批判國民黨統治的第一刊」〔註27〕。

一、《新路》之創辦

　　1927 年秋冬之際，一個偶然的機會，張君勱結識了以青年黨代理主席身份在上海主持青年黨黨務的李璜。〔註28〕「精神上都無出路」的相似處境，使兩人一見如故。此時，國立政治大學已被查辦，張君勱被國民黨認爲是「進步黨餘孽」，精神上無所寄託，而中國青年黨也在上海遭到國民黨的嚴厲打壓，黨主席曾琦被迫逃往日本，李璜受命去上海主持黨務。〔註29〕由於是「非法」活動，只能「晝伏夜動」。

　　職是之故，當張君勱邀約李璜共同創辦一份「地下刊物」宣傳政見時，立即得到李璜的響應。張君勱負責雜誌的籌款和印刷，李璜負責雜誌的發行工作，文章以他們兩人爲主，此外各找同志作者。經過一段時間的籌備，1928年初，《新路》在上海秘密創刊。雜誌「印三千份，除在租界內送閱外，外埠則以特種郵寄方法，用《新申報》等報裹著，分別寄贈各地友人」。〔註30〕

　　張君勱和李璜既是雜誌的創刊人，也是主要撰稿人。他們每人每期爲雜誌寫一篇長文，偶而外加一篇短文。〔註31〕除此之外，爲雜誌撰稿的還有二十餘人。因雜誌的特殊性，文章署的皆是筆名，據鄭大華等學者考證，作者

〔註27〕鄭大華、鍾雪：《〈新路〉：大革命失敗後批判國民黨統治的第一刊——兼與〈新月〉比較》，《安徽大學學報》（哲學社會科學版），2010 年第 4 期。

〔註28〕李璜曾回憶兩人相識的具體經過：「民國十六年初，武漢國民政府通緝我這個反革命的國家主義派，把我的國立四川大學教授的位置打掉了，我只有離開成都，跑到上海來代理中國青年黨的主席職務……我在上海獨立撐持中青黨務，日與兩位秘書相對，無人去會，無可與談，正悶得發慌，恰巧路遇在德相識的金井羊君，他拉我去他寓所看他在德所搜藏的名畫照片及他所認爲的名畫眞品，無意之中，遇見了君勱先生。」參見李璜：《敬悼張君勱先生》，朱傳譽主編：《張君勱傳記資料》（6），天一出版社，1985 年，第 291 頁。

〔註29〕李璜：《敬悼張君勱先生》，朱傳譽主編：《張君勱傳記資料》（6），天一出版社，1985 年，第 291 頁。

〔註30〕李璜：《敬悼張君勱先生》，朱傳譽主編：《張君勱傳記資料》（6），天一出版社，1985 年，第 292 頁。

〔註31〕李璜：《敬悼張君勱先生》，朱傳譽主編：《張君勱傳記資料》（6），天一出版社，1985 年，第 292 頁。

包括梁實秋、諸青來、潘光旦等人。〔註32〕

二、張君勸對國民黨的批判

　　張君勸以「立齋」、「君房」爲筆名，在《新路》上共發表文章12篇。〔註33〕內容涉及時局討論、別國政制和未來道路選擇等多個方面。除對共產主義理論進行批判外〔註34〕，最主要的是將矛頭對準打著「訓政」旗號實施專制統治的國民黨。〔註35〕在雜誌的《發刊辭》〔註36〕中，張君勸明確指出：「立國原則，在乎兩黨或多黨政治；各出心思，以待判決於國民，則人人有所貢獻，彼此互相監督，立朝之黨，有所憚不敢爲惡，在野之黨，有所待而展其懷抱，誠各方心思才力有所發抒之良制也。反是者，則一黨秉政，而他黨在排斥之列，則一部分之民意，鬱而不抒，一黨自居天上地下唯吾獨尊之地位，而國事之貽誤者必不少矣。」〔註37〕具體言之，張君勸對國民黨的批判包括以下幾個方面：

〔註32〕鄭大華、鍾雪：《〈新路〉：大革命失敗後批判國民黨統治的第一刊——兼與〈新月〉比較》，《安徽大學學報》（哲學社會科學版），2010年第4期，第79頁。

〔註33〕張君勸在《新路》發表的12篇文章爲：立齋：《一黨專政與吾國》，第1卷第2號；君房：《什麼是應該清除的共產黨理論和由此理論下產生的實際行爲》，第1卷第2號；立齋：《現時政潮中國民之努力方向》，第1卷第3號；君房：《新路禁止發行令書後》，第1卷第4號；立齋：《吾民族之返老還童》，第1卷第4號；立齋：《濟南事件與今後救國大計》，第1卷第5號；立齋：《一九一九至一九二一年旅歐中之政治印象及吾人所得之教訓》，第1卷第5號；立齋：《俄國無產專政政制之剖析》，第1卷第6號；立齋：《闢訓政說》，第1卷第7號；立齋：《英國現代政治學者賴司幾氏學說》，第1卷第7號；立齋：《意大利凡西司主義與國中反對黨之呼聲》，第1卷第8號；立齋：《當代政治哲學之趨勢》，第1卷第8號。

〔註34〕在《什麼是應該清除的共產黨理論和由此理論下產生的實際行爲》一文中，張君勸從「一黨專政的理論」、「偶像的崇拜」、「黨化教育的理論」和「世界革命、大同主義的思想」四個方面對共產主義進行了批判。參見君房：《什麼是應該清除的共產黨理論和由此理論下產生的實際行爲》，《新路》，第1卷第2號，第42～49頁。

〔註35〕李璜也說過，張君勸的文章，「多係說明黨外無黨，則黨內必有派，聽任黨內有派之暗鬥，最爲惡劣；尚不如黨外有黨，兩黨或三黨公開明爭，反足以互相競賽，收彼此監督之效」。參見李璜：《敬悼張君勸先生》，朱傳譽主編：《張君勸傳記資料》（6），天一出版社，1985年，第292頁。

〔註36〕原《發刊詞》署名爲「蝸居客」，鄭大華認爲，從措辭和內容上看來，確係張君勸撰寫。

〔註37〕蝸居客：《發刊辭》，《新路》，第1卷第1號。

（一）訓政理論

國民黨實施訓政的一個重要依據，是認為國民政治智識低下，需要國民黨進行訓練和引導。對此，張君勱指出，訓政與國民政治能力的培養之間並無關係。一方面，「訓者」與「被訓者」，須有「權力之差」或「智識之異」，才能一方誨之，一方聽之，如帝王之於人民，老師之於後生。〔註 38〕而國民黨與國民之間，並無此般差異，其「同為國民，年齡相等，智識相類，乃以一為革命黨，一為非革命黨」〔註 39〕。國民黨以「訓政者」自居，「於情為不順，於理為不通」。〔註 40〕另一方面，人民智識、政治能力之不足，應在實踐中學習。張君勱拿學游泳、學打球作比喻，認為「學習由於實行」。因此，「與其空言教人選舉，不如使人民直接行使選舉權，與其空言議會之議事，不如令人民直接參加議會，積以歲月，人民之政治能力自養成矣。」〔註 41〕

（二）一黨專政

張君勱認為，一年以來國民黨的統治，實際上是失敗的。失敗的根本原因在於實行一黨專政，「反施行專政者，未有不蹈此覆轍者也」。他將專政的弊端歸結為四點：「專政不許旁人反對，政策易於反覆」、「專政無國法上之根據，易起國內武力之爭」、「專政不知責任之所在，導人於無恥」、「專政下之民意出於操縱，故人民政治能力，無發展之可能」。〔註 42〕在張君勱看來，專政制度實際上是「國事尤亂」的根源。由於黨在國上，一切取決於黨法而非國法，「根據國法以執行總選舉以交疊政府」自然不可能，取而代之的是同黨之內為謀求最高權力，「獨憑牢籠操縱之手段」，以求「我之多數人之少數」，甚至不惜訴諸武力，唐蔣汪胡之爭是也。〔註 43〕另外，一黨專全國之政，不容敵黨存在，因而政策可以隨時變動，不用承擔責任。〔註 44〕所以，國民黨以黨治國非但沒有提高行政效率，反而導致內部派系鬥爭頻繁，加劇了時局的混亂與動蕩。

〔註 38〕立齋（即張君勱，下同）：《一黨專政與吾國》，《新路》第 1 卷第 2 號，第 32 頁。
〔註 39〕立齋：《闢訓政說》，《新路》，第 1 卷第 7 號，第 5 頁。
〔註 40〕立齋：《一黨專政與吾國》，《新路》，第 1 卷第 2 號，第 32 頁。
〔註 41〕立齋：《一黨專政與吾國》，《新路》，第 1 卷第 2 號，第 32～33 頁。
〔註 42〕立齋：《一黨專政與吾國》，《新路》，第 1 卷第 2 號，第 29～30 頁。
〔註 43〕立齋：《一黨專政與吾國》，《新路》，第 1 卷第 2 號，第 29 頁。
〔註 44〕立齋：《一黨專政與吾國》，《新路》，第 1 卷第 2 號，第 30 頁。

（三）迫害民權

　　《新路》發行不久，即遭中央宣傳部查禁，理由是它「言論發動，主張乖謬，危害黨國，破壞革命」。〔註45〕張君勱隨即發表《新路禁止發行令書後》一文，揭示國民黨對言論自由的迫害。他說，如對國民黨的統治提出異見，便是「反動」，是「危害國家」，實爲顛倒黑白，混淆視聽。「全國之是非善惡功罪，決之於革命不革命之標準。革命者是也善也有功也，不革命者非也惡也有罪也。」〔註46〕如此模糊寬泛的界定，將是非功罪簡單粗暴地分爲「革命」和「反革命」，唯一的依據，即是否認同國民黨的政治理念，「遇有稍不同道者，輒與之爲難」。〔註47〕如此行徑，言論自由備受摧殘，「一面頌言民權，一面昌行專制，在理論矛盾在主義爲不忠」。〔註48〕張君勱說，「國民之言論自由，爲絕對正當之權利，苟非萬不得已，不得輕言壓迫。」〔註49〕

　　1929 年秋，由於政治原因〔註50〕，張君勱由上海前往德國。經倭伊鏗介紹，在德國耶納大學教授中國哲學。待其準備返國時，基於國際國內形勢的變化，張君勱決定與同人將長久以來組黨的政治訴求，付諸於實踐。

第三節　國家社會黨的成立與公開

一、「國社黨」之成立

　　「九・一八」前後，民族危亡迫在眉睫。如前文所述，國民政府卻忙於打著「一黨專政」、「黨外無黨」的口號，對國民實施「訓政」。張君勱及其同人遂決定，「太可恨了，組它一個黨」。

〔註45〕　《中執會令禁新路雜誌》，《申報》，1928 年 3 月 22 日，第 14 版。

〔註46〕　立齋：《一黨專政與吾國》，《新路》，第 1 卷第 2 號，第 27 頁。這是在說 1928
　　　　年 3 月公佈的《暫行反革命治罪法》，其第 6 條規定，「宣傳與三民主義不相
　　　　容之主義及不利於國民革命之主張者」皆視爲犯罪，以「反革命」論處。參
　　　　見《暫行反革命治罪法》（1928 年 3 月 9 日），西北政法學院法制史教研室編：
　　　　《中國近代法制史資料選輯（1840～1949）》，第二輯，1985 年，第 298 頁。

〔註47〕　立齋：《一黨專政與吾國》，《新路》，第 1 卷第 2 號，第 27 頁。

〔註48〕　君房：《新路禁止發行令書後》，第 1 卷第 4 號，第 4～5 頁。

〔註49〕　君房：《新路禁止發行令書後》，第 1 卷第 4 號，第 8 頁。

〔註50〕　根據張君勱夫人王世瑛所載，1929 年張君勱在知行學院任教時，曾被歹徒綁
　　　　架。張君勱學生楊永乾斷定，綁票者乃國民黨人，是一起政治性的綁架案。
　　　　是年秋，張君勱因在上海人身安全得不到保障，赴瀋陽寄居於友人羅文幹家。
　　　　故筆者推測，此次赴德的直接原因是張君勱恐遭國民黨的再迫害。

　　張君勱返國之前，先是張東蓀、胡石青、湯住心、王博沙、徐君勉、羅文幹、陳博生、黃任之、諸青來、陸敍百、鬍子笏、萬武等人，先後在北平湯胡兩寓秘密會談，洽商組織政黨。初定名為「憲政黨」，並擬定了政綱和黨章的初稿，商定等張君勱回國後做最後決定。張君勱得到消息後，旋即派自己的學生薑匀田、馮今白兩人，赴北平承辦組黨事務。〔註51〕

　　1931 年 9 月，張君勱從德國返回北平。與張東蓀等人會晤後，張君勱認為「憲政黨名稱太舊，不如改稱國家社會黨」，獲得眾人贊同。是年，由張君勱、張東蓀、湯住心、胡石青四人正式發起，籌備組建中國國家社會黨。不久，諸青來、陸敍百、羅隆基、黃炎培父子、鬍子笏、萬武等人相繼加入。〔註52〕十多年後，張東蓀對當時的情形描述如下：

> 至於到九一八事變以後，忽然和張君勱先生組織國家社會黨，乃純是為了國民黨的『黨外無黨』一句話而激成。我既相信民主主義，當然是反對一黨專政，國民黨不許另外有黨存在，我們民主主義者便不能不另立一個黨，以表明我們的思想是自由的，目的不過如此。當時張君勱先生與我明白相約，說他如日國民黨有一天放棄了一黨專政，我們的黨便自動宣言解散。〔註53〕

　　「國社黨」的正式創建時間為 1932 年 4 月 16 日〔註54〕。時黨禁森嚴，為避免引起國民黨的注意，參加成立大會的二三十人「皆事前約好，分批三三兩兩前往，人到齊後，立即宣讀黨的宣言，宣言通過後，即行散會，又三

〔註51〕《寶山張先生年譜初稿》，《張君勱先生九秩誕辰紀念冊》（下），《近代中國史料叢刊》（續編），第 53 輯第 527 分冊，文海出版社，1978 年，第 30 頁。

〔註52〕《寶山張先生年譜初稿》，《張君勱先生九秩誕辰紀念冊》（下），《近代中國史料叢刊》（續編），第 53 輯第 527 分冊，文海出版社，1978 年，第 30 頁。

〔註53〕張東蓀：《理性與民主》，商務印書館，1946 年。轉引自戴晴：《在如來佛掌中──張東蓀和他的時代》，香港中文大學出版社，2009 年，第 215 頁。

〔註54〕關於國家社會黨的正式成立時間，史學界一直存有爭議。《中國國家社會黨宣言》中謂其成立時間為 1931 年，以組成「再生社」為肇端。鄭大華則認為是 1934 年，以國社黨第一次全國代表大會召開為其成立的正式標誌。據筆者掌握的材料來看，國社黨（後改為民社黨）中央的相關文件，以及包括張君勱在內的大多數的國社黨人士，都認同 1932 年 4 月 16 日為建黨日期。薛長剛也在其碩士論文中稱：「應充分尊重民社黨人自己的意見；其次，4 月 16 日這一天正式召開了大會，會上還通過了黨的宣言，並議定發行《再生》雜誌，從此以後，國社黨的各項事業迅速開展。從實際效果看，這次會議也確實可以看作是國家社會黨成立的標誌」。參見薛長剛：《自由與權力間的徘徊：中國國家社會黨研究》，河北大學碩士論文，2008 年，第 41 頁。

三兩兩的陸續離去」。〔註55〕研究者稱，「國社黨諸位，雖然奉上『冬烘先生』
之名號有點過分，但文人、名士派頭卻是難免。即使這樣，『血薦軒轅』之豪
情也難於掩抑」。〔註56〕當事人回憶：

> 憶國社黨創黨人宣誓成立時，亦極機密，即在舊國會議員胡石
> 青先生的北京寓所。胡先生係創黨人之一，當天在他後院書房宣誓
> 畢，他以主人身份，曾致互勉之詞。最使我銘心而永不能忘者：他
> 說一黨專制之下，而組織反對黨，無論如何行動，總難免特工之追
> 蹤。所以將來遭遇艱難，為民主鋪路，一切艱險危難，入監下獄，
> 甚或犧牲生命，都應列在可能的預算中。今日如能如此預計，將來
> 倘有不行遭遇，始能臨難無苟免，而處之坦然。〔註57〕

根據大會決議，國社黨先組織「再生社」，發行《再生月刊》，「以所主張懸諸
國門，彙成公開的主張，再納之於黨中而為黨之政綱」。〔註58〕

　　1934 年 7 月，「國社黨」在天津旭街舉行了第一次全國代表大會〔註59〕，
通過了政綱、黨章，並確定了國家社會黨的組織系統。「國社黨」的組織系統
分中央、支部和分部三級，全國代表大會為最高權力機關，選舉總務委員，〔註
60〕大會閉幕由中央總務委員會主持日常工作，設總秘書一人，並分設組織、
宣傳、文書、財務四部，主要任務是執行黨章、籌劃財政及決定該黨對政局
的態度。此外，中央還設有糾察委員會和政務研究委員會，政務研究委員會
下又設政治、軍事、外交、經濟、文化等組。〔註61〕大會選舉了張君勱、張

〔註55〕鄭大華：《張君勱傳》，中華書局，1997 年，第 222 頁。

〔註56〕戴晴：《在如來佛掌中——張東蓀和他的時代》，香港中文大學出版社，2009
年，第 215 頁。

〔註57〕蔣勻田：《中國近代史轉捩點》，友聯出版社，1976 年，第 74 頁。

〔註58〕《寶山張先生年譜初稿》，《張君勱先生九秩誕辰紀念冊》（下），《近代中國史
料叢刊》（續編），第 53 輯第 527 分冊，文海出版社，1978 年，第 30 頁。

〔註59〕從筆者目前掌握的資料看來，關於大會召開時間的記錄並不一致。一說是 1933
年 4 月，參見程文熙：《張君勱先生年譜簡編初稿》（中），朱傳譽主編：《張
君勱傳記資料》（2），天一出版社，1985 年，第 260 頁；另見《君勱先生之言
行》，王雲五等著：《張君勱先生七十壽慶紀念論文集》，《近代中國史料叢刊》
（續編），第 96 輯第 951 分冊，文海出版社，1983 年，第 23 頁。本文依據的
是《寶山張先生年譜初稿》，《張君勱先生九秩誕辰紀念冊》（下），《近代中國
史料叢刊》（續編），第 53 輯第 527 分冊，文海出版社，1978 年，第 37 頁；
另見俊生：《中國國家社會黨》，《再生》，1945 年第 5 期，第 23 頁。

〔註60〕俊生：《中國國家社會黨》，《再生》，1945 年第 5 期，第 23 頁。

〔註61〕薛長剛：《自由與權力間的徘徊：中國國家社會黨研究》，河北大學碩士學位

東蓀、湯住心、胡石青、羅隆基、徐君勉〔註62〕、梁秋水、黃炎培、諸青來、陸敘百、鬍子笏等11人為中央總務委員。其中，湯住心任組織部長，羅隆基任宣傳部長，梁秋水任財政部長，張君勱任總秘書，主持中央日常工作。中央總部設於張君勱居住的北京石板房。〔註63〕

國社黨成立後，迭遭國民黨打擊，《再生》被國民黨指定為「反動刊物」，嚴加查禁。「1934年12月2日，國民黨北平市當局查抄所謂『反動書籍』12819冊，其中有《再生》3120冊，並於同月26日國民黨市黨部代表在場監視之下被燒」。〔註64〕

但隨著黨建工作的步入正軌，國社黨逐漸發展起來。其廣泛的吸收黨員，參加者主要包括：「（一）原來政治大學的師生；（二）燕京大學、清華大學、北京大學的少數師生；（三）其它各大專學校的師生及中等學校的教職員；（四）政府、機關、學術界、實業界的職員；（五）研究系的人士。」「成員大多數是受過大學教育的，可以說是知識分子的黨，黨員約1000多人」。〔註65〕同時，為進一步擴大「國社黨」的影響，張君勱派諸青來在香港創辦了《宇宙旬刊》，與北平《再生》雜誌南北呼應〔註66〕，宣傳其民主憲政的政治理念。逐漸，「中國國家社會黨，擴張至長江、珠江兩大流域」。〔註67〕

二、「政黨合作」與「舉國一致」的政治主張

機關刊物《再生》，詳細刊登了國社黨的理論政綱和張君勱對國家走向的宏大設想。概括說來，其堅持民族本位、國家至上，奉行「修正的民主政治」，主張在經濟上引入「國家社會主義」，通過計劃經濟，克服自由經濟體制的弊端。關於政黨制度的具體選擇，張君勱則根據局勢變化，提出了「政黨合作」、

　　　論文，2008年，第11頁。

〔註62〕當時徐君勉任中國民主先政黨主席，以個人身份參加。

〔註63〕《寶山張先生年譜初稿》，《張君勱先生九秩誕辰紀念冊》（下），《近代中國史料叢刊》（續編），第53輯第527分冊，文海出版社，1978年，第37頁。

〔註64〕鄭大華：《張君勱傳》，中華書局，1997年，第231～232頁。

〔註65〕傅益光：《我所知道的張君勱》，徐朝鑒主編：《文史資料存稿選編》（12），《中國文史出版社》，2002年版，第302頁。

〔註66〕程文熙：《張君勱先生年譜簡編初稿》（中），朱傳譽主編：《張君勱傳記資料》（2），天一出版社，1985年，第260頁。

〔註67〕《寶山張先生年譜初稿》，《張君勱先生九秩誕辰紀念冊》（下），《近代中國史料叢刊》（續編），第53輯第527分冊，文海出版社，1978年，第38頁。

「舉國一致」的模式，目的是使國家利益不致因為黨派之間的爭鬥而受損，從而應對九・一八後日本步步緊逼，國難當頭的危機局面。

張君勱設計的「明標舉國一致之旨與各黨之一律加入政府」的政治模式，從制度層面講是為突破具有嚴重弊端的議會民主制的束縛，針對「近年議會政治所以不適於時」，張君勱作出如下闡述：

> 國家有政治難題橫於其前，則軯軕上下之政黨政治決難於運用。試以英國為例而說明之。昔日英之保守自由兩黨一上一下，交替迭代，如機器之運轉，極圓熟而順利，一方主自由貿易，一方主保護關稅，若兩方主張之異同，反可以促成彼此之討論，而有益於政治之進行。歐戰以後，印度自治問題，時驚擾英人之清夢，工人失業者四百萬，失業保險費莫由籌措，近則以貿易表之不平衡，而金本位動搖矣。於是各黨心理上那若大難之臨頭，捨棄嫌惡，相繼而組織舉國一致之政府。可知過國家處順境之日，財政有裕，民樂其生，則各黨之主張或彼或此，猶之富家之點綴裝飾，或曰紅木傢具美觀，或曰新式桌椅便於實用，則任意易置之而無礙於事，反是者，油鹽柴米尚不給於用，則闔家中一致努力之不遑，尚何某式傢具好，或某式傢具不好之可言。〔註68〕

因此，鑒於普通議會民主政治「有效率遲緩與力量分歧的弊端」，張君勱提出，國難當前的政治組織，應仿傚英國戰時內閣，「不但是各黨混合，並是頭數很少。這樣的戰時政府很能集中全國力，做起事來亦非常敏活與迅速。」〔註69〕因此，以黨派合作替代黨派競爭，組建聯合高效政府，對國難當頭的中國來說實為必要。他說：「政府之成立，原所以為國家。但政黨政治下之政府，往往由各黨自為主張，或上或下，一若黨重而國輕，失卻政府原所以為國之意。今後之中國，常在艱難困苦中，惟有依照歐戰中英之聯立政府，法之神聖聯合，大家犧牲黨見，以一心為國之精神組織政府。」〔註70〕他特別強調國難環境下黨派團結的重要性和必要性，呼籲「大家應當嚴行歐洲所謂政黨間休戰」，「各黨各派應集中力量向同一目標進行，至於甲黨議員多少，

〔註68〕君勱：《國家民主政治與國家社會主義》（上），《再生》，第1卷第2期，1932年6月20日，第26頁。
〔註69〕記者：《我們所要說的話》，《再生》創刊號，1932年5月20日，第11頁。
〔註70〕張君勱：《立國之道》，參見呂希晨、陳瑩選編：《張君勱新儒學論著輯要・精神自由與民族文化》，中國廣播電視出版社，1995年，第505頁。

乙黨多少，不能拿來做政權分配標準。」〔註71〕

　　舉國一致政府取而代之議會政治，很容易引起民主主義者的質疑，認為其拋棄了民主政治，具有「非民治趨向」。對此，張君勱首先從政治環境和政治原則上加以解釋，他說，「政權的集中，換言之，即行政效率的加高，實在與民主政治根本上不相衝突」，由於所處的時代與面臨的實際問題不同，民主政治的表現形式有所差異。張君勱又以英國的戰時內閣作比，稱「不能說這種政府是反乎民主政治的原則」，「反而說這樣的政府所以能集中權力正由於根據民治主義的真正精神」。〔註72〕因此，「凡是處於緊要的時代，當局各國都有他的危險與困難。所以從容論道的民主政治不能不有變化，乃是理所當然，勢所必至，原無足怪。但卻不可認為這是與民治原則相違背。因此我們亦承認確有這樣的世界潮流，不過不是政治制度自身有何不足之點，乃只由於時勢的要來。且須知這個實事的要求，在各國，因為他的歷史不同與環境不同，不可以一概而論」。所以在民主政治的原則不動搖的前提下，「各國依照他的環境情勢與時代要求而設法變化之，以得適也」。〔註73〕

　　再次，張君勱在從民主精神的意義出發，為自己的主張進行辯論。他說：「民主政治的精神在使國家的實際意思即完全等於人民的共同意思，所以沒有一個民主國家不在憲法上規定民意發出的所在，即所謂民意機關。但不幸民意機關往往為黨派所冒名頂替，以致所代表的不是人民的公意，卻是黨派的意思。這是任何民主國家所最易犯的現象。原來照盧騷（筆者注：盧梭）所說，最好沒有黨派方可以選舉表示公意，在近代國家已是絕對不可能的事了。現在所須注意的不是求辦到沒有黨派，乃只是必須求辦到雖有黨派而於重要關頭仍不能壓倒人民的公意，換言之，即必須求辦到人民公意仍能於黨派意見中脫穎而出。」〔註74〕張君勱認為，各黨派共同參與的舉國一致政府，正可以超越黨派，直接代表和行使人民的公意，這也正是民主的精神與實質所在。

　　由是之故，張君勱在回應了民主政治訴求的同時，更多的將政黨建制與具體情勢結合，提出了「政黨合作」、「舉國一致」政治模式，他闡述道，「這

〔註71〕君勱：《民主獨裁以外之第三種政治》，《再生》，1935年第3卷第2期，第19頁。

〔註72〕記者：《我們所要說的話》，《再生》創刊號，1932年5月20日，第11頁。

〔註73〕記者：《我們所要說的話》，《再生》創刊號，1932年5月20日，第12頁。

〔註74〕記者：《我們所要說的話》，《再生》創刊號，1932年5月20日，第13頁。

種政制，在平時，不拘兩黨或多黨都能運用，而在緊急時候立刻可以集中全民的意思與力量，不分黨派。」〔註 75〕也就是說，此種政治模式不僅避免了傳統議會政治的弊病，在不違背民主原則的前提下，將各黨派納入政府，有利於提高行政效率，共同應對國難。同時，也使政治淡化了黨派色彩，凸顯人民公意，與民主精神相契合。

三、「共赴國難」與國社黨的公開

國難當頭，人為刀俎，我為魚肉。正是基於「集中心力之國家民主政治，蓋合各黨各派之心力，向於建國事業之同一目標，初不僅以議員多寡之比較為張本，而以民族一體政治一體之自覺為前提」〔註 76〕，張君勱及其所領導的國社黨，在國民黨當局表現出願意讓出部分政治資源的溫和態度時，表示願與政府攜手合作，共赴國難。國民黨也從事實上，承認了國家社會黨的合法存在。

1937 年 7 月，國民政府鑒於民族危機日益深重，內政問題亟待整治，提出了「團結各方，共赴國難」的口號，主動與其他各黨派接觸。蔣介石在廬山邀請全國各界名流、黨派領袖舉行會談，徵詢國是意見。張君勱、張東蓀、羅隆基作為國社黨的代表應邀赴會。在國難當頭的氛圍中，張君勱在會上發言，代表國社黨表明「本舉國一致之義，擁護政府抗戰」，他說：

> 民國成立前，國內各黨派意見有不同，民國成立後，對國家愛護意見，完全一致，民國十三年後，人們對若干問題，或有見解不同，然綜而觀之，民國成立二十五年中，對中山先生理想及國民黨建國志願，無不竭誠希望其完成；目前困難嚴重，在此時期，民族生存之重要，超過一切，必先有民族，方可談到其他，在精誠團結聲浪中，在野人士，對政府應表示信任，發揮善意，本人尤鄭重表示此意。〔註 77〕

廬山談話會結束後，國民黨中央政治會議決定設立「國防最高會議」作為全國國防決策機關，並在其下設立咨詢機構「國防參議會」，由國防最高會

〔註 75〕記者：《我們所要說的話》，《再生》創刊號，1932 年 5 月 20 日，第 14 頁。

〔註 76〕記者：《我們所要說的話》，《再生》創刊號，1932 年 5 月 20 日，第 31 頁。

〔註 77〕《國民周報》，第 14 卷 29 期，1939 年 7 月 20 日。轉引自薛長剛：《自由與權力間的徘徊：中國國家社會黨研究》，河北大學碩士論文，2008 年。

議主席蔣介石、副主席汪精衛聘請「在野黨派、社會人望和具有專長的人」〔註 78〕擔任參議員，「以收集思廣益，支持抗戰之效」。〔註 79〕包括張君勱在內，共有 25 人被遴選為國防參議會參議員。〔註 80〕從人員構成來看，除少數「素不接近中樞」〔註 81〕的國民黨員外，多為在野黨派和社會團體的核心人物，以及頗具影響的知名人士，彙集了當時較為重要的社會力量。

從 1937 年 8 月到翌年 6 月，國防參議會共集會 64 次。儘管職權有限，各議員還是積極諫言，提出不少好建議。根據梁漱溟回憶，張君勱代表國社黨提出的「對於後方某些省主席長期留京，而以他人代理一事，提醒政府注意，認為大局嚴重不宜如此」被政府採納，命令留京之各省主席迅速回任，不能回去的，另調他人補充。〔註 82〕此外，在經濟方面，他和黃炎培、李璜、沈鈞儒聯合提出《關於財政經融兩岸緊急建議》，要求「向華僑勸募戰費」，「組織委員會防止資金外逃，並利用關稅政策限制消耗品輸入」。〔註 83〕這些提案對國民政府抗戰起了較好的作用。

國防參議會是在國民黨領導下各種政治力量的初步合作，是在國民黨「訓政」體制下共商國是的首次嘗試。但是由於參議員人數的過少，職責又深受限制，決定了它只是一個咨詢機關，而不是民意機關。因此，在上海淪陷前、國民政府西遷武漢之際，張君勱聯合梁漱溟、左舜生、黃炎培、沈鈞儒、羅文幹、馬君武、李璜、楊賡陶等 9 人，向國民黨當局呈遞了四項建議，其中最重要的是組建各黨各派和各方代表的民意機關，調動一切力量，共同為抗戰獻言獻策。〔註 84〕

〔註 78〕梁漱溟：《我努力的是什麼——抗戰以來自述》，《梁漱溟全集》（6），山東人民出版社，1993 年，第 186 頁。

〔註 79〕重慶抗戰叢書編纂委員會編：《國民參政會》，重慶出版社，1995 年，第 44 頁。

〔註 80〕 與張君勱一批聘任的有張耀曾、梁漱溟、曾琦、胡適、蔣百里、陶希聖、傅斯年、張伯苓、蔣夢麟、李璜、沈鈞儒、黃炎培、馬君武、毛澤東、晏陽初等，以後又陸續增補 9 人，共計 25 人。參見黎聞明：《國防參議會簡論》，《抗日戰爭研究》，1995 年第 1 期。

〔註 81〕梁漱溟：《我努力的是什麼——抗戰以來自述》，《梁漱溟全集》（6），山東人民出版社，1993 年，第 184 頁。

〔註 82〕梁漱溟：《我努力的是什麼——抗戰以來自述》，《梁漱溟全集》（6），山東人民出版社，1993 年，第 188 頁。

〔註 83〕沈譜、沈人驊編：《沈鈞儒年譜》，中國文史出版社，1992 年，第 190～191 頁。

〔註 84〕梁漱溟：《我努力的是什麼——抗戰以來自述》，《梁漱溟全集》（6），山東人

　　1938 年 3 月，迫於嚴峻的國內形勢和各在野黨派、社會團體及輿論的要求，國民政府在漢口召開了國民黨臨時代表大會，通過了《抗戰建國綱領》和大會宣言，提出「團結各方、共赴國難」的主張，並決定組織國民參政機關。根據隨後公佈的《國民參政會組織條例》，參政員的人數與職權都有所擴大，張君勱評價道：「按照參政會條例，應當是政府來提提案，參政員個人的提案也不過是幫助政府提一些提案而已……能不能由此樹立中國民主制度的基礎，真要看政府怎樣去做。」〔註 85〕張君勱深知，從形式上講，國民參政會還不是一個代議機關，但問題的關鍵在於如何運作。它畢竟傳達了這樣一個訊息：戰時「集中全國之識見與思慮，以謀爭取最後之勝利」，戰後「樹立民主政治之基礎」、「欲以奠民主制度之礎石」。〔註 86〕

　　綜上所述，鑒於國民黨在事實上默認其他黨派的合法存在，以及願意讓出部分政治資源的溫和態度，1938 年 4 月 13 日，張君勱代表中國國家社會黨致書蔣介石和汪精衛，表示願意在蔣介石的領導下，共赴國難。他稱國民黨臨時代表大會通過的大會宣言是代表中華民族的「中庸性之重要文件」，「同人等捧讀之下，怦然有動，不敢不勉竭愚誠，冀贊盛業。」

　　文中，張君勱聲明國家社會黨的三大主張——「國家民族本位」、「修正的民主政治」和「社會主義經濟制度」與孫中山先生首倡的「民族」、「民權」、「民生」只是措辭稍有不同，精神並無二致，「良以中山先生之三大要義，固已確定吾國立國之大經，而莫能出其範圍。然立說內容間有出入，則以政象因時而異，藥石自難盡同，此環境使之然也」。他希望國民黨能夠遵守《抗戰建國綱領》，「不違反三民主義最高原則及法令範圍內，對於言論出版集會結社當予以合法之充分保障。」在此基礎上，「願本精誠團結、共赴國難之旨意，與國民黨領導政局之事實，遇事商承，以期抗戰中言行一致」。張君勱表示，「今日強寇方張僭竊潛起之際，尤當追隨公等之後，鞏固主權，保全國土，使中華民國長保昔日之光榮。」〔註 87〕

　　兩日後，蔣介石、汪精衛覆函，對張君勱「擁護政府，維繫民國」的態

　　　　民出版社，1993 年，第 187 頁
〔註 85〕《參政員張君勱、羅隆基、梁實秋發表談話》，孟廣涵主編：《國民參政會紀
　　　　實》（上），重慶出版社，1985 年，第 88 頁。
〔註 86〕《國民參政會之意義》，《申報》，1938 年 6 月 19 日，第 1 版。
〔註 87〕《國家社會黨代表張君勱致蔣介石汪精衛書》（1938 年 4 月 13 日），中國第二
　　　　歷史檔案館編：《中國民主社會黨》，檔案出版社，1988 年，第 79～82 頁。

度「至爲敬佩」，對其「謀國之忠，憂時之切」「實深欣慰」。表示以後將「共相策勉」，「同心同德」，「弘濟艱難」。〔註88〕

　　《申報》報導：「此係國民黨第一次正式承認共產黨以外之新政黨，開中國政治上思想自由之先路。」〔註89〕至此，中國國家社會黨由秘密組織轉向公開活動，張君勱旋即將在《再生》創刊號發表的《我們要說的話》改名《中國國家社會黨宣言》，重新刊行。此後，在抗戰期間，張君勱及其領導的國社黨積極參加民主憲政運動，並在抗戰後期承擔起組建民主政團同盟，形成「第三者」的力量，斡旋於國共兩黨之間，夾縫中求生存，求發展。〔註90〕

〔註88〕　《蔣介石汪精衛覆張君勱書》（1938 年 4 月 15 日），中國第二歷史檔案館編：
　　　　　《中國民主社會黨》，檔案出版社，1988 年，第 82～83 頁。
〔註89〕　《我國出現國社黨現已公開活動》，《申報》，1938 年 4 月 22 日，第 2 版。
〔註90〕　相關研究參看薛長剛：《自由與權力間的徘徊：中國國家社會黨研究》，河北
　　　　　大學碩士論文，2008 年；王玉祥：《張君勱與抗戰時期的民主憲政運動探析》，
　　　　　《歷史檔案》1996 年第 2 期；聞黎明：《抗日戰爭時期的中國第三種力量》，《抗
　　　　　日戰爭研究》1998 年第 2 期。

結　語

　　子曰：君子不黨。在中國傳統語境下，黨即「朋黨」，與「營私」、「亂政」、「亡國」相連。一般士大夫，視其爲不良之物，多有不齒。近世以來，發軔於西方的政黨制度漸輸送於中國。作爲民主政治的樞紐和載體，尤爲立憲派所傾慕，梁啓超等人，屢次爲文，就西方政黨的性質、功能等，向國人加以介紹。

　　作爲忠實的憲政主義者，張君勱很快接受了西方競爭性議會政黨政制，並力主在中國推行政黨政治，提出政黨是民主憲政的必由之路。以此爲邏輯起點，張君勱開始從制度層面對政黨政治進行思考、探索，並身體力行的組黨、造黨。以政黨實現憲政，以憲政建構民主，這就能很好的解釋了——「爲了黨，他貼錢，他惹禍，費了氣力，糟蹋了時間，窮困了生活，既不曾因黨而增加了他半點學術聲光，又不曾因黨而掌握了一天政治權勢」。〔註1〕

　　如何組織健全的政黨，是張君勱政黨理念的核心問題之一。在張君勱看來，首要要建一支現代意義的政黨，與傳統意義上的「朋黨」區別開來。也就是說，黨員是發於良心的「主義」的聚攏，而非「利益」的結合；政黨應有健全的政治綱領，圍繞政綱進行政治活動，而不是以金錢名利爲標尺，唯鉤心鬥角以應付「利」的問題。職是之故，張君勱在多次組黨過程中，特別強調政黨要標出主義與政策，以杜絕政黨流於朋黨，相互傾軋。

　　政黨如何走向良性的政治參與，是張君勱關注的又一問題。張君勱將政黨分爲「武裝政黨」與「非武裝政黨」，前者是謂「天下是打來的」，後者即

〔註1〕梁敬錞：《君勱先生二三事》，朱傳譽主編：《張君勱傳記資料》（1），天一出版社，1985年，第67頁。

民主政黨，不以暴力爲手段獲得政權，而以競選方式，伸展抱負。張君勱認爲，「武裝政黨」固然有其產生的外部條件，但「可暫不可久」，「以武力智力削平大難，或者國家可以統一，外患可以稍戢其勢，而眞自由，眞民主，眞理性，則吾未見其能增進焉。」〔註2〕因此，「武裝政黨」應視作「非常態」，以常態言之，民主政治的良性運作，應由「非武裝政黨」，即民主政黨主導。通過選舉進行政治參與，在朝則依據政綱，爲國民服務，在野也能「樂見在朝黨之成，以發揮相輔相成之監督作用」。〔註3〕

由此看出，張君勱建構的政黨政治，是現代意義上的、非武裝的政黨。憑藉民主政黨進行良性政治參與，不以武裝力量爲工具，而以政綱政見，從事平等競爭。不以暴力壓制、反對他黨，而言民主，言和平。當他發現議員素質低下，議會由武人操控，政黨流於「朋黨」時，旋即致力於提高國民政治能力及品格，自建「政治大學」，普及選舉、政治常識，以政治大學爲「試驗田」，張君勱爲培養今後在學識、道德及政治能力上健全的「先行之人」，進行了全新的嘗試與塑造。

30 年代基於不同於國、共兩黨的制度思考，張君勱創建國家社會黨，以民族本位、國家至上爲宗旨，奉行離開武力地盤代之以漸進改良的政治模式。根據政治生態的變化，張君勱迎合救亡需要作出適當調適，提出了「政黨合作」、「舉國一致」的模式，目的是使國家利益不致因爲黨派之間的爭鬥而受損，從而應對日本步步緊逼，國難當頭的危機局面，國社黨則以在野黨的形式保持論政地位，一以貫之的踐行民主政黨政治。

轉型時代，在多數知識分子心目中，最迫切的問題，是中國向何處去？應該做些什麼？——這些問題，需要明確務實的答案。張君勱以「入世」的態度，通過政黨政治的理念建構與實際探索，以期實現「憲政民主」的終極追求。拋開「成功者」抑或「失敗者」的界定，張君勱作爲「探路人」，畢其

〔註2〕程文熙：《立多形文化者——張君勱先生》（2），朱傳譽主編：《張君勱傳記資料》（2），天一出版社，1985 年，第 169 頁。1946 年張君勱將這個觀念闡釋的更爲顯白：「從清末起，我們有了革命運動，大家以爲革命以後總可以得到一個好政府，但是經過二三十年的內戰，八年的抗戰，使我們認識，如果所謂革命運動離不了武力，離不了混亂，那恐怕我們在革命運動中所要達到的目的，還是離題很遠。」參見張君勱：《中華民國民主憲法十講》，上海商務印書館，1947 年，第 1～2 頁。

〔註3〕蕭豐橡：《優異份子與全民參政：張君勱的政治觀》，朱傳譽主編：《張君勱傳記資料》（8），天一出版社，1985 年，第 70 頁。

一生，爲刷新中國政治作出積極嘗試。正如有人指出：「(張君勱)是一個政
治上的行動主義者。他一生不置產業，一心一意奔波於政黨政治、民主政治
體制的建立，在他有生之年，一直試圖尋找機會、創造機會，來扮演他理想
的優異份子的政治角色……他始終默默地爲他的理想而奮鬥，更遑論他對中
國民主政治的促進，對中國政黨政治的推展……都足以使他在中國近代史
上，留下不朽的一頁。」〔註4〕

　　當然，我們還需注意的是，張君勱對政黨政治的理性思考和對民主政治
的積極探索對於當下的啓示，尤其是改革步入深水區，就如何加強政黨政治
建設，與民主、自由、人權更廣泛、更深刻的對話；如何在「現代國家建設
——政治民主化建設」雙重語境下，步入現代化良性運作軌道等諸多問題，
其不無借鑒作用。

〔註 4〕蕭豐椽：《優異份子與全民參政：張君勱的政治觀》，朱傳譽主編：《張君勱傳
　　　　記資料》（8），天一出版社，1985 年，第 78 頁。

參考文獻

一、檔案、日記、紀念文集及資料彙編

1. 朱毓魁編：《現代論文叢刊》，第一冊，上海文明書局，1925 年。

2. 朱傳譽主編：《張君勱傳記資料》（共 8 冊，收錄了臺灣出版、發表的研究、紀念張君勱的著作與文章），臺北天一出版社，1985 年。

3. 中國社會科學院近代史研究所中華民國史組編：《胡適來往書信選》，上冊，中華書局，1979 年。

4. 中國第二歷史檔案館編：《中華民國史檔案資料彙編》，第五輯第一編，「文化」（一），江蘇古籍出版社，1994 年。

5. 中國第二歷史檔案館編：《中華民國史檔案資料彙編》，第三輯「教育」，江蘇古籍出版社，1991 年。

6. 中國第二歷史檔案館編：《中國青年黨》，檔案出版社，1988 年。

7. 中國第二歷史檔案館編：《中國民主社會黨》，檔案出版社，1988 年。

8. 鄭大華：《兩棲奇才——名人筆下的張君勱　張君勱筆下的名人》，東方出版中心，1999 年。

9. 徐朝鑒主編：《文史資料存稿選編》（12），中國文史出版社，2002 年。

10. 西北政法學院法制史教研室編：《中國近代法制史資料選輯（1840～1949)》，第二輯，1985 年。

11. 聞一多：《雅舍懷舊——憶故知》，中國友誼出版公司，1986 年。

12. 沈譜、沈人驊編：《沈鈞儒年譜》，中國文史出版社，1992 年。

13. 榮孟源主編：《中國國民黨歷次代表大會及中央全會資料》（上），光明日報出版社，1985 年。

14. 秦賢次編：《劉英士先生紀念文集》，臺灣蘭亭書店，1987 年。

15. 牟宗三：《五十自述》，鵝湖出版社，1989 年。

16. 孟廣涵主編：《國民參政會紀實》，上卷，重慶出版社，1985 年。

17. 呂希晨、陳瑩選編：《張君勱新儒學論著輯要‧精神自由與民族文化》，中國廣播電視出版社，1995 年。

18. 羅家倫主編：《革命文獻》，第 22、23 輯，中國國民黨黨史編委會，1984 年。

19. 梁漱溟：《我努力的是什麼——抗戰以來自述》，《梁漱溟全集》第 6 卷，山東人民出版社，1993 年。

20. 梁啟超：《飲冰室合集》，第 8 冊，「專集」之三十二，中華書局，1989 年。

21. 梁啟超：《飲冰室合集》，第 3、4 冊，「文集」之二十五上、三十、三十一，中華書局，1989 年。

22. 蔣勻田：《中國近代史轉捩點》，友聯出版社，1976 年。

23. 丁文江、趙豐田編：《梁啟超年譜長編》，上海人民出版社，1983 年。

24. 丁守和主編：《辛亥革命時期期刊介紹》，第一集，人民出版社，1982 年。

25. 陳正茂編：《新路半月刊》，收入《中國青年黨史料叢刊》，第二輯，國史館印行，1994 年。

26. 編者：《張君勱先生七十壽慶紀念論文集》，《近代中國史料叢刊》（續編），第 96 輯第 951 分冊，臺北文海出版社，1983 年。

27. 編者：《張君勱先生九秩誕辰紀念冊》（上）、（下），《近代中國史料叢刊》（續編），第 53 輯第 526、527 分冊，臺北文海出版社，1978 年。

二、論　著

1. 周淑真：《中國青年黨在大陸和臺灣》，中國人民大學出版社，1993 年。

2. 重慶抗戰叢書編纂委員會編：《國民參政會》，重慶出版社，1995 年。

3. 鄭大華：《張君勱傳》，中華書局，1997 年。

4. 張玉法：《民國初年的政黨》，嶽麓書社，2004 年。

5. 張君勱：《義理學十講綱要》，中國人民大學出版社，2006 年。

6. 張嘉森：《新德國社會民主政象記》，商務印書館，1922 年。

7. 楊緒盟：《移植與異化：民國初年中國政黨政治研究》，人民出版社，2005 年。

8. 薛化元：《民主憲政與民族主義的辯證發展——張君勱思想研究》，臺北稻禾出版社，1993 年。

9. 許紀霖：《無窮的困惑——黃炎培、張君勱與現代中國》，上海三聯書店，1998 年。

10. 徐中約：《中國近代史》，上冊，香港中文大學出版社，2010 年。

11. 謝彬、戴天仇等：《民國政黨史‧政黨與民初政治》，中華書局，2007 年。

12. 蕭功秦：《危機中的變革：清末政治中的激進與保守》，廣東人民出版社，2011 年。

13. 王兆剛：《國民黨訓政體制研究》，中國社會科學出版社，2004 年。

14. 王奇生：《黨員、黨權與黨爭：1924——1949 年中國國民黨的組織形態》，上海書店出版社，2009 年。

15. 王建華：《夭折的合法反對：民初政黨政治研究（1912～1913）》，江蘇人民出版社，2010 年。

16. 王汎森：《傅斯年：中國近代歷史與政治中的個體生命》，生活‧讀書‧新知三聯書店，2012 年。

17. 〔日〕內田滿著、唐亦農譯：《面向美國政治學的志向性——早稻田政治學的形成過程》，上海三聯書店，2001 年。

18. 劉義林、羅慶豐：《張君勱評傳》，百花洲文藝出版社，2010 年。

19. 李新、李宗一主編：《中華民國史》，第二編，第一卷（1912～1916 年）上，中華書局，1987 年。

20. 李劍農：《中國近百年政治史（1840～1926）》，復旦大學出版社，2002 年。

21. 黃延復：《清華傳統精神》，清華大學出版社，2006 年。

22. 侯宜傑：《二十世紀初中國政治改革風潮：清末立憲運動史》，中國人民大學出版社，2009 年。

23. 何信全：《儒學與現代民主》，中國社會科學出版社，2001 年。

24. 耿雲志等著：《西方民主在近代中國》，中國青年出版社，2003 年。

25. 費正清編：《劍橋中國晚清史（1800～1911）》，下卷，中國社會科學出版社，1985 年。

26. 費孝通：《鄉土中國》，生活‧讀書‧新知三聯書店，1985 年。

27. 丁三青：《張君勱解讀——中國史境下的自由主義話語》，南京大學出版社，2009 年。

28. 戴晴：《在如來佛掌中——張東蓀和他的時代》，香港中文大學出版社，2009 年。

29. 陳功甫：《中國最近三十年史》，商務印書館，1928 年，第 106 頁。

三、論文（集）

1. 鄭大華：《國家、社會與個人——張君勱政治思想的演變》，《天津社會科學》2004 年第 4 期。

2. 鄭大華、鍾雪：《〈新路〉：大革命失敗後批判國民黨統治的第一刊——兼

與〈新月〉比較》，《安徽大學學報》（哲學社會科學版），2010 年第 4 期。

3. 薛長剛：《自由與權力間的徘徊：中國國家社會黨研究》，河北大學碩士學位論文，2008 年。

4. 翁賀凱：《張君勱憲政民主思想的起源——以〈穆勒約翰議院政治論〉為中心的考察》，《清華大學學報》（哲學社會科學版），2008 年第 5 期。

5. 翁賀凱：《張君勱民主社會主義思想的起源》，香港《二十一世紀》，2008 年 8 月號，第 108 期。

6. 翁賀凱：《「國家社會主義下之計劃經濟」——張君勱 1930 年代的社會主義思想論析》，《福建論壇》（人文社科版），2007 年第 8 期。

7. 唐小兵：《透視民國知識分子史熱》，《南風窗》，2008 年第 9 期。

8. 申曉雲：《從「憲政」到「黨治」——孫中山「再造民國」思想轉換透視》，《南京社會科學》，2011 年第 6 期。

9. 潘光哲：《「張君勱研究」前景的反思——以兩部新著為例》，《新史學》，第 10 卷第 1 期。

10. 劉群：《新月社研究》，復旦大學博士學位論文，2006 年。

11. 劉東：《梁啟超之政黨觀淺析》，河南大學碩士學位論文，2010 年。

12. 林誌宏：《民國乃敵國也》，「國立」臺灣大學歷史學研究所博士論文，2005 年。

13. 李澤厚：《中國思想史論》，下冊，安徽文藝出版社，1999 年。

14. 李澤厚：《中國近代思想史論》，天津社會科學院出版社，2003 年。

15. 李平輝：《張君勱的政黨思想探微》，《宜春學院學報》，2010 年 3 月，第 3 期。

16. 黎聞明：《國防參議會簡論》，《抗日戰爭研究》，1995 年第 1 期。

17. 〔韓〕吳炳守：《研究系知識分子的文化權力及基礎》，《史林》，2002 年第 1 期。

18. 葛兆光：《本無畛域——書評七篇》，海豚出版社，2010 年。

19. 葛小佳：《重建傅斯年學術與生命的歷程》，《書城》，2010 年 4 期。

20. 丁三青：《張君勱社會主義思想及其流變》，《徐州師範大學學報》（哲學社會科學版），2000 年第 9 期。

21. 成慶：《尋找秩序——中國思想史脈絡中的張君勱研究》，華東師範大學碩士學位論文，2007 年。

22. 陳先初：《「以理想之政黨改造中國」——淺議張君勱的政黨觀》，《安徽史學》，2007 年第 2 期。

23. 曾業英：《梁啟超與民主黨》，《近代史研究》，1995 年第 1 期。

24. 巴圖：《張君勱與中國民主社會黨》，中國人民大學博士論文，1994 年。

四、報　刊

1. 《中華教育界》
2. 《政論》
3. 《再生周刊》
4. 《再生》
5. 《學生雜誌》
6. 《新月月刊》
7. 《新青年》
8. 《新民叢報》
9. 《新路》
10. 《盛京時報》
11. 《申報》
12. 《解放與改造》
13. 《教育雜誌》
14. 《教育與人生》
15. 《國風報》
16. 《共和建設討論會會刊》
17. 《改造》
18. 《道路月刊》
19. 《晨報七週年增刊》

五、英文文獻

1. Roger B. Jeans, Jr., *Democracy and Socialism in Republican China: The Politics of Zhang Junmai （Carsun Chang）, 1906～1941,* LanHam, Maryland: Rowman & Littkefielld Publishers, Inc., 1997.

2. Marry C. Wright （ed.）, *China in Revolution, The First Phrase,1900～1913，*New Heaven, 1968.

3. Harold Z. Schiffrin, Sun Yat-Sen and the Origins of the Chinese Revolution, Berkeley, 1968.

後　記

「那一天我二十一歲，在我一生的黃金年代。我有好多奢望。
我想愛，想吃，還想在一瞬間變成天上半明半暗的雲。」

——王小波，《黃金年代》

　　某個光亮的早晨，發現郵箱裏躺著一個鏈接，說：「嘿，降落傘會帶你去
任何想去的地方啊少年」。我點開，看到是《孔雀》搖曳的長鏡頭，在有些褪
色的鏡象裏，青春蔥蘢的姐姐，目光灼灼，正騎著鳳凰牌自行車從小巷穿過。
在她身後，用白窗簾製成的巨大的降落傘，瞬間綻放鋪展……我難過了一分
鐘，記起高中時代瘦瘦小小的語文老師，放完這部電影，長時間的沉默後，
他擡起頭，問：青春是夢想的附麗麼，還是，靈感防線上的一道缺口？

　　那時候，我正執迷於在格子紙上塗抹，畫過一座城堡，被田野和湖泊縈
繞。畫過輪廓圓潤的燈塔，和踏在清涼月光上的水手少年。每個傍晚和崔媞
姑娘分享五顏六色的故事，講到「我在那兒喝過蜜糖酒和葡萄酒，酒順著我
的鬍子流，卻沒有流進嘴裏」，姑娘就笑意盈盈，說若干年後，坐著時光機，
還要回到這裡。而最美妙的事情，是和小精靈比賽整整一下午的妖術，然後
蜷縮在夢裏，掛滿一牆的明信片兒，安慰自己，冬天就要到來。

　　我在宜蘭的雨裏，在太平洋弧度優美的海岸，告訴過羅凝姑娘，這些十
六七歲的小故事。她不由分說的握緊我，重申四季與彩虹橋，她說前者是流
逝，後者是希望的隱喻。我遲疑著，不確定有多少力量和堅定，去做一個拓
荒者。我合上手心，想告訴她，二十歲後有多少時刻，是生存而不是生活。

　　南京和西安太相似，以至於三年來的每個夜晚，我都聽得到清脆的鐘鳴聲。在具有相似紋理的城牆上，我甚至忍不住俯下身，小心窺探兩座城市共同的悲憫、自由和孤獨。我寫信給格魯吉亞的趙婷——「你要知道我的近況麼：我愛這裡。周圍有絕頂聰明的人，充分享受思維的樂趣。純然屬我的姿態加之堅韌的努力，總讓我身懷敬意。可是通常情況下，我都為自己擔心，標籤紙潦草貪心地貼在頁眉上，大部分書，來不及做筆記。理不清的思路與頭緒，文檔中隻言片語……可是，無論有多麼褶皺，我都嘗試著撫平。」

　　這樣的時光，讓一切都顯得繁複安全。以至於要離開時，竟手足無措。三月去北京的火車上，發短信給劉冰姑娘，時光這條路就像一條破敗的美國公路，永不知道下一個勇氣的加油站在哪裏。最讓我傷感的是，下一站的風景不會重複。

　　於是在倉促完成這篇小文後，開始溫暖的倒敘。情致滿滿的容器裏，感謝與感念一同傾瀉下來。告訴你們，在一起的時光，是風，是雨，是風笛，是經歷了一場，潮濕曼妙的婚禮。

　　首先是我親愛的導師。在我多次感到恐懼、無力與蒼茫時，與她對話，總能聞到智慧的清新。她說，啊，你看，生活就是這個樣子。她喜歡探尋故事背後的真相，懷揣嚴謹的治學態度和學術熱情，總讓我感念，可是我也不由的擔心，多年以後，會不會長成令她歡喜的樣子——不氣餒，有召喚，愛自由。

　　感謝指導過我、給與我學術養分的教授。崔之清老師、陳謙平老師、朱寶琴老師、李良玉老師、胡成老師、馬俊亞老師、董國強老師、陳蘊茜老師、張生老師、曹大臣老師、李恭忠老師、劉相平老師，還有中文系的沈衛威老師，讓我感受到，思想是靈魂與彈性的載體。

　　當然，我至今仍感激本科就讀於西北大學時的老師。徐衛民老師，岳瓏老師，你們為我保存著長安的記夢器。

　　你們，故事裏的人兒——充盈著羽翼豐滿的愛，同情與真誠。比如RAYTRACE，想到他經歷了無數誘惑和追逐，千里迢迢來赴我的約，頓時暗渡埡口，從彷徨的泥淖中抽身出來。我甚至願意懷揣誓言，重新去親近地中海岸妖嬈的針腳。從一條叫做 Via dell'Amour 的小徑開始，混搭著各種交通方式，直至安卡拉，為他剪下一地紫羊毛，織成流蘇浮動的綺麗唐卡。

　　比如姑娘謝薔。在我的時間、空間裏頻繁錯位，我想念你鏡頭下的波爾

多和霞幕尼。還有劉冰，你天賦稟然，我看過你拍的紅樓夢，眞是絕美，你當眞是夢裏的人兒麼。

我的同門小精靈，給我莫大的幫助。尤其是王尤清師兄，聰慧而坦蕩。幫我理清論文思路、搜集材料，也告訴我生活，總會凝結成晶瑩的琥珀。還有何志明師兄，四川是一座彩色玻璃花園，南京也一直在等你呢。史成雷，我告訴過你的吧，廣州離北京遠，離香港近，你可以實地丈量，自由的尺度。

還有一些，比如拍過的銀杏葉和梧桐樹，比如克拉克蓋博，我始終愛他如生命。明信片兒水墨畫，架子鼓調酒師，心心念念在路上。太陽透過窗櫺橫灑進來，構成溫情脈脈的烏托邦。

將近尾聲，事實上，我多想，將記憶在時間的圍牆上雕刻成雋永，縮手流掉全部的紅塵。我在想，這無疑等同於一場對不朽的告別，交換與收留，轉讓與遊走，在難以啓齒的瞬間，我悄無聲息地哭了。如果可以重新選擇，我定願步履停止在這三年，用戲劇去演繹一場冥想，用帷幕去遮蔽一場虛構，用衝動去拯救一場本純，並樂此不疲，享受著無限快慰。

而推杯換盞後——再也不願醒來。

王　蕾
2012.5 於南大陶園

改人性與變制度
——張申府社會改造論研究

田玉才　著

作者簡介

田玉才，男，1972 年生，河北省新樂市人，吉林大學政治學博士，主要研究方向爲中西政治思想。

提　　要

　　社會改造是十九世紀以來中國歷史的主題。中國近代是一個王朝統治危機、封建社會危機、民族危機互相糾結、互相影響的時代。封建社會危機誘發了民族危機和王朝統治危機，是社會改造的根本原因；民族危機又刺激和加深了封建社會危機，是社會改造的外部原因和刺激因素。人的改造與制度的革新是社會改造的主要內容，救亡圖存、富強獨立、實現中華民族的偉大復興是社會改造的近期目標，理想的大同社會是社會改造的終極目標。

　　十九世紀末期以來，中國社會陷入深刻的意義危機和秩序危機之中，在這種社會歷史背景下，張申府以羅素所代表的西方資產階級優秀文化、孔子所代表的中國傳統優秀文化和列寧所代表的馬克思主義爲理論來源，在批判繼承十九世紀以來中國社會改造思想的基礎上，提出了自己別具一格的社會改造觀。他認爲，中國的社會改造應從兩個方面同時著手，一是改人性，即人的改造，一是變制度，即制度改造，只有雙方相互配合，相反相成，辯證統一，達到有機的和諧與平衡，才能獲得社會改造的成功。張申府希望，以他實的哲學與辯證理性觀作爲社會改造的基礎，以其反思的或超越的科學主義與綜合民主論作爲社會改造的精神武器，通過新啓蒙運動和一個革命即國民革命，實現人與社會的共同改造，最終達致以大同個人主義、生之人生觀和仁的理想爲主要特色的理想的大同社會。

目

次

導　論

一、張申府生平及思想發展

（一）張申府生平

張申府，原名嵩年，字申甫。1893 年生於河北獻縣。父親是清末進士、翰林院編修、民國時期的眾議院議員。張申府少時深受家庭薰陶，聰明好學，18 歲時以優異成績考入北京大學數學系。

1917 年，張申府在北大畢業後留校任教。此時，陳獨秀、胡適領導的新文化運動影響很大。在此影響下，張申府對哲學發生了濃厚的興趣，改教邏輯，研究哲學。20 年代初，他以介紹英國哲學家羅素的哲學思想而知名；20 年代至 30 年代，他先後在北京大學、清華大學、北京師範大學、私立中國大學講授西方哲學史、邏輯、數理邏輯、西方現代哲學等課程，並以推揚邏輯解析方法、唯物辯證法和辯證唯物論而蜚聲於學術界，成爲現代著名的哲學家。在北大任教期間，他還經常在《新青年》發表文章，積極投身於新文化運動，幫助北大教授兼圖書館主任李大釗辦理圖書業務，成爲李大釗從事革命活動的主要助手，與陳獨秀也聯繫密切。1918 年 11 月，他與李大釗一起創辦《每周評論》，並任該刊和《新青年》雜誌的編委。1919 年 7 月加入少年中國學會，並任《少年中國》編輯。他是五四時期的一個風雲人物。在這一時期，各種思潮競起，張申府和其他許多先進青年一樣，也曾受到無政府主義思想的影響，但在李大釗、陳獨秀的影響下，通過對馬克思主義、社會主義的學習和討論，逐步接受了馬克思主義。並以象徵革命的「赤」、「赤子」、「赭」等爲筆名，翻譯和發表文章，宣傳馬克思主義和社會主義，開始由一個激進的民主主義者向馬克思主義者轉變。

1920 年初，張申府與李大釗、陳獨秀一起，開始在中國醞釀建立共產黨的工作。他們商定由陳獨秀在上海負責建黨，李大釗和張申府在北京負責建黨。8 月，陳獨秀在上海組織了中國第一個共產主義小組。9 月中旬，張申府乘南下迎接羅素來華講學之機，與陳詳談了建黨事宜。回京後，他向李大釗彙報了上海的建黨情況和經驗，二人一致認為應著手在北京發展黨員，建立黨組織。於是他們首先發展了北大學生、五四運動的活躍人物張國燾入黨。10 月，建立了北京共產主義小組。李大釗、張申府、張國燾是這個小組的最早成員。

這時，蔡元培、李石曾、吳稚暉發起赴法勤工儉學活動，並在法國辦了一個里昂大學中國學院，聘請張申府為教授。李大釗、陳獨秀得知這一消息後，同意張赴法任教，並要他在留歐學生中開展活動，發展黨組織。10 月，張申府離京赴滬，與覺悟社成員劉清揚、到法考察的蔡元培等人同船赴法，於 12 月在巴黎與先期來法的周恩來相逢。

1921 年 2 月，張申府在巴黎首先介紹劉清揚入黨。1922 年 3 月，張申府和劉清揚又介紹周恩來入黨。在此基礎上組成中共旅法小組。張申府是這個小組的負責人，主要成員有周恩來、劉清揚以及後來的趙世炎、陳公培等人。1922 年 2 月，吳稚暉和法國政府勾結，反對中國勤工儉學生進駐里昂大學。張申府憤而辭職，與周恩來、劉清揚等從法國轉到德國。秋，中共族歐總支部在柏林成立，張申府任該支部書記兼中共中央駐柏林通訊員。在德期間，他認識了朱德，並和周恩來一起介紹朱德加入中國共產黨。

1923 年底，張申府從德國經蘇聯返回北京。第二年，經李大釗、陳獨秀的介紹參加了黃埔軍校的籌建工作，並任蔣介石的英、德文翻譯。又受廣東大學（今中山大學前身）校長鄒魯的聘請，任圖書館館長。軍校籌備期間，張申府主要參加了招收學員的工作。5 月 12 日，他被委任為黃埔軍校政治部副主任，對政治部的前期建設作了大量工作。由於他對蔣介石為人跋扈、剛愎自用的作風極為不滿，認為與之難以長期共事，於是在 6 月底借政治部主任戴季陶辭職之機，也辭去副主任職務，離開軍校，專門從事廣東大學的工作。不久，因受該校校長、國民黨右派鄒魯的排擠，遂從廣州到了上海。

1925 年 1 月，中共四大在上海召開。會議中因討論黨的綱領問題而發生了爭執，張申府認為那個綱領「是絕對不妥的」，於是一氣之下，憤而退黨。事後，李大釗、趙世炎對他進行勸說，但他堅持在黨外幫助黨工作。這樣，張申府便正式退黨，在上海從事翻譯和著述。

　　1931 年「九一八」事變，特別是 1935 年華北事變後，時爲清華大學哲學教授的張申府，積極致力於救亡圖存的活動。1935 年 12 月 9 日，在中共「八一宣言」號召下，張申府和清華學生姚志廣（姚依林）、女一中校長孫蓀荃參與領導了著名的「一二九」運動。張申府的愛國民主活動，觸怒了國民黨反動當局。1936 年 2 月，他突然被非法逮捕。5 月，由馮玉祥等人保釋出獄。1937 年 1 月，他在北平主持召開了華北七省各界救國聯合會成立大會，被推爲該會總務長。

　　七七事變後，張申府奔波於南京、上海、重慶等地，爲抗日救亡運動而奔走呼號。1938 年 4 月，張申府受邀參加第一屆國民參政會，並在第二次會議上當選爲第五審察委員會（即教育文化組）委員。11 月，他被推爲「全國戰時教育協會」理事，致力於抗戰教育。他呼籲：要抗戰勝利必須實施抗戰教育，文化教育和科研都要圍繞著爲抗戰服務而進行。1941 年，張申府加入以抗日、民主、團結爲宗旨的「中國民主政團同盟」。1944 年 9 月，該同盟更名爲「中國民主同盟」，張申府被推爲中央常務委員兼華北總支負責人。在此期間，他大力抨擊國民黨一黨專制，擁護中共提出的成立民主聯合政府的主張，敦促國民黨以民主方式組織戰時全國政府。

　　全國抗戰勝利後，蔣介石玩弄假和平、眞內戰的陰謀，使全國面臨內戰的危險。張申府和其他民主人士聯名發表文章，大聲疾呼立即停止內戰。

　　1946 年 1 月，張申府以民盟代表的身份參加了中國政治協商會議（即舊政協會議），反對「五五憲法」規定的總統權力過大，提出對人民的自由應有積極的保障。7 月 14 日，國民黨宣佈召開沒有共產黨參加的國民大會。張申府等人堅決抵制。僞「國大」召開後，張申府和羅隆基等人代表民盟舉行記者招待會，闡述民盟不參加僞「國大」的理由，聲明民盟今後繼續保持「不偏不倚」的「超獨立的第三者地位，在調解武力黨爭上繼續盡其最大的努力，以爭取國家的眞和平，促成國家的眞統一，建立中國的眞憲政，實現中國的眞民主。」

　　淮海戰役前夕，張申府在《觀察》雜誌上發表文章，「呼籲和平」，受到了民盟左派領導人的嚴肅批判，民盟中央並通過決議，開除張申府出盟。

　　新中國成立後，在周恩來的關懷下，張申府出任北京圖書館研究員。後任中國農工民主黨中央顧問，第六屆全國政協委員，1986 年 6 月 20 日在北京逝世，享年 93 歲。他留下的文集和譯著主要有：《所思》、《張申府學術論文集》、《名理論》、《羅素哲學譯述集》、《張申府文集》等。

（二）張申府思想分期

張申府的思想發展大概可以劃分爲三個階段。第一階段爲 1931 年《所思》出版前，是張申府思想的形成期。在這一階段裏，張申府先後系統學習和研究了以儒家思想爲代表的中國傳統文化（兼及墨、道、名家之學）、以羅素爲代表的西方資產階級優秀文化和馬克思主義唯物辯證法，並影響其一生。第二階段爲 1931 年《所思》出版至 1949 年新中國成立，是張申府思想的成熟期。《所思》的出版標誌著張申府思想的成熟。在這一階段，張申府試圖把儒學傳統、數理邏輯、唯物辯證法結合起來，希望能爲中國哲學和社會改造找到一條嶄新的道路。第三階段爲 1949 年新中國成立後。在這一階段，張申府深居簡出，著述不多，是張申府思想的總結期。

二、張申府研究現狀

目前，國內外學界對張申府的研究，內容主要集中於兩個方面：一是對張申府革命活動、政治生涯、人生經歷的研究；二是對張申府哲學和文化思想的研究。

（一）對張申府革命活動、政治生涯、人生經歷的研究

這方面的研究基本上恢復了張申府作爲中國共產黨創始人之一、中共巴黎小組和後來建立的中共旅歐支部的主要負責人、周恩來和朱德的入黨介紹人、黃埔軍校籌建者之一和中共黃埔第一人、「一二‧九」運動的重要發動者與領導者、中國民主同盟的創建者與領導者之一的歷史地位。

1948 年 10 月，正當解放軍在東北戰場上取得勢如破竹般的勝利之時，張申府昧於時局，發表《呼籲和平》一文，受到中共和民盟的批判，從而結束了自己的政治生命。鄭斌在《張申府──不該被遺忘的學者政治家》中認爲，對於張申府「呼籲和平」的舉動，學術界有兩種幾乎對立的觀點和評價。一是傳統的否定派，二是肯定派。否定派全面否定張申府呼籲和平的舉動，「點中了《呼籲和平》一文『客觀上有爲反動派開脫罪責、搖旗吶喊』負面效應的命門，但因此斷言張申府主觀上『反人民反民主』甚至『爲虎作倀，賣身投靠』則未免過於武斷，有失公允」；肯定派完全肯定張申府呼籲和平的舉動，「認定張申府發表該文完全是出於『眞情、實感、仁心』的善良動機，是有良知的知識分子『以言議政、以言參政』的正義行爲，這種判斷應該說是有道理的，但因此斷言『張申府《呼籲和平》的言論都經得起歷史的檢驗』則

忽略了該文在當時所產生的消極影響，將主觀願望與客觀效果混為一談，違
背了辯證唯物主義和歷史唯物主義的基本法則，大有為《呼籲和平》及其作
者徹底翻案之嫌。」鄭文指出，「應該以史實為依據，以歷史唯物主義和辯
證唯物主義的相關原理為準繩，全面、客觀、公正地研究和評價張申府《呼
籲和平》的言行」。「第一、張申府的行為本身是逆歷史潮流而行的，客觀效
果是消極的，因此，他理應為此付出慘重代價。」「第二、張申府『呼籲和平』
的動機是善良的。」第三，張申府「呼籲和平」有三個原因，首先，其思想
根源是張申府「不主張以政治來推動制度的改變，當然更反對用暴力解決政
治問題……《呼籲和平》，恰恰是張申府在經過激烈的『批判性思考』之後，
對違反他的政治觀的人所進行的『思考性的批判』」；「其次，是其思想上政治
上遠不夠成熟的結果」；「再其次，已根深蒂固地融入其靈魂深處的『獨立精
神』、個性的孤傲和執拗則是張申府『有感必發』、『言則必快』甚至『只求無
愧於心』而不計成敗得失的內在精神動因。」

　　俞興茂在《張申府與廣州大學無緣》一文中經過認真細緻的考證，認為
張申府從未在廣州大學任教，從而糾正了《辭海》等多種權威出版物的謬誤。

　　另外，在已有的成果中，還有幾處錯誤需要糾正。一是施春生在《周恩
來與他的入黨介紹人張申府》一文中指出，「在陳獨秀成立上海共產主義小組
後，李大釗和張申府也成立了北京黨小組，並相繼發展了張國燾、劉仁靜、
羅章龍等人入黨。」事實上，李大釗和張申府共同發展的小組成員只有張國
燾一人，劉仁靜和羅章龍等人是在張申府離開北京之後才發展的。二是張栓
平、張建華在《黨的創始人之一張申府的早期革命活動》和《張申府坎坷曲
折的一生》中都認為，「1919 年 5 月，張申府和北京大學的師生一起參加了著
名的五四愛國運動。」「1919 年 5 月，張申府和北京大學的師生一起參加了五
四愛國運動。」而根據張申府的回憶，他雖然積極參加了新文化運動，但並
未親身參加「五四」運動。三是雷永生在《走近張申府——讀《張申府文集》》
中認為「1923 年底，張申府回國。1924 年初即參加了籌建黃埔軍校事宜。不
僅推薦周恩來為軍校政治部主任，自己也聘任政治部副主任。」事實上，張
申府是 1924 年 2 月到廣州參與籌建黃埔軍校，5 月 12 日被孫中山任命為政治
部副主任，6 月 19 日即倉促離職。而周恩來是 1924 年 9 月抵達廣州，11 月聘
任政治部主任的，因此，張周二人並未在黃埔軍校共事。四是雷先生在同一
文中還認為，張申府在「大革命失敗後，先後在廣東大學、暨南大學、中國

大學、清華大學和北京大學任教」，這也是不確切的，因爲張申府在 1924 年秋就已被廣東大學解聘。

（二）對張申府哲學和文化思想的研究

這方面的研究恢復了張申府作爲新文化運動的積極參與者、《每周評論》的發起創辦者之一、羅素哲學思想、愛因斯坦《相對論》的國內最早翻譯者和研究者、羅素研究專家、維特根斯坦《邏輯哲學論》的最早翻譯者、中國把邏輯主義分析哲學與馬克思主義哲學結合起來的第一人的學術地位。

對張申府思想的研究可分爲三個階段：第一階段是 20 世紀 30 年代，張申府被作爲辯證唯物論的代表；第二階段是 70 年代末至 80 年代，美國學者把張申府作爲中國新文化運動的代表人物進行研究；第三階段是 20 世紀 90 年代至今，張申府的哲學與文化思想及其在近現代中國思想史上的地位開始引起人們的注意。

最早對張申府的哲學思想進行研究的是 20 世紀 30 年代的學者郭湛波。他在 1935 年出版的《近三十年中國思想史》（後更名爲《近五十年中國思想史》）一書中，把從戊戌變法到 30 年代近 30 年的思想劃分爲三個階段，張申府是第三階段的代表人物之一，並列專章以討論張申府的哲學思想。郭湛波認爲，張申府是中國羅素哲學專家，其思想方法一是科學的客觀法，一是唯物的辯證法。客觀法從羅素數學邏輯而來，辯證法從馬克思的唯物史觀而來。張申府對辯證法的貢獻，在於說宇宙是一個矛盾，一切事物現象當然也是矛盾；這是辯證法的效用。宇宙是動的，變化的，一切事物現象當然也是動的，變移的，這是辯證法的公式。

新中國成立後，由於政治歷史等原因，張申府逐漸淡出人們的視野。1982 年，美國學者舒衡哲根據她與張申府的談話錄音，整理出版了 Time for Telling Truth Is Running Out:Conversations with Zhang Shenfu 一書，中譯本以《張申府訪談錄》爲名於 2001 年 3 月由北京圖書館出版社出版。這是第一本有關張申府的專著，反映了張申府的心路歷程和坎坷曲折的一生。全書共分六章，第一章是張申府的求學歷程；第二章是張申府的婦女解放思想，包括他自己的感情生活經歷以及與羅素在哲學以外飲食男女上的趣味相投；第三章比較詳細地記錄了張申府對新文化運動的推崇和介紹，以及參與組建中國共產黨等政治活動；第四章張申府向舒衡哲闡述自己的哲學思想淵源。儘管張申府極爲崇拜羅素，並成爲中國的羅素研究專家，但在他的哲學中，卻從不放棄中

國傳統文化的「仁」，他一直力求在羅素和孔子之間建立一座橋。該書最後兩章分別介紹了張申府後半生的生活以及被「民盟」開除的經過。

20 世紀 90 年代以來，張申府逐漸引起國內學者的關注。至今為止相關研究成果已有專著一部、博士論文兩篇、公開發表的學術論文多篇。

著名哲學史家、張申府的胞弟張岱年先生，對張申府的哲學思想有著比較清晰的認識，在《張申府的哲學思想》一文中，他認為張申府的哲學思想有三個方面的內容，一是解析與唯物的結合；二是純客觀法與具體相對論的思想方法；三是對於羅素哲學的評論。「30 年代，在中國學術界曾發生所謂『唯物辯證法論戰』，一些人反對辯證唯物論，認為唯物辯證法是違背邏輯的，是不能成立的。一些進步人士則宣揚唯物辯證法，而認為形式邏輯就是形而上學思維方式，毫無價值的。這兩派各有所偏。張申府既提倡形式邏輯，講授形式邏輯，又高度宣揚辯證法，把形式邏輯與形而上學思維方式區別開來。當時張申府的觀點是正確的。關於這個問題，直到 50 年代才正式解決，學術界既肯定了辯證法的真理價值，又承認了形式邏輯的科學意義。」張岱年認為張申府的「解析的辯證唯物論」哲學構想經得起時間的考察，可惜的是張申未能在理論上實現這一設想。「純客觀法與具體相對論」是張申府關於思維方法的獨到的心得。張岱年認為張申府對羅素的評論是客觀而不是盲崇的，「從張申府對於羅素的評論看來，足見他雖然崇仰羅素，但還是認為辯證唯物論具有更高的理論價值」。

李維武在其博士論文《二十世紀中國哲學本體論問題》中，把 20 世紀中國哲學劃分為三大思潮：科學主義思潮、人文主義思潮和馬克思主義思潮，並把張申府、張岱年的哲學思想歸類為科學主義思潮。他認為張申府、張岱年在三四十年代有著相同的哲學思路、思維方法，他們「把重視『解析』的邏輯主義分析哲學與強調『唯物』的馬克思主義哲學結合起來，建立新的科學方法論和新的哲學本體論，探尋中華民族的新的文化精神，形成了唯物論科學主義，從而在三四十年代科學主義思潮中別開生面，異軍突起。」同時，李維武認為張氏兄弟在哲學創造中亦各有特色，張申府著重於新的科學方法論的思考，張岱年則潛心於新的哲學本體論的建構。與金岳霖的「道論體系」相比，李維武認為張申府關於解決本體與現象、理想與現實諸關係的論述「不僅與金岳霖的那些近乎枯燥的邏輯分析相映成趣，而且比金岳霖的可能與現實、共相與殊相、無極而太極等理論更深刻地觸及到解決本體與現

象、理想與現實關係問題的途徑。」在《張申府先生的哲學精神》一文中，李維武認為，張申府哲學精神的基本點是：在「解析」與「唯物」之間、在西學與中學之間、在邏輯與詩之間，尋求一種結合點，由此而融會古今中西哲學的精華，創造出體現新的時代精神和民族精神的現代形態中國哲學。

許全興在《張申府與中國現代哲學》中認為，張申府對中國現代哲學的貢獻主要有三個方面：第一是對羅素哲學的介紹；第二是力倡唯物論辯證法；第三是提出馬克思、羅素和孔子三者思想相結合的主張。他認為：「張申府對羅素之推崇、敬佩、介紹，不在羅素的唯心論思想，而在數理邏輯，在邏輯解析法。」「從他所提倡、闡述的科學方法和邏輯解析法看，他本人是推崇科學、理性和實事求是的精神的。」並且指出：「在邏輯思想不發達的中國，張申府積極介紹數理邏輯，熱心宣傳邏輯解析方法，這無疑是有積極意義的。」許全興認為，張申府對唯物論辯證法的理解，對中國革命問題的思考，「遠在當時自稱為百分之百的布爾什維克的教條主義者之上」。張申府雖然提出了馬克思、羅素和孔子三者思想相結合的主張，但「馬克思、羅素、孔子的思想在他的思想體系中並不處於同等地位；貫徹他思想始終的是馬克思的辯證唯物論。他是以馬克思主義思想為主，兼吸取羅素、孔子等其他人的思想。張申府的『三結合』的主張，並沒有離開辯證唯物論的基礎，而是他自己所說的，是符合辯證唯物論的。他的這種主張在當時無疑是大膽而新穎的，是對中國現代哲學的一個貢獻。」

雷頤是較早關注張申府的學者之一，他先後撰寫了四篇文章以研究張申府的思想。他認為，「在張申府的思想中，『求真』的科學與『求善』的理想是內在相通互相發明的。『科學規律』加強了他對社會主義理想的信念，『社會主義』又使他對科學的價值備加推崇。將『真』與『善』統一起來，是他的理想目標。」「他設想以『仁』作為引導『科學法』的價值體系」，力圖溝通中學的「仁」與西學的「科學法」。張申府既對以個性獨立、個性發展為核心的個人主義、自由主義觀念一直有著深深的眷戀之情，又對以集體主義為目的的大同境界和馬克思主義理論體系懷著深深的崇敬之意。這種內心的矛盾，是張申府難以紓解的，也是他的悲劇根源，這在五四一代知識分子中極具代表性。張申府提出「大同個人主義」的理想社會以解決個人與社會的矛盾，只是一種美好而蒼白的空想，反映了「新式知識分子」的倫理困境。

　　羊滌生在《張申府與羅素》一文中認為，張申府對羅素的敬仰，主要是出自對數理邏輯的推崇與愛好，他雖然十分敬仰羅素，但也認為羅素哲學思想仍有其缺點。張申府企圖把邏輯分析方法和唯物辯證法結合起來，這種構思反映了時代的特點和歷史的潮流，有其重要的理論意義和現實意義。張申府在介紹西方思潮方面做了很多工作，但並不盲目崇拜西洋文明，他對中國文化也是很重視的，但他並未能對中國文化、中國哲學作進一步具體的分析和解剖。這個工作是由他的弟弟張岱年完成的。從某種意義上說，張岱年的工作正是其兄申府的繼續和發展，但申府先生實開其端。

　　胡軍在《羅素與張申府》一文中認為，張申府始終以翻譯、介紹羅素思想為己任，尤其是特別重視羅素的哲學分析方法，說明他對羅素哲學的理解是深刻的、準確的，這是一件很有意義的事。但張申府本人對羅素的方法論並未作深入系統的討論，張申府介紹羅素思想所產生的影響始終是有限的、暫時的。接受者雖繁，而理解者蓋寡。所以，羅素思想始終沒有成為中國哲學思想的有機組成部分，其原因主要有三：第一，五四時期，中國思想界剛剛從形式上擺脫了封建思想的束縛，但邏輯意識不發達、認識論意識不發達這一狀況還尚未被根本打破，所以羅素的哲學思想與方法不易為中國思想界所理解、接受。第二，在中國傳統思想與文化中缺乏一種實證的科學傳統，所以中國傳統文化始終孕育不出實證的科學，人們當然也就對與實證科學有密切關係的羅素哲學有深切的隔膜感，因此也就很難把它接納進中國思想與文化的傳統中來。第三，羅素哲學富有堅忍不拔的科學精神，其特徵鮮明地表現在兩個字上，即「求真」。然而，在中國傳統思想中，過分發育了的求善的道德意識卻窒息了微弱不堪的求真的科學精神。於是，一個以求善為最高原則的文化也就表現出了對以求真為絕對命令的羅素哲學的隔膜感受。張申府在中國宣傳介紹羅素哲學思想在今天的啟示，就是我們的民族一定要弘揚求真的科學精神，我們才有光輝燦爛的前程。在《分析哲學在中國》一書中，胡軍認為，張申府之所以提出了解析與唯物相結合的主張而並未具體論述，是因為二者是很難結合在一起的，即使勉強去做也只能是簡單的拼湊，而不能創造出一個內部一致的哲學思想體系。辯證唯物論的一個最為基本的觀點就是要堅定不移地承認和肯定外在世界的客觀性，這是不能有絲毫動搖的。而張申府之所以對辯證唯物論感到興趣也正是因為他也承認外在世界的實在性。但是在分析哲學家看來，這樣的一個基本觀點是不可能成立的。

董德福在《張申府生平及其學術概略》一文中認爲，在棄舊圖新、呼喚個性自由的時代裏，張申府對羅素思想的介紹和發展，具有很大的積極意義，有力地配合了五四思想解放運動。他試圖建構一種既不同於西方，又區別於中國傳統的「科學的哲學」，提出了基本接近辯證唯物主義的「大客觀主義」的哲學主張。這種重客觀，又不抹殺主觀的哲學見解，在 30 年代初的中國哲學界無疑是走在前列的。張申府試圖溝通羅素哲學和馬克思主義哲學，嘗試著對中國傳統哲學作出新的解釋，並從中發掘出具有現代內容的資源，以謀求與西方文化的融合，這種文化致思趨向，既沒有當時文化激進主義（偏重工具理性）全盤否定傳統的偏激，也沒有文化保守主義（偏重價值理性）以承續道統爲己任的情緒執著，更多地強調二者的內在相通和互補，雖沒有建立可觀的文化哲學體系，卻充滿了哲人特有的睿智。

朱進東《張申府與周恩來的早期交往》認爲，「就張申府曾致力於把馬克思與弗洛伊德結合起來而言，他是東方的法蘭克福學派的代表。」

郭一曲是研究張申府較有成績的學者之一，她以其博士論文爲基礎，發表了幾篇頗有份量的學術論文，並出版了專著《現代中國新文化的探索——張申府思想研究》。該書從現代中國文化轉型和建構的層面，對張申府思想進行了系統深入的研究，提出了自己的獨到見解。全書除引言和結語外，主體內容共有八章，分別闡釋了張申府的心路歷程和學術淵源，以創造的理想主義爲旨趣的對羅素思想的認同和譯介，以解析的辯證唯物主義爲特質的哲學思想，以理性的大同個人主義爲取向的社會改造論，以折中中西、著眼「中國化」爲特色的辯證綜合的文化觀，以及張申府與同時代的哲學家梁漱溟、胡適、金岳霖、張東蓀、張岱年等人的思想關係，特別是張申府的「辯證綜合」的文化觀對張岱年「綜合創新」文化觀的影響和意義。進而，以「張申府與中國現代思想文化」爲主題，在闡明現代中國社會轉型和文化轉型進程中「救亡與啓蒙的困局」的基礎上，對張申府與現代中國三大思潮（馬克思主義思潮、西化思潮、文化保守主義思潮）的關係作了深刻的分析，從而揭示出張申府思想的時代意義和個人局限。作者指出：張申府對羅素思想在中國的傳播有著獨特的貢獻，他不僅認同羅素的哲學思想，而且對羅素的和平主義思想也是心嚮往之；張申府是上個世紀 20 年代至 40 年代「辯證唯物論」的主要代表人物之一；張申府的思維方法表現爲純客觀法（唯物論）與具體相對論（辯證法）的有機結合；張申府主張把長於「辨而通」的邏輯解析與

長於「活而通」的唯物辯證法結合起來，形成了他的「解析的辯證唯物主義」；張申府的文化建設觀是辯證綜合的文化觀，既反對全盤西化，又擯棄復古守舊，主張將「孔子、羅素、列寧」合而爲一，亦即將中國傳統優秀文化、西方優秀文化、馬克思主義相結合，「辯證綜合」地建設現代中國新文化。從總體上看，張申府是一個學術型的理想主義者，是懷著傳統的以學干政的主觀願望在政治漩渦中掙扎的現代學者，是一個力圖超越傳統而又被傳統所束縛的文化重構者，是一個眞誠學習西方先進文化並努力將其融入民族文化之中、推動民族文化發展的文化開新者。他終生篤信馬克思主義的唯物辯證法，護守傳統文化的積極成分，理性地開掘傳統資源，努力將其轉化爲現代新型文化的內容，爲當代中國文化建設提供思想鑒戒，表現出一個正直的知識分子的民族文化自尊心、莊嚴感和神聖感。他以「盡其在我」的強烈主體意識，融貫古今，會通中西，堅持以我爲主，堅持走中國式的文化建設道路和社會發展道路，明確提出要堅持民族特色，要「中國的」、「中國化」，而非西方的、西方化；「科學與民主，第一要自主」，反映出他的獨立精神、自由精神，證明他是仁、智、勇兼備的創建現代文化的參與者。質言之，張申府思想是中國現代思想文化史中的優秀成分，具有重要的學術價值和實踐意義。

　　張拴平在《中國現代史上的張申府》、《張申府哲學思想述評》及其博士論文《張申府哲學思想研究》中，對張申府的哲學思想進行了系統的梳理和闡揚，力圖科學而客觀地展現張申府哲學思想在中國 20 世紀學術史上的重要地位和影響，挖掘其理論的現代意義和價值。他認爲，張申府突出的學術貢獻表現在三個方面：一是系統譯介和傳播羅素的哲學思想和科學方法；二是積極研究和傳播唯物辯證法思想；三是第一次鮮明地提出了馬克思主義、分析哲學和中國傳統文化相結合的主張。張拴平認爲，張申府在綜合中西辯證法思想的基礎上創立的具體相對論，在一定意義上發展了人類的認識理論。其主要貢獻表現在：一是他以中國傳統文化的精華詮釋馬克思主義認識論，提出哲學的「通」的旨歸，「中」的標準；二是他大膽利用現代西方哲學和自然科學的先進成果，豐富和發展了哲學理論視野；三是他提出辯證法與邏輯解析相結合的思想，力袪辯證法和邏輯解析之弊，而達於全面、綜合的客觀認識。張拴平認爲，在新的歷史條件下，張申府以馬克思主義爲指導，用西方先進的科學與民主思想對中國傳統哲學進行全新的闡釋，使之成爲鎔鑄中華民族精神的新的文化理念。張申府的學術地位主要表現在三個方面：第一，

張申府系統介紹和宣揚羅素的思想和分析哲學，尤其是羅素的科學精神和科學方法。所以，張申府是中國的羅素專家。第二，張申府系統闡揚了唯物主義，特別注重馬克思主義的實踐觀和活的特點，力戒教條主義和主觀主義。他提出了唯物辯證法和邏輯解析相結合的主張，是解析唯物主義的第一人。第三，張申府系統挖掘了中國傳統哲學資源。他以辯證唯物主義爲指導，對「仁」、「易」、「中」等觀念作出了新的闡釋，發展了中國現代哲學，對中國哲學的現代化作出了一定貢獻。第四，張申府在系統研究和把握中西文化的基礎上，提出了會通中西，綜合創新的文化建設之路。第五，綜上所述，張申府的哲學思想是中國現代哲學史上不可缺少的重要一環，缺了它，我們就無法全面理解中國現代哲學的全部發展歷程。

鄭斌在《張申府——不該被遺忘的學者政治家》中認爲，張申府是一位造詣頗深而且富有探索精神的哲學家。在他的哲學思想中，有兩個概念被張申府稱爲「是最可貴重的兩種東西」：「仁」和「科學法」。「仁」相當於價值理性，源於他十分崇敬的先哲孔子；而所謂「科學法」，相當於工具理性，則植根於羅素的邏輯分析哲學。張申府認定：孔子的仁學與羅素哲學之間有種天然的內在聯繫，從某種意義上講存在著非同尋常的互補性。在他看來，以「仁者愛人」的人本主義爲主要特徵的儒家思想和以清晰、精密、高度技術性爲特徵的羅素哲學都是中國思想界所需要的。他試圖在中國建立一種由孔子的「仁學」與羅素的「科學法」相結合的新的哲學體系——「科學的哲學」。作者認爲，張申府極爲推崇羅素式的獨立精神，他的一生，是激進且不斷追求變化和個性的一生。張申府之所以敬仰羅素，除了學術志趣以外，靈魂深處一種西方化了的知識分子的獨立精神和個性自由使張申府對羅素那種典型的西方自由主義知識分子的個性追求有巨大的認同感。他在實踐「知識分子是人類的良心」的活動中走的是社會批判而非政治參與的路子，因此他在多變的政治風雲中始終力圖保持健康、獨立的人格，在社會批判、文化批判中以「不偏不黨不私」爲出發點和根本，這使得張申府的世界觀流露出了強烈的自由主義和改良色彩。

雷永生在《走近張申府——讀《張申府文集》》中重點介紹了張申府的科學和民主思想，他認爲，作爲五四新文化運動的代表人物，張申府一生都沒有放棄「五四」的「科學」和「民主」精神。在張申府看來，科學與民主是一個國家和民族健康發展的必由之路，是建設一個美好社會的基本保證。

　　張申府提出了合孔子、羅素、列寧爲一的哲學主張，但這三種思想成分在他的哲學思想中的比重如何，學者們則有不同意見。張岱年和許全興認爲張申府更爲重視辯證唯物論，是以辯證唯物論爲主導兼取孔子的儒學和羅素的分析哲學。湯一介則提出了不同的觀點。在《會通中西　鎔鑄古今——讀《張申府文集》》和《重讀大師——評《張申府文集》》中，他認爲，張申府在哲學上的最重大的貢獻，就是融通中國哲學、馬克思主義哲學（辯證唯物主義）和分析哲學。張申府在晚年雖然仍然讚賞羅素分析哲學和唯物辯證法，但卻對這兩者都持有一定的批評和保留，之所以如此，是因爲早在 30 年代，張申府就逐漸更加重視了中國傳統思想。他認爲，張申府最終是站在中國傳統思想文化的根基上，以中國傳統思想文化爲主體來吸收和融合其他兩種思潮，正因爲這樣，張申府不是照著中國傳統思想文化講，而是接著中國傳統思想文化講中國哲學。而他之所以可以如此，正因爲他借助了西方思想文化，消化了西方思想文化。作者認爲，張申府的「大客觀」是要求消除「主觀」和「客觀」的對立，創造一種融「主觀」與「客觀」爲一的哲學，而這樣一個思路正是和西方哲學不同的中國哲學的思維方式。張申府以「唯物」解釋「實」，也常常是用中國傳統思想來界定。作者認爲，張申府所說的「實」應就是「誠」，因此所謂「唯物」就是中國傳統思想「誠」之義。最後，作者總結道，張申府的學說博大精深，但歸於要，則在於他根於中國傳統思想文化，又經過西方哲學（主要是唯物辯證法和羅素的分析哲學）的洗禮，再來認識中國哲學的眞精神、眞價值，而在會通中西、融鑄古今的基礎上希望能建構一種新的中國哲學，這無疑爲我們今天中國哲學的新發展會提供十分重要的啓示。

　　干春松在《張申府的文化綜合主義和新啓蒙主義》一文中認爲，張申府哲學思想的兩大核心觀念是「大客觀」和「具體相對論」。張申府受羅素影響最大並轉化爲他自己的哲學觀的重點在於他特別重視羅素的哲學分析方法，也就是數理邏輯的分析方法。而他對於辯證唯物論的接受，也是從方法論上來的。與同時代其他有社會取向的知識分子一樣，張申府並不是試圖構造一種僅供哲學使用的專門方法，而是試圖爲社會問題的解決提供一種方法論的原則。張申府的文化綜合主義思想試圖將羅素、孔子、列寧三流合一，並在這一立場上反思五四啓蒙思想從而提出了新啓蒙主義。張申府的靈感式的思想感染了許多人，其中最主要的就是他的弟弟張岱年。張岱年不但在方法上

繼承了解析的唯物論，而且其傾心甚多的綜合創新的文化觀也與張申府的文化觀多有互相發明之處。

李秀雲在《張申府的副刊編輯思想》一文中認為，張申府不僅在哲學學術研究方面作出了重要貢獻，還在學術性專業副刊編輯方面為我們留下了寶貴的經驗。第一是報紙的學術化；第二是致力於中西哲學的融通和結合的建設；第三是「大公無我」的服務精神。

綜上所述，雖然 20 世紀 90 年代以來，張申府日益受到人們的關注，國內陸續有學者對張申府及其思想開始進行了一定的考察，然而這些研究都還停留在大的構架上，而對張申府思想的理論系統、內在特點，以及貢獻和局限等，還缺乏系統、深入的探討。總的說來，目前對張申府思想的研究還是非常薄弱的，尤其是對其政治思想和社會改造論的研究，基本上屬於空白，仍然有相當大的進一步研究的餘地。

三、選題意義與研究方法

（一）選題意義

張申府是中國近現代政治思想文化史上的重要人物，也是一個極具特色和廣泛代表性的人物。他是中國共產黨的創始人之一，與李大釗共同組建了北京共產主義小組，並在「南陳北李」之間奔走串聯，是創建中國共產黨的積極推動者；他是周恩來同志的入黨介紹人，又同周恩來一起介紹朱德入黨；他參與黃埔軍校的籌建，是黃埔軍校的第一任政治部副主任和中共黃埔第一人；他是「一二·九」運動的重要發動者與領導者；他參與民盟的組建工作，是民盟中央常委兼華北總支負責人，他見證並直接參與了近代中國的許多政治社會事件，是中國近現代史上的重要人物。同時，他是孔子思想的讚揚者，中國優秀傳統文化的弘揚者，又一生景仰羅素思想，是最早譯介羅素論著的中國學者之一；他信奉辯證唯物主義，是列寧思想的堅信者、宣傳者，又執著地追求民主自由；他不懈地宣傳啟蒙思想，又為傳統思想所束縛。他與近現代中國三大主要思潮──社會主義、自由主義、保守主義──都有關係，都抱有一定的同情，但又與典型的社會主義者、自由主義者、保守主義者不同，他對這三大思潮的認同不是非此即彼的關係，而是辯證綜合地吸收，他的思想，是各種思想元素的奇妙結合體。他對理性的張揚，對民主的追求，對大同社會的嚮往，觸動著近現代以至當代中國政治哲學的主題。他徘徊在

學術與政治、理想與現實之間，他的一生，與他所處的時代一樣坎坷多難；他的遭遇，反映了那個時代特定類型知識分子的命運。他的思想，具有一定的代表性。他所面對的問題，有的仍然是我們現在不得不討論和必須解決的話題。張申府政治思想的核心是社會改造。所謂社會改造，在近代中國的話語情境中，是指人們有意識地擺脫封建主義的羈絆，而入於超封建主義狀態的歷史過程，它有廣、狹兩個含義。狹義的社會改造是指以政治、經濟制度為核心的社會制度從封建主義向資本主義、社會主義的改變。這是五四運動後興起的社會改造思潮的含義。廣義的社會改造除政治、經濟制度的變革外，還應包括人的改造，即作為社會主體的人的思想觀念、思維方式、生活態度和風俗習慣從封建蒙昧狀態向自由理性狀態的轉變。從這個意義上說，社會改造是十九世紀以來中國歷史的主題，也是張申府政治思想的核心。張申府的政治思想，就是以社會改造為基本線索，圍繞社會改造而展開的一套思想體系。對張申府社會改造論的研究，將有助於人們認識十九世紀以來近代中國歷史的主題，有助於人們理解中國現代學術發展史、中國現代知識分子和中國現代社會，有助於我們更全面準確的把握近現代中國政治思想和政治哲學的歷史變遷，有助於解決當前中國所面臨的種種現實問題。因此，研究張申府的社會改造論，具有重要的學術意義和現實意義。

（二）研究方法

本文擬採取橫向與縱向相交叉、宏觀與微觀相結合、歷史與現實相映襯的比較分析方法，力圖挖掘張申府社會改造思想的深刻內涵及近現代中國社會改造思想的發展變遷。

第一章 張申府社會改造論的理論來源和歷史、思想背景

一、「孔子、羅素與列寧」：張申府社會改造論的理論來源

　　周恩來在 1957 年張申府被打成右派時說：「張申府的思想很雜，……他想把孔子、羅素、馬克思、弗洛伊德、愛因斯坦的思想熔於一爐。」〔註1〕張岱年在《張申府訪談錄》中文版序中也說：「申府在哲學上推崇馬克思主義的唯物辯證法與西方分析哲學的邏輯分析方法，試圖將二者結合起來，認爲『解析』與『唯物』是 20 世紀哲學的兩大主潮，同時又讚揚孔子『仁』的學說，提出『列寧、羅素、孔子，三流合一』的觀點。」〔註2〕由此可見，張申府的社會改造論，主要有三個理論來源：一是以孔子爲代表的中國傳統優秀文化；二是以羅素爲代表的西方資本主義先進文化；三是以列寧爲代表的馬克思主義。

　　孔子是中國傳統文化精神的代表人物，「無論如何，孔子是最可以代表中國的特殊精神的。」〔註3〕「中國立國，所以立，可以立，或值得立，應就是仁，就是中，就是生（天地之大德曰生）。而這些，以及易與實，斷然應以孔子爲代表。」〔註4〕孔子是「聖之時者」，有其不可避免的時代限制，但作爲中國文化的代表，更有其超越時空的普世價值。張申府認爲，以孔子爲代表

〔註 1〕舒衡哲：《張申府訪談錄》，北京圖書館出版社 2001 年版，第 2 頁。
〔註 2〕舒衡哲：《張申府訪談錄》，北京圖書館出版社 2001 年版，第 1 頁。
〔註 3〕張申府：《所思》，生活‧讀書‧新知三聯書店 1986 年版，第 193 頁。
〔註 4〕張申府：《思與文》，河北教育出版社 1996 年版，第 239 頁。

的中國傳統文化，有它過人的長處，有它特殊的貢獻，更有它不可取代的十大優點：第一，中國有其仁的人生理想；第二，中國有其易與「有天地然後有萬物」的元學；第三，中國有其中的行動準則；第四，中國有其實的規範，與體度參驗的方法；第五，中國有其人與生的重視；第六，中國有性近習遠，「眞積力久則入」的教學原則；第七，中國有其「充實之謂美」的美的標準；第八，中國有其活、時中、不迷信、不拘執的態度；第九，中國知道盡人力而知天命，而與境爲樂，而不於人世之外別尋天國；第十，中國既重生，因很瞭解人生的享受，與閒暇的利用。總之，中國的文明是人的文明，是生的文明。〔註5〕因此，我們對於孔子，對於中國文化的態度，應該是揚棄，應該取其精華而棄其糟粕，而不是簡單地完全否定與徹底推翻。

張申府是中國最早翻譯介紹羅素思想的人之一，是著名的羅素研究專家，他一生敬仰羅素，寫了大量論述羅素思想的文章和羅素著作的譯文，對羅素的崇拜簡直無以復加。1942 年，羅素七十大壽，張申府寫了《祝羅素七十》一文：「今年五月十八，羅素，這個現代的大算學家，大哲學家，大邏輯家，大思想家，偉大的新啓蒙運動者，正義自由人道理性科學的老戰士，已經整整七十了。一爲了他對於算數，對於哲學，對於邏輯，以及對於一般人生社會思想，偉大特殊劃時代的貢獻；二爲了他擁護正義自由的壯烈，顯揚科學理性的徹底，反對迷信獨斷納粹法西斯的堅決與先見；三更爲了他對於中國的一往情深，若有厚愛，實在是最最應該慶祝紀念的。」「羅素，他實在是現代英國最偉大最創闢最有貢獻最有影響的哲學家。……其實，羅素的偉大又何限於英國。就在現代全世界中，最偉大最創闢最有貢獻最有影響，最能掀動潮流，引起風波，最能使得許多地方甚囂塵上，著作最多也最流行的大哲學家中，也以羅素爲第一。」〔註6〕張申府深受羅素哲學的影響，他對羅素的推崇主要在他的邏輯分析方法，認爲邏輯解析是哲學裏的科學法，其特色是「辨而通」，他說：「凡是一種新哲學，總是有一種新方法的。實在，羅素對於哲學最偉大創闢的成就貢獻，造時代而且千古不磨的成就貢獻，也就在他的新方法，而不在他提倡的什麼新實在論，或以後鼓吹的什麼邏輯原子論，絕對多元論，以及中立一元論。具體言之，就是在他的數理邏輯，邏輯解析，以構代推；與夫也是由弄算數與邏輯而得的摹狀論（包括所謂不全記

〔註5〕張申府：《張申府文集》，第一卷，河北人民出版社2005年版，第202頁。
〔註6〕張申府：《張申府文集》，第一卷，河北人民出版社2005年版，第439頁。

號，邏輯構作），尤其是類型論（邏輯詭論的解法）；以及他總在利用的一件利器，『歐坎剃刀』；還有更常常稱道的一種精神，『健實的實在之感』」〔註7〕。

　　列寧是作為馬克思主義尤其是唯物辯證法的代表而為張申府所推崇和宣介的。五四運動後，張申府開始接觸唯物辯證法，認同並接受唯物辯證法的方法態度，並積極宣揚唯物辯證法的價值，三十年代成為唯物辯證法在中國的主要代表之一。他說，現代世界哲學的主潮有二，「一為解析，詳說邏輯解析。二為唯物，詳說辯證唯物。」〔註8〕辯證唯物本由馬克思與恩格斯創立於1844～1845 年，至二十世紀初得了列寧的努力，益大恢宏，成了改變世界的利器。張申府認為，「辯證唯物論乃是一整個的哲學系統：既有它的方法態度，也有它的元學，知識論，更有它的人生觀，人生哲學。它的最根本義則在認有不依附人的客觀存在。」〔註9〕在張申府看來，現代唯物論之所以重要，「本在它是方法，本在它是實踐的，本在它大有助於實踐，本在它是大可用的方法，本在它是用來可以大有效驗的利器。」「辯證唯物論在實踐上，最最中心的精蘊就是活，而反死板，反割裂，反機械。」〔註10〕

　　對於這三個思想來源，張申府並不是簡單地全盤接受或盲目地機械照搬，而是在批判繼承地基礎上，希望做到三個層次的結合：

　　首先是解析與唯物的結合。解析的目的在把思想，把言辭，弄清楚，藉以見出客觀的實在。唯物在承認有客觀的實在，而由科學的方法，革命的實踐，本著活的態度，以漸漸表現之。邏輯解析不免要有所分，照例是根據原子論的觀點的；而辯證唯物則側重於全，於變，於事象的相關關聯。邏輯解析與辯證唯物，既是相反的，又是相成的，既是相通的，又是互補的，二者「非特相需以為用，也相資以補正。不宜偏廢。」張申府認為，「邏輯主在辨，而辯證法要在活，重在通。邏輯是原子的，而辯證法是經絡的，上下文的。邏輯誠或局於片段；而辯證法偏於過程全體。邏輯末流之弊在支離破碎；辯證濫用之弊在籠籠統統，漠忽迷蒙。」〔註11〕因此，「解析與唯物，實正相補。解析而辯證唯物，可以不至於茫無歸宿。辯證唯物而兼解析，也庶幾免粗略或神秘。」「世界哲學裏兩個最有生氣的主潮是可以合於一的；而且合一，乃

〔註 7〕張申府：《張申府文集》，第一卷，河北人民出版社 2005 年版，第 441 頁。
〔註 8〕張申府：《張申府文集》，第二卷，河北人民出版社 2005 年版，第 185 頁。
〔註 9〕張申府：《張申府文集》，第二卷，河北人民出版社 2005 年版，第 283 頁。
〔註10〕張申府：《張申府文集》，第二卷，河北人民出版社 2005 年版，第 305～306 頁。
〔註11〕張申府：《思與文》，河北教育出版社 1996 年版，第 8～9 頁。

始兩益。而且合一,乃合辯證之理。在理想上,將來的世界哲學實應是一種解析的辯證唯物論。」〔註12〕

其次是「中」與「西」的結合。與其他文化論者不同的是,張申府並未把中西文化完全割裂、互相對立地看待,他認爲「西洋文明的要義在戰勝自然。中國文明的在與自然調諧。」「這其實只是程度的問題,二者其實並不相違背。」〔註13〕中西文明雖然各有所偏,亦各有所重,但並非本質上的不同,而只是程度上的差異和各自發展中心的不同,因此張申府更爲強調的是兩者的相互補充與和豫相通,「一與通是東方哲學之特長,多與析則西方哲學之所擅。羅素固講多與析者之翹楚。信一與通,鄰於神秘。持多與析,必重邏輯,而求最的之知,我則祈:於多見一,由析達通;一不忘多,析而以通爲歸宿。最的之知,其將與神秘不相外乎?知始於別,始於二,最後之知,蓋在無別而圓通,是知而非知,是神通。」〔註14〕

最後是「孔子」、「列寧」與「羅素」的結合。張申府既贊同羅素的邏輯分析方法,又推崇馬克思主義唯物辯證法,同時也不放棄孔子「仁」的學說,他始終相信:「孔子、列寧、羅素是可合而一之的。我也始終希望,合孔子、列寧、羅素而一之。如此不但可得新中國哲學,如此而且可得新世界學統。孔子代表中國古來最好的傳統,羅素代表西洋歷來最好的傳統。列寧代表世界新的方在開始的傳統。孔子表示最高的人生理想,由仁、忠、恕、義、禮、智、信、敬、廉、恥、勇、溫、讓、儉、中以達的理想。羅素表示最進步的邏輯與科學,尤其是數理邏輯,邏輯解析,科學法與科學哲理。列寧表示集過去世界傳統最優良成分大成的一般方法,即唯物辯證法與辯證唯物論,以及從一個實落角落來實踐最高的人生理想的社會科學。三者之間,不但並無敵對衝突,三者之間,而且正待相補相充。三者之間,解析且揚扔之後,又有什麼不可綜覈,發展而爲一的?『沒有解析,無綜覈』。辯證的否定乃在飛躍的發展。隨解析隨綜覈,由否定而發展,永遠合造成一個空前的進境。合孔子、羅素、列寧而一之的新體系定是新世界中的新中國的新指標、新象徵。」〔註15〕

〔註12〕 張申府:《張申府文集》,第二卷,河北人民出版社 2005 年版,第 186 頁。
〔註13〕 張申府:《所思》,生活・讀書・新知三聯書店 1986 年版,第 64 頁。
〔註14〕 張申府:《所思》,生活・讀書・新知三聯書店 1986 年版,第 135 頁。
〔註15〕 張申府:《張申府文集》,第三卷,河北人民出版社 2005 年版,第 434 頁。

二、近代中國的意義危機與秩序危機：張申府社會改造論的歷史背景

十九世紀以來，尤其是進入「轉型時代」〔註 16〕以後，近代中國社會陷入深刻的危機之中，表現爲道德和信仰層面的意義危機和社會政治層面的秩序危機。這兩大危機長期籠罩著近代中國社會，影響至深且遠，至今沒有獲得完全解決。

傳統儒家所構建的意義系統，即天人合一的宇宙觀和以仁學爲中心的人生觀，曾維持著中國數千年士大夫乃至一般民眾的信仰和意義世界。但是在進入轉型時代之後，在西學東漸和社會結構急遽變遷的雙重衝擊下，這一儒家提供的意義世界發生了嚴重的崩潰，從而使得從士大夫到一般民眾的思想產生了巨大的混亂。張灝把近代中國的意義危機分爲三個層面。第一是道德取向的危機。儒家的基本道德價值取向由以禮爲基礎的規範倫理和以仁爲基礎的德性倫理組成。在 1895 年以後，先是儒家的以三綱爲核心的規範倫理受到譚嗣同等人的激烈批判，隨後，儒家的德性倫理——以仁爲核心的君子理想和以天下國家爲軸心的社會理想，也在五四時期受到全面挑戰，儘管德性倫理的若干形式還保留著，但其內容已經大大地西化了。第二個層面是精神取向的危機。儒家學說過去提供了一整套關於宇宙、自然、生命和人生的來源和意義的架構，它組成了中國人最基本的世界觀。到轉型時代後，這一世界觀已經遭到了全面的質疑，中國知識分子陷入了深刻的精神虛空。第三個層面是文化認同危機。中國過去所持有的世界意識是一種華夏中心主義的天下觀念，西方列強的侵略迫使中國人睜眼看世界，接受了現代國際觀念，從而使得原來的文化認同、對自我的認知發生了很大的顛覆。凡此種種，組成了一個深刻的、全面的意義危機，貫徹了二十世紀大部分時期〔註 17〕。

與道德和信仰層面的意義危機同時發生的，是社會政治層面的秩序危機。「轉型時代是一個危機的時代。1895 年以後，不僅外患內亂均有顯著的升

〔註 16〕 張灝把從 1895 年到 1925 年即從甲午到五四這三十年稱爲中國近代史的「轉型時代」，是中國思想文化由傳統過渡到現代、承先啓後的關鍵時代。參見張灝：《中國近代思想史的轉型時代》，《幽暗意識與民主傳統》，新星出版社 2006年版，第 134 頁。

〔註 17〕 許紀霖：《二十世紀中國思想史論・序》，東方出版中心 2000 年版，第 3 頁。張灝：《中國近代思想史的轉型時代》，《幽暗意識與民主傳統》，新星出版社2006 年版，第 140～146 頁。

高，威脅著國家的存亡，同時，中國傳統的基本政治社會結構也開始解體。這方面最顯著的危機當然是傳統政治秩序在轉型時代由動搖而崩潰，這個在中國維持數千年的政治秩序一旦瓦解，使得中國人在政治社會上失去重心和方向」〔註18〕。一個社會要得以維持，必須要有一套為社會所有成員普遍接受的合理性規則。傳統中國是一個禮治社會，儒家的禮治提供了符合那個時代正義標準的規則秩序。然而到轉型時代，在西方世界的衝擊下，傳統的中國社會政治秩序全面解體，對於近代中國來說，如何建立一個符合自由與平等理想的新的正義秩序，成為社會改造的首要目標〔註19〕。

三、近代中國社會改造思想的變遷：張申府社會改造論的思想背景

近代中國的社會改造思想萌芽於洋務運動後期，形成於甲午戰爭以後，經歷了萌芽時期、政治制度改造時期、人的改造時期和社會制度改造時期四個階段。

（一）萌芽時期

十九世紀七十年代後，一方面因為中國在第二次鴉片戰爭中又遭慘敗，締結的《天津條約》、《北京條約》等一系列不平等條約給中國人民套上了新的枷鎖，變法救國日益成為普遍的社會要求；另一方面因為《海國圖志》、《瀛環志略》等書的廣泛傳播，傳教士所辦報刊對西方社會的介紹，中國出使人員對西方諸國的實地考察，中西政制的優劣已為越來越多的人所認識；還因為中國近代資本主義企業已稀疏出現，衝破封建專制束縛、自由發展資本主義已成為現實問題。在這樣的情況下，一些資產階級知識分子大膽地提出了變專制制度為議會制度的社會改造要求。

這一時期的社會改造主張，雖然提出了變封建專制制度為資產階級君主立憲制度的要求，但並未領會資本主義政治制度的根本精神。他們要求設議院，主要是將其作為一種集思廣益、溝通上下、凝聚民心的新方式，議院是作為政策咨詢機構和顧問機構而存在的，對於西方議院所體現的代表含義和立法機構的含義，以及這背後的個人權利概念，對西方民主政治的權力制衡原則和憲法作為君主立憲政體和議會政治核心內容的意義，則基本沒有體

〔註18〕張灝：《中國近代思想史的轉型時代》，《幽暗意識與民主傳統》，新星出版社2006年版，第140頁。

〔註19〕許紀霖：《二十世紀中國思想史論·序》，東方出版中心2000年版，第6頁。

認，他們只是移植了西方君主立憲政體的形式，而缺乏君主立憲的實質精神。他們在不觸動封建體制根本的基礎上，「倡民權而反民主」，主張開放人民（廣大勞動人民除外）參政議政的權利而反對人民作主、人民統治的權力。究其根源，乃是因爲此時的議會制度，還僅僅是作爲挽救民族危機的救亡手段，而不是作爲資產階級的權力要求、不是作爲解決社會危機的手段而提出的，因此我們說，此時的社會改造思想，還處於萌芽時期。

（二）政治制度改造時期

中國在甲午戰爭中出人意外的慘敗，強烈地震憾了國人的心靈。資產階級改良派將先前開設議院的議論作爲政治口號正式提了出來，他們認識到，西方之強盛，「非徒以兵精器利，其政治之修明，實足以屈我之國力，而致我之死命」〔註20〕，不改變原有的封建專制制度，建立西方式的憲政制度，中國就決無由弱轉強的可能。從此，政治救國論成了中國思想界的主流，政治救國也逐漸演變爲中國社會改造和變遷的主要景觀。從戊戌維新、晚清新政到辛亥革命都是尋求中國社會改造問題的政治解決，而且是企圖通過移植西方政治制度和政治文明的辦法來實現這一目標。

戊戌變法就是近代中國資產階級改良派發動的、用自上而下的辦法進行改革、以圖挽救民族危亡的一場愛國政治運動，也是自強運動孕育的一代知識分子試圖通過制度創新實現社會改造的改革。資產階級維新派不僅提出了移植西方資產階級政體形式、變封建君主專制制度爲資產階級君主立憲制度的要求，並且同時輸入、傳播了作爲資產階級民主制度理論基礎的社會契約論、天賦人權論、自由、平等、博愛等西方資產階級民主思想，其目標，正是向議會、憲法、三權分立、責任政府這一套近代民族國家的政治結構前進。由此可見，在戊戌變法時期，資產階級維新派的政治制度改造思想，已經不僅僅是要在體制上彌補封建君主專制制度的不足，而是要在整體上變封建主義的政治制度爲資本主義的政治制度。蕭公權認爲，「康有爲政治革新的最終目的，是大幅地、逐漸地將中國的貴族政治轉變爲立憲政府。」〔註21〕雖然康有爲的骨子裏積有濃厚的中國文化氣息，但在行動上他一直是一個受西學

〔註20〕《論救亡當立新國》，《清議報》第五十六冊，第 3611 頁。

〔註21〕蕭公權："The Case for Constitution Monarchy:K'ANG Yu-WEI's Plan for the Democration of China"Monumenta Serica.ⅩⅩⅣ（1965），1～83。轉引自《行政制度現代化——康有爲之主張及其意義》，《臺灣國立編譯館館刊》第七卷第一期。

影響很大的改革者，儘管他力圖從中國傳統元典中尋求變法改制的合法性基礎，但「其目標乃以西方為主要模式以求中國政治、經濟以及學術思想的改變。他要達成目標的方法也未嘗稍變，即按照近代西方的樣板，以緩進的步調，使古老的中國傳統進入共同的近代世界的價值系統——他認為近代西方的樣板適合同一時期發展中的所有國家」。〔註22〕「像康有為這樣的人，在努力探求西方成功的秘密後，自會得出一種結論，即民主乃唯一可以替代的政體。同時他得到另一種合理的結論：中國人民在專制統治下幾千年，既無能力也無欲望取得政權。因此在他們有資格運用權力之前，給予他們政權是愚蠢的。最安全的方法是盡量利用現存的設施作大轉變的準備。簡言之，此乃君主立憲的緣起。」〔註23〕

這一時期，中國的民族資本主義已經有了一定的發展，政治制度改造論不僅僅是作為救亡圖存、挽救民族危亡的要求而提出，而且是作為中國資產階級的權力要求、作為解決中國社會危機的手段而提出的，因此我們說，甲午戰爭後，近代中國的社會改造思想已初步形成。

戊戌以後，中國的進步分子並沒有因改革的失敗而灰心，他們繼續探索改造中國社會的道路，提出了兩種改造方案：一是君主立憲，二是民主共和。不管哪一種方案，其基本目標是大體一致的，即以某種西方式的資產階級國家制度取代舊的封建君主專制的國家制度，通過政治制度的改造實現社會的改造。君主立憲派繼承並發展了維新派的憲政思想，並出現了激進化的傾向，提出了「自任立憲」〔註24〕、「國民的立憲」〔註25〕的觀點，認為立憲的主體與動力是國民，其途徑是設立民選議院，國會是國家政治權力的中心，「總攬統治權機關」〔註26〕，享有立法權、主持財政權、監督行政權、宣佈命令、質問、建議之權，以及上奏君主、下受人民請願之權。開國會的根本目的是「擴張民權」，其手段則是國民請願運動。以孫中山為代表的革命派則堅持民主共和方案，認為只有民主政治制度，才可以奠立國家長治久安的基礎，主

〔註22〕蕭公權：《近代中國與新世界：康有為變法與大同思想研究》，江蘇人民出版社 2007 年，第 147～148 頁。

〔註23〕蕭公權：《近代中國與新世界：康有為變法與大同思想研究》，江蘇人民出版社 2007 年，第 164～165 頁。

〔註24〕楊度：《楊度集》，湖南人民出版社 1986 年版，第 211 頁。

〔註25〕李慶芳：《中國國會議》，《辛亥革命前十年間時論選集》，第三卷，生活‧讀書‧新知三聯書店 1978 年版，第 116 頁。

〔註26〕楊度：《楊度集》，湖南人民出版社 1986 年版，第 397 頁。

張通過革命手段推翻滿清政府，建立國民政府，在國民政府之下，人人皆享有平等參政之權，享有言論、結社、人身及財產等項自由權利，國會是代表人民公意之機關，由人民選舉產生，而政府是執行人民公意之辦事機關，受人民監督。可見，人民主權、代議制、總統制是這一共和政體的基本要素。值得注意的是，孫中山不僅設想了民主共和的政治藍圖，而且提出了民主革命的實踐操作方案和程序，即「五權憲法」和「革命程序論」。「五權憲法」是孫中山為克服西方議會專制和政黨把持政治的弊病，借鑒中國古代重考選、重監察的傳統而提出來的，其根本要義是把西方盛行的「三權分立」變成「五權分立」，在立法、行政、司法三權之外再加上獨立的考試權和監察權，其目的則是想使未來的中華民國憲政制度能比西方國家的憲政制度更為完善。「革命程序論」是指孫中山把從革命軍起事到民主共和制度的建立分為三個階段：軍法之治、約法之治和憲法之治。這表明他對民主共和不僅具有堅定的信仰和不懈的追求，而且一直在為實現真正的民主共和尋找具體的途徑，從而使他的民主共和思想具有一定的現實性。一九一一年辛亥革命後，民主共和思想深入人心，從此，關於政治制度的政體形式改造問題，思想界已沒有大的爭論。

（三）人的改造時期

辛亥革命標誌著民主共和政體在形式上獲得了成功。但事實是殘酷無情的。宋教仁慘案，「二十一條」，袁世凱稱帝，張勳復辟，南北軍閥割劇混戰，民國有其名而無其實。皇帝被推翻了，但封建專制制度仍然存在，封建的思維方式仍然存在，中國社會仍然處在封建主義的陰霾之下。「革命也許能夠打倒專制和功利主義，但它本身決不能夠改變人們的思維方式。舊的偏見被消除了，新的偏見又取而代之。它像鎖鏈一樣，牢牢地禁錮著不能思考的芸芸眾生。」〔註27〕顯然，僅憑單純的政治制度改造，不能實現中國社會的改造。約翰・密爾指出，「我們首先要記住，政治制度（不管這個命題是怎樣有時被忽視）是人的勞作；它的根源和全部存在均有賴於人的意志。」〔註28〕在西方現代思潮影響下，先進的知識分子總結了晚清以來歷次社會變革的經驗教訓，意識到中國要向現代社會轉變，建立名副其實的民主共和制度，必須首

〔註27〕康德：《何謂啟蒙》，轉引自舒衡哲：《中國啟蒙運動──知識分子與五四遺產》，新星出版社 2007 年版，第 337 頁。

〔註28〕J・S・密爾：《代議制政府》，商務印書館 1997 年版，第 7 頁。

先完成人的改造，必須在意識形態尤其是價值觀領域徹底反對封建倫理思想。正如馬克思所說，如果說過去的革命是從皇冠與政體著眼，那麼，「現在的革命則從哲學家的頭腦開始。」〔註29〕

一九一五年陳獨秀創辦《青年雜誌》，標誌著近代中國的社會改造思想從以政治制度改造為主轉向以人的改造為主。

近代中國人的改造思想經歷了三個發展階段：國民性改造（新民）時期、人性改造（立人）時期、階級性改造時期。

新民思想產生於戊戌變法期間，成熟於二十世紀初。在維新運動中，嚴復和梁啟超並沒有像康有為那樣熱衷於政治制度的變革，而是把人的改造——開民智視為維新大業的主要工作，把主要的精力都投入到開學會、辦報紙、興學堂之上，在主張制度改革的同時，力倡「人」的更新。嚴復認為，一定的政體形式是與一定的社會倫理、道德、風俗、文化教育相聯繫的，人民是否享有自由民權，是否具有自利、自治的能力，是決定一個國家能否實行民主制度的根本。他寫道：「然政欲利民，必自民各能自利始；民各能自利，又必自皆得自由始；欲聽其皆得自由，尤必自其各能自治始，反是且亂」。他認為當時中國人民還不具備自治的能力，因此，民主政體雖好，中國還不能立刻實行，要有個準備過程。他認為，「今日要政統於三端：一曰鼓民力，二曰開民智，三曰新民德」〔註30〕。反之，如果倉促地改君主為民主，必然天下大亂，不可收拾，「夫君權之重輕，與民智之淺深為比例。論者動言中國宜減君權興議院，嗟呼！以今日民智未開之中國，而欲效泰西君民共主之美治，是大亂之道也。」〔註31〕梁啟超也看到了人的改造的重要性。他說：「強國以議院為本，議院以學校為本」〔註32〕。他認為，專制與愚民、民政與智民有內在的必然聯繫。民權與民智成正比例關係，有一分之智即有一分之權，有六七分之智即有六七分之權，有十分之智即有十分之權，「是故權之與智相倚者也。昔之欲抑民權，必以塞民智為第一義；今日欲伸民權，必以廣民智為第一義」〔註33〕。戊戌變法失敗後，梁啟超東渡日本，在反思總

〔註29〕 《馬克思恩格斯選集》，第一卷，人民出版社1972年版，第9頁。
〔註30〕 嚴復：《嚴復集》，第一冊，中華書局1986年版，第27頁。
〔註31〕 嚴復：《嚴復集》，第二冊，中華書局1986年版，第475頁。
〔註32〕 梁啟超：《飲冰室合集‧文集之一》，中華書局1989年版，第96頁。
〔註33〕 梁啟超：《上陳寶箴書論湖南應辦之事》，中國史學會編：《戊戌變法》，第二冊，上海書店出版社、上海人民出版社2000年版，第551頁。

結中日兩國變法成敗經驗教訓的基礎上，進一步提出了「新民說」。他認爲，民主制度之確立，及其得以運行有效，必賴有一定的國民基礎。無此基礎，民主制度種種設施，勢將成爲空中樓閣，社會、國家、人民不僅無以蒙其利，有時甚至反而造成混亂。政治及其他一切設施，非通過國民意識之一關，斷不能收效。因此他大聲疾呼：「新民爲今日中國第一急務」。在他那裡，「吾今欲極言新民爲當務之急」的邏輯是：「然則苟有新民，何患無新制度，無新政府，無新國家。」〔註34〕梁啓超認爲，無論是從「內治」還是從「外競」的角度看，社會改造都需要以新民爲本。所謂「新民」，就是「在借鑒西方近代思想並發揚中國固有優秀文化傳統的基礎上重鑄國魂，成就一個以近代國家觀念和自由權利思想爲基礎，以社會公德爲規範，以自尊、自治和競爭冒險精神爲價值導向的新型國民群體。」〔註35〕其核心就是「變傳統的依附人格爲近代的獨立自主的人格，變子民爲國民」。這是一代具有新的民族國家意識、價值觀念、行爲方式並組織在近代社會結構中的國民群體〔註36〕。但是，嚴、梁等人的新民思想主要是把人的改造作爲挽救民族危機的一種手段，人自身並沒有成爲改造的最終目的，一旦二者發生矛盾，他們就捨個體以就群體，「特觀吾國今處之形，則小己自由，尚非所急，而所以祛異族之侵橫，求有立於天地之間，斯眞刻不容緩之事。故所急者，乃國群自由，非小己自由也。」〔註37〕「自由云者，團體之自由，非個人之自由也。」〔註38〕可見，他們構建的新民形象更爲注重人的民族性和群體性，人作爲主體意識的覺醒並不在他們關注的範圍之內。他們所鼓吹的「民權」，是人民的公權而非個人的私權，並非嚴格意義上的個人權利。他們所謂的「人」 是集體的「人」而非個體的「人」，是「民」而非「我」，從而在根本上忽視了人的生命、價值、尊嚴等個體人格的培養。

　　魯迅是「立人」思想的先行者，早在一九○八，他就在《文化偏至論》一文中指出，歐美之強，「根柢在人」，因此要改造中國社會，「其首在立人，人

〔註34〕梁啓超：《梁啓超選集》，上海人民出版社1984年版，第207頁。

〔註35〕彭明、程獻主編：《近代中國的思想歷程（1840～1949）》，中國人民大學出版社1999年，第260頁。

〔註36〕彭明、程獻主編：《近代中國的思想歷程（1840～1949）》，中國人民大學出版社1999年，第254頁。

〔註37〕嚴復：《法意》按語，下冊，《嚴譯名著叢刊》，商務印書館1931年版，第917頁。

〔註38〕梁啓超：《梁啓超選集》，上海人民出版社1984年版，第227頁。

立而後凡事舉；若其道術，乃必尊個性而張精神。」〔註39〕民國的建立，並未實現真正的民主共和，「國家在名義上已經變為共和，但是，執政的人物依然是專制時代的舊人物，執政的思想依然是專制時代的舊腦筋，政治的制度依然是專制時代的舊樣式。」〔註40〕辛亥革命無可避免地失敗了。之所以如此，陳獨秀認為是因為「多數國民之思想人格無變更」，而「所謂立憲政體，所謂國民政治，果能實現與否，純然以多數國民能否對於政治，自覺其居於主人主動的地位為唯一根本之條件」，若「共和立憲而不出於多數國民的自覺自動，皆偽共和也，偽立憲也」〔註41〕。無獨有偶，高一涵對此得出了幾乎完全相同的結論：「政治實質之變更，在國民多數心理所趨，不在政治之形式」，「立國精神，端在人民心理」〔註42〕。因此，「欲圖根本之救亡，所需乎國民性質行為之改善」〔註43〕。在這種思想引導下，胡適決定「從根本處下手，為祖國造不能亡之因」〔註44〕，而「造因之道，首在樹人」〔註45〕。陳獨秀要求「最後覺悟之最後覺悟」──「倫理的覺悟」〔註46〕，梁啟超要求「全人格的覺醒」〔註47〕。而所謂「倫理的覺悟」、「全人格的覺醒」，其實質就是人的發現，個性的解放。他們大聲呼籲為中國人爭取真正的「人」的資格，使中國人過上獨立、自由、平等、有尊嚴的現代人的生活。在封建主義思想下，中國向來「只承認人民是民，不承認人民是人」〔註48〕。「中國人向來就沒有爭到過『人』的資格，至多不過是奴隸，到現在還如此」〔註49〕，「東方發白，人類向各民族所要的是『人』。」〔註50〕「立人」的主要任務就是「重新要發現『人』，去『闢人荒』」〔註51〕。這一時期，思想家們已跳出了「新民」思想的民族性、整體性和集體主義的藩籬，而把人的改造的重心定位在

〔註39〕 魯迅：《魯迅全集》，第一卷，人民文學出版社1981年版，第295頁。
〔註40〕 陶履恭：《我們政治的生命》，《新青年》第五卷第六號。
〔註41〕 陳獨秀：《吾人最後之覺悟》，《青年》第一卷第六號。
〔註42〕 高一涵：《共和國家與青年之自覺》，《青年》第一卷第二號。
〔註43〕 陳獨秀：《陳獨秀著作選》，第一卷，上海人民出版社1993年版，第207頁。
〔註44〕 胡適：《胡適文存》，亞東圖書館1926年版，第1頁。
〔註45〕 胡適：《胡適留學日記》，商務印書館1947年版，第833頁。
〔註46〕 陳獨秀：《吾人最後之覺悟》，《青年》第一卷第六號。
〔註47〕 梁啟超：《梁啟超文選》，中國廣播電視出版社1992年版，第554頁。
〔註48〕 陶履恭：《我們政治的生命》，《新青年》第五卷第六號。
〔註49〕 魯迅：《魯迅全集》，第一卷，人民文學出版社1961年版，第212頁。
〔註50〕 魯迅：《魯迅全集》，第一卷，人民文學出版社1961年版，第322頁。
〔註51〕 周作人：《人的文學》，《新青年》第五卷第六號。

個人主義、「爲我主義」，要求以資本主義的個人本位主義取代封建的家族本位主義。他們提倡「一種個人主義的人間本位主義」〔註 52〕，要求確立一種「健全的個人主義的人生觀」〔註 53〕，「充分發展個人的才能」，「造成自由獨立的人格」〔註 54〕。他們雖然並沒有完全放棄民族主義和愛國主義，但他們的視野顯然已經超越了民族主義和愛國主義的限制。他們不僅要改造中國，而且還要改造世界〔註 55〕。人自身，即人的生命、尊嚴、價值、需求、發展和人的自我實現成爲這一時期進步思想家們關注的重點，人的改造不僅僅是作爲救亡圖強的手段而存在，人本身就是目的。「國家爲人而生，而非人爲國家而生。」〔註 56〕人終於掙脫了國家和民族的枷鎖，成爲自己的眞正的主人。人是國家的目的，而絕不是相反。

　　五四運動後，尤其是中國共產黨成立後，以經濟制度爲核心的社會制度改造論成爲近代中國社會改造思想的主流，人的改造是附屬於社會制度改造、是作爲社會制度改造論的一部分內容而存在的。其主要內容是喚起民眾的階級意識、民族意識和革命意識，同時對其他革命階級和知識分子進行思想改造——即無產階級性質的改造，使其向勞動人民、尤其是無產階級學習，逐步地拋棄封建主義和資產階級的世界觀，建立無產階級的世界觀，反對資產階級的個人主義和自由主義思想，培養無產階級的集體主義、大公無私、公而忘私、不怕犧牲、團結互助的革命精神，樹立全心全意爲人民服務的理想人格範式，然後組織人民群眾通過革命的手段奪取政權，經過對生產資料和社會經濟制度的社會主義改造，最終實現人和社會的徹底改造。馬克思和恩格斯在《共產黨宣言》中說，「每個人的自由發展是一切人的自由發展的條件」〔註 57〕。但是，由於民族危機的緊迫性和政治鬥爭的現實性，中國共產黨的人的改造思想存在著嚴重的忽視個體主體性的傾向。他們雖然在理論上正確解決了以人的改造推動制度改造、在制度改造中實現人的改造的辯證關係，希望二者齊頭並進，相得益彰，但在實踐中卻迷信「革命決定論」，認爲只要革命成功，社會經濟制度得到改造，人的改造問題就會自然而然地得到

〔註 52〕周作人：《人的文學》，《新青年》第五卷第六號。
〔註 53〕胡適：《胡適文集》，第五卷，北京大學出版社 1998 年版，第 510 頁。
〔註 54〕胡適：《個人自由與社會進步》，《獨立評論》第一百五十期。
〔註 55〕《毛澤東書信選集》，人民出版社 1983 年版，第 2 頁。
〔註 56〕高一涵：《國家非人生之歸宿論》，《青年》第一卷第四號。
〔註 57〕《馬克思恩格斯選集》，第一卷，人民出版社 1972 年版，第 294 頁。

解決，或者希望在革命的炮火中打碎自身的封建枷鎖，實現人性和人格的鳳凰涅槃，這顯然是不切實際的幻想。

（四）社會制度改造時期

五四運動後，尤其是中國共產黨建立後，以經濟制度爲基礎的社會制度改造論成爲社會改造思想的主流。

早在辛亥革命以前，就有一些先進的資產階級革命派敏感地看到了經濟制度的變革在社會改造中的基礎性作用，認爲要徹底根除專制統治，就必須從經濟上剷除地主土地佔有制，也就是說，中國要實行民主革命，「當取歐洲尚未經歷之經濟革命，以爲政治革命之引藥線」〔註58〕。無政府主義者也認爲資產階級民主是虛僞的民主，要想獲得眞正的民主，必須實行無政府革命，或叫「社會革命」、「完全革命」、「最後革命」。他們認爲，「社會革命」是民主革命的進一步發展，民主革命是「社會革命」的必經階段：「社會革命必自傾覆強權始，傾覆強權必自傾覆皇帝始。故曰政治革命爲權輿，社會革命爲究竟。」〔註59〕

「無量頭顱無量血，可憐購得假共和」。辛亥革命後，先進的中國人逐漸認識到，清王朝的覆亡和民國的創立，不應是歷史上姓氏王朝轉換的再度重複，而應是一種社會形態取代另一種社會形態的革命。這種革命要求社會根本制度的變革，尤其是經濟制度的變革，而不單單是政體形式的變換。但是，辛亥革命卻沒有完成這樣的任務。專制政體形式雖然宣告結束了，但是政治意識形態和社會心理都沒有根本變化，社會制度沒有發生根本變化，中國依然是半殖民地半封建社會。在這種情況下，在五四運動前夕，人們明確提出了「社會改造」的要求。但是「社會改造」眞正成爲占主流地位的社會思潮、成爲報刊雜誌上最響亮的呼聲，成爲取代「文學革命」、「倫理革命」的具有綱領性質的口號，是在五四運動後。當時，進步人士普遍認爲，只有「社會改造」才是中國當前最迫切的認務和最大的政治問題。正如時人所說，「社會改造」已經成爲社會變化的基本趨向：「五四運動以後，中國的社會趨向變了」，「以後是社會改造運動的時代」〔註60〕。幾乎當時各進步報刊、各進步社團無不打起「社會改造」的旗幟。1919 年 10 月，陳獨秀在談到五四運動

〔註58〕壯遊：《國民新靈魂》，《江蘇》第五期。
〔註59〕眞民（李石曾）：《革命》，《新世紀叢書》第一集。
〔註60〕傅斯年：《新潮的回顧與前瞻》，《新潮》第二卷第一號。

後國民的新覺悟時，就改變了以前的觀點，不再強調倫理覺悟的作用，而是把認識到由於「社會組織不良」，因此「非改革不可」作為最高層次的新覺悟〔註61〕。魯迅在《我們現在怎樣做父親》一文中也明確認識到，家庭倫理問題的改革，最根本的方法，只有通過社會改造，並指出：「因此覺醒的人，愈覺有改造社會的任務。」〔註62〕《曙光》雜誌在創刊宣言中也說：「我們處在中國現在的社會裏頭，覺著四圍的種種環境，層層空氣，沒有一樣不是黑暗、惡濁、悲觀、厭煩，如同掉在九幽十八地獄裏似的。若果常常如此，不加改革，那麼還成一種人類的社會嗎？所以我們不安於現在的生活，想著另創一種新生活，不滿於現在的社會，想著另創一種新社會。」〔註63〕同年12月，《新青年》發表《本志宣言》，鄭重宣佈刊物的主張是：「民眾運動的社會改造」〔註64〕。陳獨秀甚至還寫道：「我敢說最進步的政治，必是把社會問題放在重要地位，別的都是閒文。」〔註65〕就連一向注重人的改造的胡適也說：「『我』是社會上無數勢力所造成的」，所以「改造社會即是改造個人」〔註66〕。曾經在五四新文化運動中起過重要作用的《新潮》、《國民》等雜誌，連續發表《社會為什麼要改造》、《社會改造的意義》等文章，明確主張正本清源的惟一辦法，是社會的根本改造〔註67〕。其它如國民黨人主辦的《覺悟》、《建設》和《星期評論》，研究系的《晨報副刊》、《解放與改造》，毛澤東主持的新民學會和《湘江評論》，惲代英發起的互助社和改造同盟，瞿秋白、鄭振鐸等主編的《新社會》，上海、北京等地共產黨小組創辦的《勞動者》、《勞動界》，以及一些無政府主義、空想社會主義和改良主義的社團和報刊，都把「社會改造」作為自己言論和行動的主旨。

　　五四前後言論界之所以明確提出了「社會改造」的主張，除了由社會基本矛盾決定外，主要受當時國內外形勢的急劇變化所影響。第一次世界大戰和國際社會主義運動的興起，把資本主義制度下的社會問題暴露的淋漓盡

〔註61〕陳獨秀：《在〈國民雜誌〉成立週年大會上的致詞》，《國民》第二卷第一期。
〔註62〕唐俟：《我們現在怎樣做父親》，《新青年》第六卷第六號。
〔註63〕《曙光》第一卷第一號。
〔註64〕陳獨秀：《本志宣言》，《新青年》第七卷第一號。
〔註65〕陳獨秀：《實行民治的基礎》，《新青年》第七卷第一號。
〔註66〕胡適：《非個人主義的新生活》，《新潮》第二卷第三期。
〔註67〕楊亦曾：《社會為什麼要改造》，《國民》第二卷第一號；易家鉞：《社會改造的意義》，《國民》第二卷第二號；周長憲：《社會根本改造運動》，《國民》第二卷第三號；傅斯年：《新潮的回顧與前瞻》，《新潮》第二卷第一號。

致，使人們對西方資本主義制度逐漸喪失信心，轉而在社會制度改造的名義下尋求新的出路。羅家倫說：世界上「這種驚心動魄的事實，那能不促使人類思想的變化。軍國主義打破，舊式的政治組織破產，於是感覺最鈍的中國人，至此也覺得僅僅學習西洋的富國強兵、政治法律是沒有用的，是對於人類幸福沒有關係的；將來真正文明的樞紐，還在乎社會制度的改造，於是乎談政議法的聲浪漸衰，而社會改造的聲浪大盛」〔註68〕。戴季陶也說：「現在各國的缺陷都一致暴露出來，所以國家的改造和社會的改造，已經成為全世界一致的聲浪。」〔註69〕由此可見，從世界範圍內資本主義制度面臨大改造的大背景中，看中國社會改造的必要性，確是當時中國先進輿論界的共識。

在紛繁駁雜的「社會改造」議論中，真正為在中國進行社會改造的合理性和必要性提供深刻的理論根據，真正具有現實性和可操作性的，是早期馬克思主義者的社會改造主張。他們運用初步掌握的歷史唯物主義理論，對中國的社會問題進行了前所未有的觀察。李大釗在《我的馬克思主義觀》一文中，從「經濟組織」上分析了對資本主義社會制度進行根本改造的必要性，並且強調指出，中國的社會改造必須從改造人心的「道德革命」轉為對經濟組織進行根本改造的「社會革命」，「人道主義經濟學者持人心改造論，故其目的在道德革命。社會主義經濟學者持組織改造論，故其目的在社會的革命。」〔註70〕同時，李大釗並不否認人的改造的重要性，而是主張「物心兩面的改造，靈肉一致的改造」，他說：「不改造經濟組織，單求改造人類精神，必致沒有效果。不改造人類精神，單求改造經濟組織，也怕不能成功。」因此，「我們主張物心兩面的改造，靈肉一致的改造。」〔註71〕在此後陸續發表的文章中，李大釗不斷深化和發揮了從經濟基礎上考察社會問題的論點。他寫道：「經濟的生活，是一切生活的根本條件」，「最後的原因，實是經濟的」，「一切社會上政治的、法制的、倫理的、哲學的，簡單說，凡是精神上的構造，都是隨著經濟的構造變化而變化」〔註72〕，「依馬克思的唯物史觀，社會上法律、政治、倫理等精神的構造，都是表面的構造。他的下面，有經濟的構造作他們一切的基礎。經濟組織一有變動，他們都跟著變動。換一句話說，就是經

〔註68〕羅家倫：《中國近代文學思潮的變遷》，《新潮》第二卷第五號。
〔註69〕戴季陶：《從經濟上觀察中國的亂源》，《建設》第一卷第二號。
〔註70〕李大釗：《李大釗文集》（下），人民出版社1984年版，第48～49頁。
〔註71〕李大釗：《李大釗全集》，第三卷，河北教育出版社1999年版，第251頁。
〔註72〕李大釗：《李大釗全集》，第三卷，河北教育出版社1999年版，第433頁。

濟問題的解決，是根本解決。經濟問題一旦解決，什麼政治問題、法律問題、家族制度問題，女子解放問題，工人解放問題，都可以解決。」「必須有一個根本解決，才有把一個一個的具體問題都解決了的希望。」〔註73〕所謂社會改造，「就是本著勤工儉學的精神，創造一種『勞工神聖』的組織，改造現代遊惰本位、掠奪主義的經濟制度，把那勞工的生活，從這種制度下解放出來，使人人都須作工，做工的人都能吃飯。因為經濟組織沒有變，精神的改造很難成功。」〔註74〕顯然，李大釗已經把以經濟變革為基礎的社會制度變革看作是近代中國社會改造的根本途徑。陳獨秀也認識到：「我們為什麼要革命？是因為現在社會底制度和分子不良，用和平的方法改革不了才取革命的手段」〔註75〕。「我以為在社會底進化上，物質的自然趨向底勢力很大，留心改造社會底人萬萬不可漠視這種客觀的趨向，萬萬不能夠妄想拿主觀的理想來自由改造；因為有機體的複雜社會不是一個麵粉團子能夠讓我們自由改造的，近代空想的社會主義和科學的社會主義之重要的區別就在此一點。」〔註76〕「在全社會底一種經濟組織生產製度未推翻以前，一個人或一團體決沒有單獨改造底餘地，試問福利耶以來的新村運動，像北京工讀互助及惲君《未來之夢》等類，是否真是癡人說夢？」〔註77〕因此他明確主張「改造社會應當首先從改造經濟制度入手」〔註78〕。那麼，應如何改造經濟制度呢？這就需要通過階級鬥爭的手段。李大釗說：「可是專取這唯物史觀（又稱歷史的唯物主義）的第一說，只信這經濟的變動是必然的，是不能滅的，而於他的第二說，就是階級競爭說，了不注意，絲毫不去用這個學理作工具，為工人聯合的實際運動，那經濟的革命，恐怕永遠不能實現，就能實現，也不知遲了多少時期。」〔註79〕因為「社會組織的改造，必須假於其社會內的多數人而為改造運動的基礎勢力，有必發源於在現在的社會組織下立於不利地位的階級。」〔註80〕根據馬克思的階級鬥爭理論，社會組織的改造必須由中下層廣大人民群眾主動承擔起來，所以，「無論何人，應該認識民眾勢力的偉大；在民眾本身，尤

〔註73〕李大釗：《再論問題與主義》，《每周評論》第三十五號。
〔註74〕李大釗：《李大釗全集》，第三卷，河北教育出版社1999年版，第319頁。
〔註75〕陳獨秀：《陳獨秀著作選》，第一卷，上海人民出版社1993年版，第260頁。
〔註76〕《新青年》第八卷第三期。
〔註77〕陳獨秀：《復東蓀先生》，《新青年》第八卷第四期。
〔註78〕《新青年》第九卷第四號。
〔註79〕李大釗：《再論問題與主義》，《每周評論》第三十五號。
〔註80〕李大釗：《李大釗全集》，第三卷，河北教育出版社1999年版，第286頁。

應自覺其權威而毅然以張用之。」「民眾的勢力，是現代社會上一切構造的唯一基礎。」從俄國十月革命的勝利中，他也看到了工農民眾勢力的偉大，「須知今後的世界，變成勞工的世界。」而「民主主義的戰勝，就是庶民的勝利。」〔註81〕陳獨秀也注意到階級鬥爭的重要性，他在《談政治》中表示：「我敢說，若不經過階級戰爭，……德謨克拉西永遠是資產階級底專有物，……便再過一萬年那被壓迫的勞動階級也沒有翻身的機會」，所以「非用階級戰爭的手段來改造社會制度不可。……可以說除階級戰爭外都是枝枝節節問題」，總之，中國社會要想真正得到改造，就必須通過階級鬥爭的手段，「打倒地主資本家，建立無產階級專政」〔註82〕。「我以為解決先生所說的三個問題（其實也不止這三個問題），非用階級戰爭的手段來改革社會制度不可……在國內外兩重資本主義壓迫下，青年向何處去尋新生活和世外桃園？」〔註83〕工讀互助團失敗後，具有初步馬克思主義思想的參加者認識到：中國的社會改造必須由和平漸進的方法代之以急進的激烈的方法，必須由「一點一滴」的改造代之以整體的改造，「要拿工讀互助團為改造社會的手段，是不可能的；要想於社會未改造以前新生活，是不可能的；要想用和平的漸進的方法去改造社會的一部分，也是一樣地不可能的。那麼要怎麼樣呢？就是：改造社會要用急進的激烈的方法，鑽進社會裏去，從根本上謀全體的改造。」〔註84〕「從根本上謀全體的改造」思想的提出，表明參加者們已經不再相信一點一滴的改造能最終成功整個社會的改造。實踐使他們深有感觸地認識到：「要改造社會，須從根本上謀全體的改造，枝枝節節地一部分的改造是不中用的。」「我們試驗共產失敗，只是受經濟的壓迫，不能自己生產、自己消費的緣故。這是無可如何的。我們並不因此懷疑共產主義。我們因此更信共產主義，曉得現在社會的經濟組織非根本改造不可。」〔註85〕

在深刻認識中國社會陷入全面危機的歷史背景下，張申府以羅素所代表的西方資產階級優秀文化、孔子所代表的中國傳統優秀文化和列寧所代表的馬克思主義為理論來源，在批判繼承十九世紀以來中國社會改造思想的基礎

〔註81〕李大釗：《李大釗全集》，第三卷，河北教育出版社1999年版，第102、101頁。

〔註82〕陳獨秀：《談政治》，《新青年》第八卷一號。

〔註83〕陳獨秀：《答費哲民（婦女、青年、勞動問題）》，《新青年》第八卷第一期。

〔註84〕施存統：《存統復哲民》，《民國日報》副刊《覺悟》，1920年4月11日。

〔註85〕施存統：《「工讀互助團」底失敗和教訓》，《星期評論·勞動紀念號》，1920年5月1日。

上，提出了自己別具一格的社會改造觀。他認爲，中國的社會改造應從兩個方面同時著手，一是人的改造，一是制度改造，只有雙方相互配合，相反相成，辯證統一，達到有機的和諧與平衡，才能獲得社會改造的成功。張申府希望，以他「實」的哲學與辯證理性觀作爲社會改造的哲學基礎，以其反思的或超越的科學主義與綜合民主論作爲社會改造的精神武器，通過新啓蒙運動和「一個革命」即國民革命，實現人與社會的共同改造，最終達致以大同個人主義、「生」之人生觀和「仁」的理想爲主要特色的理想的大同社會。

第二章　「實」與理性：社會改造的哲學基礎

一、「實」的哲學

　　實與理性是中國的立國精神，也是中國社會改造的哲學基礎。「一個獨立的國家必有其立國的精神。根據這個立國精神，而規定其教育宗旨。配合這個立國精神，而建立其人生理想。」那麼，中國的立國精神是什麼呢？或應當是什麼呢？張申府「謹嚴鄭重，直截了當地」回答：「就是實與理性。」因此，在國民參政會第一次會議中，張申府建議確定以「實」與「理性」為「立國之根本精神」，「文化政策之主導原則」，「教育之最後宗旨」；為求實現，應積極實施科學教育〔註1〕。在實與理性之中，「實」似乎更具基礎性的意義。「什麼是理性？理性就是明事理，有分際。而根本只在據實循實，有個數目。」〔註2〕「理性與實在原是相通的。要做到合乎理性，至少應有三點。第一是如事（實）看事，有根有據，作面面觀；第二是肯替他人設想，容許他人，重視他人；第三是能分別，有分寸，不籠統，不過分。真有理性的人，一定也是實在的人。」「真有理性的人必是如實的，必然事實如何，或應當如何，便如何處理；必不會任憑成見放縱感情，或聽人牽著鼻子走。能夠實與理性的人，作價值判斷，當認好的就是可以實行的；而值就是值，就是適值，有價值就是合適或適宜。這樣子當然不會迷信，盲從，武斷，獨斷。」〔註3〕

〔註1〕張申府：《張申府文集》，第一卷，河北人民出版社2005年版，第285頁。

〔註2〕張申府：《張申府文集》，第一卷，河北人民出版社2005年版，第296頁。

〔註3〕張申府：《張申府文集》，第一卷，河北人民出版社2005年版，第285～286頁。

科學是最能發揮理性的學問，而「科學精神的最根本處實在就在一個實上」〔註4〕，「西洋文明最大的貢獻是科學法。但科學可說就是精密有數量的實法。沒有實驗與算數，沒有健實的實在之感，能有科學麼？」〔註5〕

（一）求「實」論

張申府一生重視「實」字。在他漫長的一生中，曾屢次強調實的重要性：「『實』，乃是我生平最喜歡的一個字。」〔註6〕「我所思兮，『一切皆實』」〔註7〕；「這些年來，我總認定一個『實』字為一切的最高規範準則」〔註8〕；「多少年來，不論從我在學問上所認識的，或用我在生活中所體認的，我都認定最要緊的就是一個『實』字」，「我近來最想宣傳的就是實的教義」，「不論在哲學上，在政治上，在文學藝術上，在生活行動上，我都相信最根本切要的都在於實」〔註9〕。

張申府為什麼如此重視實呢？

首先，實是中國最好的傳統。「實本是中國最好的傳統。凡是中國的長處都在於實。」〔註10〕各大文明國家都各有其顯著的特點，英國的特點是實用與常識；法國的特點是明白而清楚；俄國的特點是深厚；德國的特點是富贍；日本的特點是小巧，而中國的特點就是博大而充實。「誰不知中國是尚實的民族？」〔註11〕「真積力久則入」、「充實之謂美」、「倉廩實而後知禮義」都是中國實的傳統的體現。「有人讚美中國舊來的大建築的美，根本並不是在它的偉大，它的雄碩，它的崇閎，而乃在它的實。」「中國對於形式的美，普通總說是好看，聲音的美總說是好聽。我覺得，凡是好的，它的根本條件都是實。」「中國舊來人生觀的特點，也只一個實字最可以表示。」「孔子嘗重正名，說：『名不正則言不順，言不順則事不成……』其實要名正言順也在清楚實在。」〔註12〕「中國講學，以體為法。體就是與實接觸。」要變革世界，必須瞭解

〔註4〕張申府：《張申府文集》，第一卷，河北人民出版社2005年版，第196頁。
〔註5〕張申府：《張申府文集》，第一卷，河北人民出版社2005年版，第295頁。
〔註6〕張申府：《張申府文集》，第三卷，河北人民出版社2005年版，第234頁。
〔註7〕張申府：《張申府文集》，第三卷，河北人民出版社2005年版，第104頁。
〔註8〕張申府：《張申府文集》，第一卷，河北人民出版社2005年版，第214頁。
〔註9〕張申府：《張申府文集》，第一卷，河北人民出版社2005年版，第295頁。
〔註10〕張申府：《張申府文集》，第一卷，河北人民出版社2005年版，第285頁。
〔註11〕張申府：《張申府文集》，第一卷，河北人民出版社2005年版，第297頁。
〔註12〕張申府：《張申府文集》，第三卷，河北人民出版社2005年版，第236～237頁。

世界。要改造一國，也必須瞭解一國。而瞭解一國，首在把握其傳統。實既是中國最好的傳統，又是今日所必需，實在應該發揚之光大之，履行之，「我之所以特別重視實，顯揚實，也未嘗不是因爲這個。」〔註 13〕其次，實雖然是中國最好的傳統，但近來卻被國人忽視了。「近年種種都病抄襲，而不管自己的實際，忽棄了自己的傳統」〔註 14〕，「凡是現在不好的地方，或是空虛，或是欺騙，都由於不實」〔註 15〕，「我認爲中國近年最根本的大病就是不實。就是私，也由於不實。」〔註 16〕「現在虛僞空虛太多，而切實實在太少了。」「中國如要與別人競爭，最要緊的就是再拿出實來。」〔註 17〕因此第三，「要根治中國的大病，必須以實。」〔註 18〕「實是今日一切之中最根本需要的事。」誠實的態度、切實的習慣、樸實的風氣、充實的做法、如實的脾氣；腳踏實地，實事求是，實踐、實幹的精神，無一不是今日需要的。「如果不實，一切都成空。」〔註 19〕實在，充實，樸實，切實，「都是今日最需要的德性。」〔註 20〕「我堅信眞正最可以救中國的就是一個實字。」「實在，在救亡上，尤其特別需要的，就是實，就是切實，就是腳踏實地，就是實幹，就是下實力，作實工夫。崇實戒虛應是今日第一句格言。」〔註 21〕

總之，張申府認爲，「人不拘作什麼，都離不開一個實字。今日中國的一切，以至今日世界的一切，實在都應拿『實』作最高的標準。不拘作什麼，不拘說什麼，實在都應腳踏實地，實事求是。」「我的信念，就是講學就應講實學，作事就應作實事，說話就應說實話。」〔註 22〕「我認爲這就是爲人作事講學態度上觀點上方法上最根本的準則規範。」〔註 23〕可見，張申府所提倡的「實」有三個層面的含義。

一是客觀求實，「說實話」。張申府認爲，「說實話」是改造世界的根本手段。「一個人總有他逃不脫的稟受。一個人總有他洗不淨的習染。一個人總有

〔註 13〕 張申府：《張申府文集》，第一卷，河北人民出版社 2005 年版，第 297 頁。
〔註 14〕 張申府：《張申府文集》，第一卷，河北人民出版社 2005 年版，第 297 頁。
〔註 15〕 張申府：《張申府文集》，第一卷，河北人民出版社 2005 年版，第 285 頁。
〔註 16〕 張申府：《張申府文集》，第一卷，河北人民出版社 2005 年版，第 296 頁。
〔註 17〕 張申府：《張申府文集》，第三卷，河北人民出版社 2005 年版，第 236～237 頁。
〔註 18〕 張申府：《張申府文集》，第一卷，河北人民出版社 2005 年版，第 296 頁。
〔註 19〕 張申府：《張申府文集》，第一卷，河北人民出版社 2005 年版，第 257 頁。
〔註 20〕 張申府：《張申府文集》，第一卷，河北人民出版社 2005 年版，第 285 頁。
〔註 21〕 張申府：《張申府文集》，第一卷，河北人民出版社 2005 年版，第 194 頁。
〔註 22〕 張申府：《張申府文集》，第三卷，河北人民出版社 2005 年版，第 234 頁。
〔註 23〕 張申府：《張申府文集》，第一卷，河北人民出版社 2005 年版，第 295 頁。

他打不破的迷信獨斷。一個人總有他不自覺的成見欲期。據我的稟受，依我的習染，照我的迷信獨斷，或者再順著我的成見欲期，我確信，要把世界人類生活的一段，弄得不再像現在這個樣子，『說實話』乃是一個非常必要不可缺的條件。必須把人自覺或不自覺的種種動作，眞情實況，統通赤裸裸地揭露出來，再不容什麼東西有所逃技，人生乃有出路。必須人人膽敢直覷事實，無所避匿；必須人人膽敢見著什麼說什麼，覺著什麼說什麼，無所增也無所減：……夫然後，人類乃能像個樣子。」〔註24〕「人類究竟是什麼東西？人心裏頭究竟是什麼東西在那裡活動？直至今日，這等緊要關頭，卻還隱在黑暗裏……但是不把人心裏的情實完全說破，人類是不值得生存的。我更相信：說破人心裏的情實，是改造世界的第一根本手段。」〔註25〕「說實話」還是解決問題不可或缺的原則，是人類進步的根本條件。「我堅信，不拘什麼問題，今人要解決它，那就必須說實話；必須敢說實話，肯說實話」，「現在整個世界都有問題」，「解決這些問題，當然需要許多具體的方案，但有些原則也不可缺。原則之一就是說實話。」「我相信，人類歷來各方面的進步都少不了這個條件。例如假使不是伽利略或他一類的人肯說實話敢說實話，一定沒有今日的科學。」〔註26〕因此，張申府相信，「說實話是今日人類第一急務。」〔註27〕不論作一種什麼事業，都要敢於承認事實，敢於說實話，敢於自己批評自己，勇於更改作過的錯誤。羅素曾說，「眞理是與事實相應的說話」〔註28〕，人的所謂知識常病膚淺，常只是所謂浮光掠影，這都是因為不實的緣故，「不實，焉能眞？所以眞理只是實理。」〔註29〕「眞理就是實話。眞理不過實話之雅名。實話以外，更無什麼高不可攀的眞理。」〔註30〕顯然，所謂「說實話」，就是正確的反映客觀實在，「說實在的話」，就是「說話必根據事實，必腳踏實地，必顧到各方面。不但顧到事實，而且也要所說的可行。也要話有物有內容。不但不說假話謊話，也不說空話虛話，也不逞臆而談，毫無根據。」〔註31〕「說話總要有根有據。有幾成根據，就把話說到幾

〔註24〕 張申府：《張申府文集》，第三卷，河北人民出版社2005年版，第66頁。
〔註25〕 張申府：《所思》，生活・讀書・新知三聯書店1986年版，第107頁。
〔註26〕 張申府：《張申府文集》，第三卷，河北人民出版社2005年版，第278頁。
〔註27〕 張申府：《所思》，生活・讀書・新知三聯書店1986年版，第107頁。
〔註28〕 張申府：《張申府文集》，第一卷，河北人民出版社2005年版，第37頁。
〔註29〕 張申府：《張申府文集》，第三卷，河北人民出版社2005年版，第172頁。
〔註30〕 張申府：《張申府文集》，第一卷，河北人民出版社2005年版，第37頁。
〔註31〕 張申府：《張申府文集》，第三卷，河北人民出版社2005年版，第278頁。

成。不輕信，不學舌。根據強點，就信得強點，說得強點。根據弱點，就信得弱點，說得弱點。」〔註32〕

二是實踐實行，「作實事」。與「說實話」相比，張申府顯然更重視前者。人們常說，「行動重於理論」，同樣也可以說，「實踐重於學說」。「必須行，必須實行，必須積極地實行，必須積極而誠懇地實行，一切計劃方案等等乃不落空，乃不蹈虛。總之，一切最必需的都在一個『實』字。」〔註33〕杜威重實驗，羅素最重科學方法，柏格森重行，張申府主張將三者合為一爐，提出「切實試行」。他說，我們不論主張什麼東西，都要實地試試看。「一個思想，一個學說，不體驗，怎能知其真妄？一個主張，一個方法，不行，怎能知其可行不可行？凡是思想、學說、主張、方法，都要起於事實，更要歸於事實。」「凡是新思想，凡是新學說，凡是新主張，凡是新方法，必有待於體驗，必有待於嘗試，必有待於行。不行，不知道合實不合實。不行，不知道可行不可行。不行，不知道何處不妥。不行，不知道那兒應改。不行，不知道有什麼難處。」總之，「不知則已，知則必行！不思則已，思則必行！不主張則已，主張則必行！」〔註34〕

三是理論聯繫實際，「講實學」。這是對少數專業學者的要求，不但研究「講事實的實學」，還要研究「講實學的學問」，這就是邏輯，也就是「專門的哲學」，「邏輯是告訴人，說話可以有多少說法，多少變法的；進一步便告訴人，學問裏的話怎樣才可以說清楚，使得學問裏，除了事實上的問題以外，再不發生無謂的語言上的爭論。」〔註35〕

另外，張申府還重視理論與實踐的統一，認為它是「理論的標準，實踐的根據。」〔註36〕

怎樣才能做到實呢？「要由生活行動習慣入手。先要過樸實的生活，養成確實篤實的習慣，誠實忠實的態度。於事，注重實際，實踐實幹，腳踏實地，實事求是。於學立說，注重事實，習於如實，更求理論與實踐的統一。不拘作什麼東西，必要充實，切實，堅實，說實話，作實事，講實學，這樣

〔註32〕張申府：《張申府文集》，第三卷，河北人民出版社2005年版，第235頁。
〔註33〕張申府：《張申府文集》，第一卷，河北人民出版社2005年版，第314～315頁。
〔註34〕張申府：《張申府文集》，第一卷，河北人民出版社2005年版，第38頁。
〔註35〕張申府：《張申府文集》，第三卷，河北人民出版社2005年版，第234頁。
〔註36〕張申府：《張申府文集》，第一卷，河北人民出版社2005年版，第295頁。

子自可養成一個實在的人。」〔註37〕在社會上，要「養成說實話作實事講實學的風氣。一切要幹就實幹。切戒虛虛豁豁，沒眞精神。」在政治上，應該「執行切實的政治，切實實行『實事求是』」。「孔子談治國始於正名。我則認爲與其說正名，無寧更切實些說循實。我所以提出實的教義。」在教育上，「我主張以實爲本，一切以實爲最高的標準。注重實踐，注重現實的需要，注重現實的趨勢。」「造就出一批誠實不欺，切實不浮，充實有力，樸實無華，腳踏實地，實事求是，現實實際，如實實踐的青年來。力求實而虛心。因爲虛心就是實力的開端。」「這是中國未來的保障。」〔註38〕總之，不論做什麼，都體現「實」與理性的原則。

但是，「過實也未嘗無弊，弊在陷於死板。」爲消除這一弊端，張申府又提出「實丞斯活」，即由「實」到「活」，他認爲「『實而活』就是辯證唯物論或唯物辯證法的精蘊。」〔註39〕

（二）「大客觀主義」與「具體相對論」

張申府認爲，哲學是對一個民族或一個人群的行爲提供理論根據的，要做到「實」，還有一種更爲基礎的工作，就是建設一種「實的哲學」。「這樣的哲學必不違背事實，必不根本上背反科學。必承認客觀世界的獨立存在，必就客觀世界的本身而循求其本身的條理。這樣的哲學必是大客觀的；站在客觀的觀點，同時見到主觀的作用，因此，它固不違背事實，但也不爲目前的事實所限制，更能看出事實的可能，事實的出路，事實的趨勢。由此標揭出理想，而鼓群力共趨之。當然，這樣的哲學不是只解釋世界的，更是指示出來如何變革世界的。如何變革世界？順應其勢而變革之。順應其勢，利用主觀的力量，發揚理想的可能，而變革之。這樣的哲學必指示給人，凡事要成功，在做法上，是必須要實而活的。」那麼，在近代的中國，這樣的哲學，又當如何建立呢？「這一方應對於中國的過去，有所批判，有所揚棄。凡屬中國過去最好的東西，如實，如仁，如中，如易，如重人重生，如方法上的體辨，如元學上的體用相通，不管是中間曾經失傳或未失傳的，都應承受起來，發揚光大起來。同時另一方，對於外國的東西，也應加以批判，加以選取。凡屬值的，凡屬有價值的，凡屬可以利用的，都應不憚利用之。我們應

〔註37〕張申府：《張申府文集》，第一卷，河北人民出版社 2005 年版，第 285 頁。
〔註38〕張申府：《張申府文集》，第一卷，河北人民出版社 2005 年版，第 297 頁。
〔註39〕張申府：《張申府文集》，第一卷，河北人民出版社 2005 年版，第 298 頁。

該「勿固」。我們應該「勿我」。天下的利器，天下人都得取而利用之，只令於己是有利的，只令真是利用的。我們萬不可因為某種利器已被某些人利用了，便再不屑於也利用之。對物質的武器不可如此，對精神上的武器，也同樣不可如此。在這個意義上，科學是可以利用的，唯物辯證法也是可以利用的。而況它本是中國一個未被闡揚的中心傳統。」這種哲學「必是大的，必是大度的，必是大量的。其目的必依然像過去一般，是通。在方法上是分析的，而在內容上應是綜合的。具體言之，就是，我們的新哲學應該是過去最好的傳統與科學與邏輯與辯證唯物論的一個革命的創造的化合體。」〔註40〕

為建立實的哲學，張申府身體力行，提出了他的「大客觀主義」和「具體相對論」。

所謂「大客觀主義」，又稱「純客觀法」，就是「從客觀出發，擴大客觀的範圍，把主觀也容納於其中。不以主觀為觀點，更不僭以主觀當客觀，但也不抹殺主觀的地位。這便是所以叫作大客觀。」〔註41〕其程序為：「跳出主客，主亦為客：是為純客。純客所證：厥為事情。」張申府所謂的主觀就是我見，是私的（private），是自內的。客觀則是公的（public），共的（common），是自外的，也可說就是『外觀』（viewed from without）。但到了純客觀，便內的也看成外的了。〔註42〕為便於解釋，張申府畫了一個示意圖：

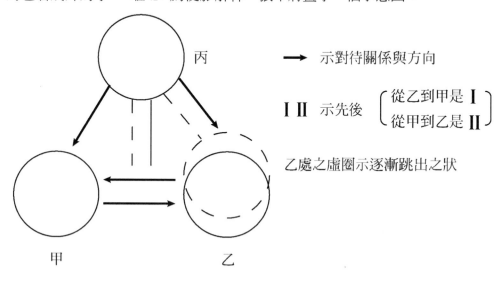

為建立實的哲學

示對待關係與方向

I II 示先後

$\left[\begin{array}{l}\text{從乙到甲是 } \mathbf{I} \\ \text{從甲到乙是 } \mathbf{II}\end{array}\right]$

乙處之虛圈示逐漸跳出之狀

甲　　　　乙

丙

〔註40〕 張申府：《張申府文集》，第一卷，河北人民出版社 2005 年版，第 258～259 頁。
〔註41〕 張申府：《張申府文集》，第二卷，河北人民出版社 2005 年版，第 179 頁。
〔註42〕 張申府：《張申府文集》，第二卷，河北人民出版社 2005 年版，第 95 頁。

　　張申府認爲，主客本是對待的，相對的，依它的。也可說是相反相成的。圖中甲之爲客，即由對於乙之爲主。甲乙間的關係是相互的，故以←→號示之。所謂跳出主客，就是要跳出這個甲乙對待的關係。而跳出這個主客的關係，先要跳出乙的主觀地位。丙圈便表示跳到的地位。→表示跳出的關係與方向。因爲這都是假設的，都是方法而非所論的東西，故均以虛線表示。

　　跳到丙那兒，再看甲乙對待的關係，再看到甲與乙，豈不都是自外看（viewed from without）？甲與乙，豈不都已成客觀的（objective）？這便是所謂「主亦爲客」的意思。可是如從丙處看，先看到的乃那椿對待的事情（event），說爲「對待」已是不得已而爲之辭，至於甲乙那兩個東西（objects），更是虛妄分別出來的（在邏輯上，則爲「邏輯的構作」，或名「邏輯的虛構」）。所以前辭，最後說：「純客所證，厥爲事情。」 故此由純客觀法所得的元學應是：「一切皆成自事情。」〔註43〕

　　張申府認爲，客觀的本義，本在如實而觀，承認有公共世界，承認客觀實在是不依附於人的，事情怎麼樣就怎麼說，客觀怎麼樣就說它是怎麼樣，絕不參加主觀成見，絕不意想情願，指鹿爲馬，誣白爲黑。這樣的客觀主義原是對的，原是要得的。但平常的客觀主義極易流於兩種弊病，「或則默許現狀，成了現狀的說客，或則流於宿命，自居於客，客觀便又只成了旁觀。」而大客觀則非如此。「大客觀乃要如實認識事實；但更要加以價值判斷。客觀地根據事實，而建設主觀的理想，而更盡人力以求價值理想的實現。」「大客觀絕不輕忽人的努力，絕不忽略人的影響。客觀所重本在於實。人的實踐，也是大客觀所極重視。大客觀並不僅注意事實的現狀，實更注意現狀的所由然，與所包孕的可能。但卻認，要實現將來的可能，必不可不體認目前的現實。必須能隨順現實，乃能變革現實。必須不離現實，也不局於現實，即能揚棄現實，乃有理想的實現。」〔註 44〕大客觀主義「既承認客觀，也曉得主觀。所謂大客觀，一個意思就是擴大客觀的範圍，並包主觀於其中；以客觀爲主，結合主觀客觀而爲一。一方承認客觀事實爲依據，一方也承認主觀的作用。原不該把主觀與客觀絕決地對立，至少二者也是相反相成的。主觀應該作爲客觀的一分子。客觀不只是客觀，

〔註43〕張申府：《張申府文集》，第二卷，河北人民出版社 2005 年版，第 96 頁。

〔註44〕張申府：《張申府文集》，第二卷，河北人民出版社 2005 年版，第 179～180頁。

它是含有主觀的成分的。」〔註45〕他引用蘇聯唯物主義哲學家疊薄林的話說：「辯證唯物論的方法即為客觀主義與主觀主義的會通綜合。辯證唯物論的方法把這種主觀客觀的對立，科學地使歸於諧和，使歸於辯證的諧和。」又說：「辯證唯物論既擯斥脫離客觀實在而基於思想與情感的唯心主觀主義，也同樣擯斥元學的客觀主義。而以一種正當把握了的有定論或客觀主義來對抗之。這樣的有定論或客觀主義不但不排除人的作為，且要收為必須不可缺的成分。」顯然，大客觀主義不僅僅是科學的方法態度，而且更是「辯證唯物論的方法態度。」〔註46〕張申府相信，這個方法是合於科學的精神，合於科學的趨勢的。而且，他認為，「相對論的物理學，與行為論的心理學，都趨於這個方法。如果承認相對論與行為論站得住，便無從懷疑這個純客觀法站不住。本來，活動先有，方法後成，活動既成，何難於方法？」〔註47〕另外，大客觀主義還有一個意思，「是關於知識的。知識以知覺開始。我乃認為以知覺開始的知識不是主觀的，也不是客觀的，它乃是主觀與客觀間的一種關係。」「真理也如此。真理也是主觀方面的東西與客觀方面的東西間的某一種關係，至少普通所遇的真理是如此。」〔註48〕這與中國哲學裏的「中」是相通的，「中正是恰好切中的意思。在大客觀主義下，中正是價值的標準。滿足這種標準，必是主客的會合，而不能偏於那一方，斜到那一隅。」〔註49〕哲學的目的是通，「我相信，大客觀正是達通之路。」〔註50〕

在大客觀主義之外，張申府哲學的中心點就是他的具體相對論（張申府又稱其為絕對相對論或相對絕對論）。

所謂具體相對論，就是「一切辭說，除最簡單的可以與顯然的事實直接比較者外，其是非真妄，都不只依其依據，尤要說其說法（或人說之的），看其看法（或人看之的）。」這就是說，一句話，一段論斷，甚至一種理論或學說，在一般情形下，要斷定它的對與不對，或是不是真理，「一要看照那種意義（或意謂），作怎樣解釋（怎樣講），為什麼問題（科目，事件或旨趣），在什麼範圍（畛域，分寸，程度及種類），就什麼或那方面或那點說。二要說什

〔註45〕張申府：《張申府文集》，第二卷，河北人民出版社2005年版，第335頁。
〔註46〕張申府：《張申府文集》，第二卷，河北人民出版社2005年版，第180頁。
〔註47〕張申府：《張申府文集》，第二卷，河北人民出版社2005年版，第97頁。
〔註48〕張申府：《張申府文集》，第二卷，河北人民出版社2005年版，第336頁。
〔註49〕張申府：《張申府文集》，第二卷，河北人民出版社2005年版，第337頁。
〔註50〕張申府：《張申府文集》，第二卷，河北人民出版社2005年版，第335頁。

麼觀點立場，於什麼時候地方，對什麼局勢關聯，本什麼前提背景，由什麼因緣條件看。三有時更要隨著名詞字眼，分別類型，層級，倫序，或等次。而意義解釋，於字義（字誼或字的意謂）外，還要靠句法；並要看與生活（實踐，行動）與社會與歷史的相關關係。」或要而言之，「就在看其所、分、當。而以中、以直（值）為其的。」「中，直，值，皆有正義，當義。」〔註51〕更簡單明白說來，其意思即是說：「不論對於一句話，對於一個道理，或一種理論，都不可以孤立來看，更不可以抽象來說，也不可以籠統模糊含混著就算了然，就斷定其是非。」「一個道理的是非總要先看它的種種色色的關聯，也要看它是在什麼範圍或就哪方面說，就是要把界線劃個明明白白，同時更要把意思弄個清清楚楚。而清楚明白的最後歸宿或最後標準必須是說到具體事實上去。」這種見解並不是說沒有真理，或沒有絕對真理。但是真理卻不是容易斷定的。「一句說話，這樣解釋，在某範圍，就某方面說，可以是對的，但是換一樣解釋，或出了那個範圍，就另一方面說，也許就錯了。一個道理，在這個時候，對這個地方，處這個環境之下，可以是對的，但是換一個時候，對另一個地方，處另一樣環境之下，也許就錯了。」〔註52〕張申府認為，「哲學之要在天人體用，條貫疏通。因此術（道）在辯證，而法（方）在解析，以通為旨，而以用為歸。」〔註53〕具體相對論就是要「達辯證解析的極致，而期適於通，而便於用。」〔註54〕其方術及旨歸為「解析而核實，釐清（廉，辨，弄清楚，井井有條）以達通（公，貫，大客觀，頭頭是道）。切實平實如實，周察活觀參驗，解悟理會契證，體生生之易，時時極中，極於仁哲。」〔註55〕張申府認為，自己的具體相對論既是知識論或真理論的，又是屬於方法論的，其理論淵源是羅素的邏輯解析、西方分析哲學、愛因斯坦的相對論、馬克思主義的辯證唯物論及中國儒家和道家的哲學傳統。他用黑格爾的兩句話來說明他的具體相對論，「真理是具體的」，「絕對是相對之積」。

　　大客觀主義和具體相對論是張申府民主思想的基礎。張申府認為，民主需要一種哲學作為其基礎，而這種哲學就是他的大客觀主義和具體相對論。「我深信，我的見解恰恰與這個合拍，恰恰可以作民主哲學的一種基石。」

〔註51〕張申府：《張申府文集》，第二卷，河北人民出版社2005年版，第320頁。
〔註52〕張申府：《張申府文集》，第二卷，河北人民出版社2005年版，第342～343頁。
〔註53〕張申府：《張申府文集》，第二卷，河北人民出版社2005年版，第344頁。
〔註54〕張申府：《張申府文集》，第二卷，河北人民出版社2005年版，第345頁。
〔註55〕張申府：《張申府文集》，第二卷，河北人民出版社2005年版，第320頁。

〔註56〕這是一種「最民主的哲學」，它「以『中』為極則，以『辨』為方法，以『通』為歸宿」〔註57〕，而可以解決一切哲學問題。「這樣一種哲學見解，是可以助成民主的。民主而沒有這種大客觀的態度，一定圓滿不了。不論抹殺客觀或抹殺主觀，或隔離而二之，都不能得到真理。同樣，不論抹殺別人或抹殺自己，或隔離而二之，也都不能實現民主。」〔註58〕民主的所以可能，在能容人，容人生活，容人活動，尤其是容人之言或意見，那就要確認：「一句話這樣解釋雖是錯的，換樣解釋就可以是對的；就這個範圍說雖是錯的，換個範圍說就可以是對的；根據這種事實說雖是錯的，換種根據說就可以是對的。」因此對於別人的說話最好是盡量替它求解釋，找所當，而最不好是輕下判斷。「人如能替別人這樣設身處地，這樣體諒別人，民主方真能行得通，行得圓滿。」〔註59〕這樣子，民主才可以圓滿發展而成功。

（三）「中國化」與「具體化」

「實」的原則落實到具體的政策層面，就是「中國化」和「具體化」。

1938 年，毛澤東同志在《論新階段》一文中首次提出「中國化」：

「學習我們的歷史遺產，用馬克思主義的方法加以批判的總結，是我們學習的另一任務。我們這個大民族數千年的歷史，有它的發展法則，有它的民族特點，有它的許多珍貴品。對於這個，我們還是小學生。今天的中國是歷史的中國之一發展，我們是馬克思主義的歷史主義者，我們不應該割斷歷史。從孔夫子到孫中山，我們應該給予總結，我們要承繼這一份珍貴的遺產。承繼遺產，轉過來就變為方法，對於指導當前的偉大運動，是有著重要的幫助的。共產黨員是國際主義的馬克思主義者，但馬克思主義必須通過民族形式才能實現。沒有抽象的馬克思主義，只有具體的馬克思主義。所謂具體的馬克思主義，就是通過民族形式的馬克思主義，就是把馬克思主義應用到中國具體環境的具體鬥爭中去，而不是抽象地應用它。成為偉大的中華民族之一部分而與這個民族血肉相聯的共產黨員，離開中國特點來談馬克思主義，只是抽象的空洞的馬克思主義。因此，馬克思主義的中國化，使之在其每一表現中帶著中國的特性，即是說，按照中國的特點去應用它，成為全黨亟待

〔註56〕張申府：《張申府文集》，第二卷，河北人民出版社 2005 年版，第 334～335 頁。
〔註57〕張申府：《張申府文集》，第一卷，河北人民出版社 2005 年版，第 502 頁。
〔註58〕張申府：《張申府文集》，第二卷，河北人民出版社 2005 年版，第 337 頁。
〔註59〕張申府：《張申府文集》，第二卷，河北人民出版社 2005 年版，第 344 頁。

瞭解並亟須解決的問題。洋八股必須廢止，空洞抽象的調頭必須少唱，教條主義必須休息，而代替之以新鮮活潑的，爲中國老百姓所喜聞樂見的中國作風與中國氣派，把國際主義的內容與民族形式分離起來，是一點也不懂國際主義的人們的幹法，我們則要把二者緊密地結合起來。在這個問題上，我們隊伍中存在著的一些嚴重的缺點，是應該認眞除掉的。」〔註60〕

對此，張申府深表同意，因爲所謂「中國化」，本是他一貫的主張。張申府向來認爲，「一切中國的改革必須以中國爲出發點。」〔註61〕「凡是要整好一個地方，總要有一部分方法，應該是從那個地方本身去求的。一個已有長久的歷史的地方尤其要如此。我願標此爲公例。」〔註62〕此後，他更堅定地宣揚「中國化」，「改革中國是爲的中國。至少也是先直接爲中國，其次才影響到全世界。同時，改革中國總要就中國找辦法，雖然一般大法不妨借資他人，借鏡他國。因此，許多外來的東西，我們以爲，用在中國就應該中國化，而且如其發生效力，也必然地會中國化。」〔註63〕「最要緊的究竟還在中國的本土，還在中國自古以至今日的實際生活。」〔註64〕「中國要復興，要不但保持，而且發揚，中國固有的優良特色」〔註65〕。「如果在中國，對中國事，而不由中國人以中國爲第一位；所採取的辦法不絜根在中國的本土，對於大多數中國人必都不免多少隔閡。」〔註66〕不僅如此，張申府還進一步發揮毛澤東的思想，把「中國化」的範圍從馬克思主義擴展到一切外來的主義學說上，擴展到一切日常的思想理論上，「但令自己作得了主宰，但令把用在中國的東西都斟酌著中國化，使它切合中國的國情，這樣子，不拘什麼外來的東西，都可利用之，既用不著什麼疑懼，更不必作什麼排斥。」〔註67〕「中國今日不但講外來的主義學說，特別是與社會有關係的，要使它發生實效，必須中國化。此外一切日常的思想更應保持它是中國的，以本國爲重，從本國出發。爲什麼呢？因爲有力量的主義學說思想理論必是活的，必是能夠在此時此地絜根生長的，必是能夠抓住此時此地的群眾的。換言之，也就是適於

〔註60〕《毛澤東選集》，第三卷，人民出版社1991年版，第533～534頁。
〔註61〕張申府：《張申府文集》，第一卷，河北人民出版社2005年版，第248頁。
〔註62〕張申府：《張申府文集》，第一卷，河北人民出版社2005年版，第93頁。
〔註63〕張申府：《張申府文集》，第一卷，河北人民出版社2005年版，第304頁。
〔註64〕張申府：《張申府文集》，第一卷，河北人民出版社2005年版，第547頁。
〔註65〕張申府：《張申府文集》，第一卷，河北人民出版社2005年版，第415頁。
〔註66〕張申府：《張申府文集》，第一卷，河北人民出版社2005年版，第473頁。
〔註67〕張申府：《張申府文集》，第一卷，河北人民出版社2005年版，第307頁。

此時此地的實際需要的。」〔註68〕他批評一些所謂「進步」的知識分子一邊高唱「中國化」，一邊卻忘記了中國的歷史和傳統，「這些年來本來已有很進步的人鄭重其事地在高唱中國化。不幸若干所謂進步的知識分子，既不精通政治理論，更不曉得政治實踐，總想把中國過去一筆抹殺。其實就令那個可能，又何救於今日的困難。事實上，不但完全抹殺過去不可能，而且假使你能把過去完全抹殺，要解決今日的危局也就不可能了。今日總是承認過去來的。把歷史一刀兩斷，痛快是痛快，但作不到。今日要緊的固在：一方面接得上歷史的傳統，而同時也深知歷來傳統的限制，對於一切古人不妨作善意的利用，但絕不因今人的罪惡，而空空抱怨古人。」〔註69〕

在「中國化」的基礎上，張申府又進一步提出「具體化」，「所謂具體，就是：不拘學什麼，必要結合實際。不拘講什麼，說什麼，都要不離事實，都要有根有據，都要清楚、明白、特定、確定。而不要漠忽、含混、籠統、空泛、遊移」〔註70〕，所謂具體化，「就是不拘講什麼都要切合具體實情，都要拿出具體的東西來，都要確鑿，都要特定，都要切實說清楚。」〔註71〕顯然，具體化與「『實』是相通的」〔註72〕，是「實」的原則在政策層面的體現與運用。張申府認為，「時來流行的所謂中國化，其實是不夠的，更不夠根本。根本怎樣？根本乃在具體化，否則必也只一句空話而已。」〔註73〕「與中國化聯帶不可分的就是具體化。我並且相信，具體化比中國化簡直還更切要，還更根本。」〔註74〕為補充中國化，「或更好說為實踐中國化，而再大大提倡具體」〔註75〕。具體化，不管是在學問上，還是在生活中，都太要緊了，不論中國化、大眾化，「總以切實具體為歸宿」〔註76〕，「歸宿是必歸宿於具體」〔註77〕，「最要緊的都在具體化」〔註78〕。

〔註68〕張申府：《張申府文集》，第一卷，河北人民出版社2005年版，第363頁。
〔註69〕張申府：《張申府文集》，第一卷，河北人民出版社2005年版，第546頁。
〔註70〕張申府：《張申府文集》，第一卷，河北人民出版社2005年版，第446頁。
〔註71〕張申府：《張申府文集》，第一卷，河北人民出版社2005年版，第416頁。
〔註72〕張申府：《張申府文集》，第一卷，河北人民出版社2005年版，第346頁。
〔註73〕張申府：《張申府文集》，第一卷，河北人民出版社2005年版，第346頁。
〔註74〕張申府：《張申府文集》，第一卷，河北人民出版社2005年版，第415～416頁。
〔註75〕張申府：《張申府文集》，第一卷，河北人民出版社2005年版，第416頁。
〔註76〕張申府：《張申府文集》，第一卷，河北人民出版社2005年版，第426頁。
〔註77〕張申府：《張申府文集》，第一卷，河北人民出版社2005年版，第427頁。
〔註78〕張申府：《張申府文集》，第一卷，河北人民出版社2005年版，第430頁。

二、辯證理性觀

（一）理性的傳承

理性是西方哲學史上一個重要且含義極為豐富的概念。它是西方自古希臘以來各種思想和智慧的一個交匯點，是西方傳統哲學的精神本質，在人類社會發展史上發揮了關鍵性的作用。正如現代西方大儒雅斯貝斯所言：「幾千年來的哲學就好比是對理性的一首唯一的讚美詩——儘管它也時常誤以為自己是一種完成了的知識，儘管它也時常墮落為無理性的理智（Verstand），因而也時常被人憎惡，視為人類的一種特別的負擔，因為它不讓人安寧。」〔註 79〕當代美國哲學家布蘭夏德也指出：「對理性的信仰在廣泛意義上說是古希臘時代以來，西方文化的一個重要組成部分，這一點決定了西方哲學的主要傳統。」〔註 80〕從某種意義上說，一部世界文明史即是理性繼往開來並發揚光大的歷史。在這段遠未終結的歷史中，人們對理性概念的理解和把握，無論就其表現形態、特徵，還是其內在構成、功能和地位、作用等等，都發生過巨大的變化，並在近現代文化中直接支配著歷史的進程，也就是說，當我們對「理性」作一個知識考古學的研究時，就會發現，不同的時代對理性有不同的理解，「理性」本身是一個歷史性的概念。

理性概念源於古希臘，肇始於古希臘的理性觀基本上是一種本體論的客觀理性觀，但也並不否定理性在認識論上的主觀意義。從赫拉克利特、阿那克薩哥拉到理性哲學的奠基者蘇格拉底、柏拉圖和古代理性思想的集大成者亞里士多德，他們都認為存在一個世界賴以可能的理性，即世界理性或宇宙理性，它是本質的、永恆的、普遍的實體和法則，人只不過是分有和獲取了這一理性，才成為理性的動物，雖然理性也與人有關，但從理性的來源來看，它是超人的和超歷史的。

中世紀的理性是神學理性，人的理性為上帝所剝奪，從而異變為上帝的理性，上帝創造人，從而也賦予人以理性。上帝成為真善美的化身和宇宙本體，理性只不過是神學和信仰的工具。

16 世紀末到 18 世紀是理性的時代。「當 18 世紀想用一詞來表述這種力量的特徵時就稱為理性。理性成了 18 世紀的彙聚點和中心，它表達了該世紀所

〔註 79〕 雅斯貝斯：《生存哲學》，上海譯文出版社 1994 年版，第 57 頁。
〔註 80〕 中國社會科學院哲學研究所現代外國哲學組：《當代美國資產階級哲學資料》，第一集，商務印書館 1978 年版，第 111 頁。

追求並爲之奮鬥的一切，表達了該世紀所取得的一切成就。」〔註81〕「宗教、自然觀、社會、國家制度，一切都受到最無情的批判；一切都必須在理性的法庭面前爲自己的存在作辯護或者放棄存在的權利。思維著的悟性成了衡量一切的惟一尺度。」〔註82〕近代理性分爲天賦理性與經驗理性。唯理論認爲理性是一種天賦能力。笛卡爾把理性看作是人具有的一種辨別是非、眞假的能力，稱之爲「理性的自然之光」，它能使我們認識到最深刻的科學奧秘，理性的這種能力是先天賦予、生來就有的。萊布尼茨也把理性看作是一種天賦能力，認爲理性高於感覺之處就在於它能夠使我們認識普遍必然的眞理，天賦觀念早就潛藏在人的理性之中。經驗理性是英國經驗論的理性觀，它企圖用經驗來界定理性的範圍，把理性的蘊涵封閉在經驗的範圍之內。洛克說，凡是在理智中的，無一不在經驗中；休謨說，理性是激情的奴隸，集中涵括了經驗理性觀的要義。康德「從根本上把理性定義爲制定法則的能力，即人的制定法則並且整理思想和與此相應的行爲的能力」〔註83〕。在康德那裡，最高的理性是純粹理性，一種先天的認識能力。黑格爾將人類理性上昇爲宇宙本體，他的絕對觀念，無非是理性鑄成的宗教，即理性的宗教。在黑格爾看來，「理性是世界的靈魂，理性居住在世界中，理性構成世界的內在的、固有的、深邃的本性，或者說理性是世界的共性。」〔註84〕就這樣，黑格爾將理性主義推到了極端。

物極必反。對理性的盲目信仰導致了理性的僭妄與獨斷，它漠視自己的能力界限，總是試圖超出自身的界限之外去掌握永恒與絕對，從而最終轉向自己的反面，那自以爲是理性的，卻恰恰相反是蒙昧的。在這種情況下，反理性主義應運而生。反理性主義認爲，從理性出發不可能達到對人的終極關懷，只有從根本上擺脫理性，借助於人的非理性因素，才能把握人的存在和命運，才能解決人類所面臨的種種挑戰。叔本華和尼采是最早向理性主義發難的哲學家。他們用意志主義對抗理性主義，認爲意志、情感、欲望、生命衝動等非理性因素是人的本性，理性只不過是生命意志的工具。由叔本華和尼采開始的對理性的懷疑和批判，在西方逐漸引發了一股強烈的反理性主義思潮，至存在主義而達致頂峰。

〔註81〕卡西勒：《啓蒙哲學》，山東人民出版社1988年版，第3～4頁。
〔註82〕《馬克思恩格斯選集》，第三卷，人民出版社1972年版，第404頁。
〔註83〕H‧P‧里克曼：《理性的探險》，商務印書館1996年版，第126頁。
〔註84〕黑格爾：《小邏輯》，商務印書館1980年版，第80頁。

　　張申府對反理性主義有著清醒的認識和高度的警惕，他說：自從十九世紀或十九世紀後半以來，歐洲就有一個新的反理性狂瀾，至第二次世界大戰而達於頂峰，納粹法西斯就是反理性主義極端化的表現，二戰後流行的所謂存在主義，仍然是其殘餘。〔註85〕因此在政治社會上，現在「是正過在一個非理性以至反理性的時代。」〔註86〕那麼，為什麼非理性或反理性主義會如此泛濫呢？張申府將其歸咎於歷史上理性概念的錯誤。他基本否定了從古希臘以迄近代以來的所有理性概念，認為「歷來哲學家所謂理性，例如，不論是古希臘安那薩哥拉的，亞里士多德的，或是近代代嘉德的，休謨的，康德的，黑格爾的，都是要不得的。都是值得詬病，應該抨擊，可以反對的。在現代，劍橋哲家博老德博士於理性曾頗有析說。但也還不夠。」〔註87〕其錯誤主要表現在兩個方面，一是認為理性是宇宙原理，二是認為理性對人來說是天賦的，是生來就有的。他說：「事實上，所謂理性，原有些要不得的傳統解釋。有人以為理性是宇宙原理，就像古希臘安那薩哥拉的說法，或像中國宋儒理氣二元論所主張。這就是以後戴東原所謂以理殺人的理。也就是斯大林在他一九三八發表的精美絕倫的『論辯證唯物論與歷史唯物論』中之所辟斥。又有人，像古希臘的柏拉圖，或像西洋近代哲學之祖，代表理性論的代嘉德（笛卡爾），以為理性在人，生來就有。這也同樣是玄學說法，很要不得。在我看來，人並不是什麼有理性動物，人不過應當是有理性動物。說人是有理性動物，與講範疇，講本質，講自性，一樣，都是亞里士多德的一種闢騙，或者至少，照羅素在他的西哲史中所下評語，也是些糊塗想頭。」〔註88〕這兩種錯誤的理性概念，綿延傳承數千年，導致人們對所謂「真理」的盲目崇拜和對人自身的盲目自信，從而去理性日遠而不自知。

（二）理性的倡揚

　　但是，「說『人是有理性的動物』，縱然不合事實卻是人類一個很高的理想。」〔註89〕因為對張申府來說，理性是這個世界最好的東西，由無理性進於理性，才是人類的真進步，他「深相信，沒有理性，人類是不會走到一種

〔註85〕張申府：《張申府文集》，第一卷，河北人民出版社 2005 年版，第 711 頁。
〔註86〕張申府：《張申府文集》，第一卷，河北人民出版社 2005 年版，第 187 頁。
〔註87〕張申府：《張申府文集》，第三卷，河北人民出版社 2005 年版，第 393 頁。
〔註88〕張申府：《張申府文集》，第一卷，河北人民出版社 2005 年版，第 712 頁。
〔註89〕張申府：《張申府文集》，第一卷，河北人民出版社 2005 年版，第 146 頁。

比較著好些的狀況的。」〔註90〕

首先，理性是時代的精神，社會的需要。「今日理性的切要，其實非常顯然。理性是公的。理性是社會的。理性對個人是一種限制。理性是一切統制的根本。凡這些豈不都是今日所必需？」「使人類理性一點就是今日的大任。」〔註91〕張申府認為，「就今日這個並未十分發達的科學所可能的，但令人類社會更有組織，對於科學的可能更善於利用，本已可以過得很下得去的生活了。」既然如此，人們相互之間「為什麼還相猜忌，為什麼還相妨礙，為什麼還相侵略，為什麼還相劫奪」呢？除了社會制度經濟組織的制約外，其精神上或習慣上的原因就是，「因為人太不實了，太不理性了，太不科學了，太不辯證了，太不邏輯了；太拘於傳統，局於成見，囿於迷信，困於惰性了。」「當然，實與理性是根本，是原則；科學，辯證，邏輯都是表現，是應用。」因此，「在精神方面，在習慣上，養成實的人，養成有理性的人，養成有科學脾氣的人，養成有精通辯證與邏輯的人，也正是今日一個急切之務，當務之急。」〔註92〕在張申府看來，社會改造（包括人的改造與制度的改造）是當時中國社會最大的政治問題，而理性，就是張申府據以改造社會、尤其是人的改造的哲學基礎之一。

其次，理性是一切進步的基礎，是社會發展的決定力量。「拿現在整個世界來說：現在顯然是科學時代。但現在也確還是霹靂閃電戰時代。……誰能經得住霹靂閃電？誰來收拾霹靂閃電的殘局而重建新的世界？必在於有科學者。更必在於發揚推進、恢宏科學的精髓，科學的骨子者。理性才是這個時代這個世界好的方面背後的支持者。理性才是經得住霹靂閃電的打擊而足能與之抗衡者。理性才是維持進步的世界、善良的人類，於長久不墮者。霹靂閃電是一時的，而理性是長久的。霹靂閃電是一偏的，而理性是普遍周匝通洽大全的。縱有工業工藝而無理性，科學仍是不可能的，結果，工業工藝也必終至於不可能而已。」〔註93〕社會發展的力量，「根本必是來自理性的。」〔註94〕這一認識，深刻揭示了理性在社會發展和人的改造與進步中的基礎性意義和決定性作用。

〔註90〕張申府：《張申府文集》，第一卷，河北人民出版社 2005 年版，第 187 頁。
〔註91〕張申府：《張申府文集》，第一卷，河北人民出版社 2005 年版，第 217 頁。
〔註92〕張申府：《張申府文集》，第一卷，河北人民出版社 2005 年版，第 333～334 頁。
〔註93〕張申府：《張申府文集》，第一卷，河北人民出版社 2005 年版，第 395 頁。
〔註94〕張申府：《張申府文集》，第一卷，河北人民出版社 2005 年版，第 334 頁。

　　最後，理性是科學與民主的基礎。民主與科學是近代中國社會改造的兩大武器，「民主是專制主義的對立物，科學是蒙昧主義的對立物。提倡民主與科學，就是以資產階級的民主政治來反對封建地主階級的專制統治，以資產階級認識事物的科學法則來反對封建迷信和蒙昧主義。」〔註95〕而民主與科學的基礎則是理性，沒有理性，就沒有民主與科學。「民主與科學與理性則是相通的，即是一家。理性是民主的，民主也是理性的。沒有理性，不用想民主；不實行民主制度，也不會廣泛地培養出理性習慣。民主與科學也如此，很可以說是同一習慣發展在政治（廣義）與學問兩方面。理性與科學，關係自更密切。科學當然是理性的，理性也有待於科學來作具體的表現，當然理性並不限於學問與理論上。」〔註96〕顯然，在張申府看來，理性是比民主與科學更爲基礎性的東西。理性是民主的精神，科學的根基。張申府說，「理性是民主的精神。『民主的精神』，這五個字的一個詞兒，在這兒可有兩種解釋。兩種說法在這兒都行。一個是說『民主』是所有者。一個是說『民主的』是一個形容區別詞。」〔註97〕民主有三個要點：「一、大家事大家來做。二、根據大家的意思做。三、我做不好，即負責而去，讓別人來做，予別人以機會。總認大家事是大家的。」「承認人之欲善，不劣於我，人之要強，不弱於我，人之向上，不下於我，人之爲國，人之愛國，人之謀國之忠，不差於我。」〔註98〕民主的根本要點，就是承認他人，重視他人，容忍他人。這也正是理性的態度。「沒有理性，民主又如何可能？」〔註99〕因此「今日要想實現民主，發展民主，是必須變得有了理性」，「使人能夠有理性：能夠由前提推到結論，由結論回溯前提；能分別，有分寸，重分明，於異見同，更於同察異；能夠作面面觀，如實觀，平等觀，也能容納多方面，重視種種不同的他方面。這都是充實民主所必需。」事實上，「民主政治本也就是理性政治，或討論政治。」〔註100〕

　　理性是這個世界最好的東西，但現在這個世界卻處在非理性甚至反理性的時期，「如何堵擊這個倒逆反背的狂潮暴流？」張申府認爲，「根本的對治

〔註95〕陳旭麓主編：《近代中國八十年》，上海人民出版社1983年版，589～590頁。

〔註96〕張申府：《張申府文集》，第一卷，河北人民出版社2005年版，第402頁。

〔註97〕張申府：《張申府文集》，第三卷，河北人民出版社2005年版，第392頁。

〔註98〕張申府：《思與文》，河北教育出版社1996年版，第96頁。

〔註99〕張申府：《張申府文集》，第一卷，河北人民出版社2005年版，第217頁。

〔註100〕張申府：《張申府文集》，第一卷，河北人民出版社2005年版，第474～475頁。

就在理性的發達」〔註101〕，「在這個天下騷然風動的時代，也許有人懷疑理性的力量。其實，長久下去，理性才最有力量，就像水一樣。就是力之所以有力，本也在它基於理。所謂理直氣壯。世界也許還要經過一段非理性的階段，但最後的世界必是理性的，無疑。」〔註102〕「就在反理性狂潮正盛的時候，邏輯卻不慌不忙地在發展著。不到百年，數理邏輯、邏輯解析，與辯證方法，同臻於至盛之境。逐漸地把整個進步的哲學界都宰制了。」〔註103〕雖在反理性的時代，注意理性，顯揚理性者乃是有的，羅素便是一個最大的代表。「現代哲家中，擁護今所謂理性的以羅素為最。他當然是大師。當然有深辟之見，有先見之明。」〔註104〕只不過這裡所說的理性，已經不是歷史上流行的所謂宇宙原理先天本能的理性，而是作為人們的生活習慣日常態度的理性，也就是說，反擊非理性或反理性，「必須的要端之一，那就是本著理性的習慣，一方面反對宇宙本原先天能力那種虛無飄邈的所謂『理性』，一方面擁護鼓吹發揚顯揚高唱實踐這種切己近裏的理性的生活行動日常習慣。」〔註105〕

（三）理性的辯證分析

在批判繼承前人理性概念的基礎上，張申府提出了自己的理性觀。他說：「據我所見，所謂理，就是所謂共相，至少也有三種。第一種，關於所謂物事的性質的，就如方圓快慢之類，那不過只是些名字界說。第二種，關於物事間的關係，就如上下先後之類，大致也是離開特殊物事就無從尋覓。第三種，兼關於物理性質與物事間的關係的，也可說是關於物事的結構（型式）與發展（變化）的，也就是普通所謂名理，數理（算理）；物理，事理；以及義禮。其中又可分為三小種：一種離不開言語文字、符號、記號，一種離不開特殊物事，又一種離不開人類行動、制約習慣，也就是所謂道德。所謂理者，蓋不過如此。」〔註106〕即理是事物存在的本質規定性及其相互之間的客觀必然聯繫，「豈但公有公的理，婆有婆的理，其實凡是一套成套的東西，豈不都有它的理？常所謂理者，不過開初的假定罷了。」〔註107〕因此，「講理，

〔註101〕張申府：《張申府文集》，第一卷，河北人民出版社2005年版，第181頁。
〔註102〕張申府：《張申府文集》，第一卷，河北人民出版社2005年版，第713頁。
〔註103〕張申府：《張申府文集》，第一卷，河北人民出版社2005年版，第569頁。
〔註104〕張申府：《張申府文集》，第三卷，河北人民出版社2005年版，第393頁。
〔註105〕張申府：《張申府文集》，第三卷，河北人民出版社2005年版，第394頁。
〔註106〕張申府：《張申府文集》，第一卷，河北人民出版社2005年版，第403～404頁。
〔註107〕張申府：《張申府文集》，第三卷，河北人民出版社2005年版，第173～174頁。

除類型層次以外，必須還知物理，事理，以及天理，人理，之大別。」〔註108〕而張申府所謂的理性，則是「中國歷來一般所謂情理的理性。」〔註109〕也就是清代哲學家戴震（東原）所謂的理，「戴東原說，理是情之不爽失的。協於天地之德的欲即理之正的，吾所謂理性差不多如此。」他具體引用戴震的話說：

戴東原的話：

　　就事物言，非事物之類外，別有理義也。

　　事物之理，必就事物剖析至微，而後理得。

　　理解者，即尋其腠理，而析分之。

　　理者，情之不爽失者也。未有情不得而理者也。

　　無過情，無不及情，之謂理。

　　理者，存乎欲者也。惟有欲有情，而又有知，然後欲得遂也，情得達也。通天下之情，遂天下之欲，權之而分釐不爽，是謂理。

　　情之至於纖微無憾是謂理。

　　君子亦無私而已矣。不貴無欲。

　　凡事為皆有於欲。無欲則無為矣。

　　有為而歸於至當不易之謂理。〔註110〕

又說：

　　戴東原《原善》說：「生生者化之原。生生而條理者化之流。」

　　「生生者仁乎？生生而條理者禮與義乎？……得乎生生者謂之仁。得乎條理者謂之智，至仁必易。大智必簡。」

又說：「一物有其條理。一行有其至當。」

　　所作《孟子字義疏證》第一條釋「理」，開端說：「理者，察之而幾微，必區以別之名也。是故謂之分理。在物之質，曰肌理，曰腠理，曰文理。得其分，則有條而不紊，謂之條理。」

　　在段若膺所編《先生年譜》中載說：「古人曰：理解者，即尋其腠理而析之也。曰天理者，如莊周言依乎天理，即所謂『彼節者有閒』也。」

又載說：「……務要得其條理。由合而分，由分而合，則無不可為。」〔註111〕

在張申府看來，理性就是情理，就是講理，也就是通情理。理性與理智不同，「理智是秋水無波的寡婦。理性是飽經世變的哲學家。理智是一種機能。理性則是一種態度，習慣。」〔註112〕從這一角度來說，理性並不是生來的，理性乃是習得的。理性其實不是什麼性。理性不過是人的思想言語行動上的一種習慣，一種應該習得的習慣。〔註113〕「是人類尤其今日的人類，最該養成的行動習慣及心理習慣。」〔註114〕既然理性只是一種習慣，那它就絕不是先天的、生來的、本有的。當然更不是什麼宇宙原理，像有的古希臘哲學家之所云。理性是實踐的產物，是需要培養的，常言道：「經一蹶者長一智」，「人的理性，也是由經蹶長出來的。換言之，就是由自然與社會的環境，生存與生活的需要，給迫出來的。是『天生』的，也是『人生』的，可絕不是生來就有的。所謂『人是有理性的動物』，只可是說的後天，而不能是說的先天。先天有天而已，有什麼理性？」〔註115〕因此我們在提倡理性時，「切不可說訴於理性。只可說培養理性，鍛鍊理性。頂多說發揚踐履理性。」〔註116〕

事實上，張申府並未給理性下一個謹嚴精確的定義，他思想的焦點勿寧說更集中在對理性的要義或其特徵的闡釋上。在不同時期不同環境下，張申府對理性特徵的闡述稍有差別。最初，張申府把理性的顯著特徵歸納為四點：「第一，有理性的人說話必要有根有據，必不故意造謠生事。第二，有理性的人看事論事必是客觀的，解析的，必然有分別，有分寸，有分量，必不因此害彼，也不會含混籠統。第三，有理性的（人）認識事物必力求圓融，而不拘執，必不只從一方面看，只作一方面的認識。第四，有理性的人對人必是寬容的，體諒的，必肯替他人設想，而不輕憑己見抹殺異己；必貴自由，必主民主，必重說服，必向理而不尚力。」〔註117〕後又概括為五點，「一、說話作事，有根有據，有條有理。二、說話聽話，必要找真，必要找其意謂，

〔註111〕張申府：《張申府文集》，第三卷，河北人民出版社 2005 年版，第 395 頁。
〔註112〕張申府：《張申府文集》，第三卷，河北人民出版社 2005 年版，第 317 頁。
〔註113〕張申府：《張申府文集》，第一卷，河北人民出版社 2005 年版，第 712 頁。
〔註114〕張申府：《張申府文集》，第一卷，河北人民出版社 2005 年版，第 682～683 頁。
〔註115〕張申府：《張申府文集》，第三卷，河北人民出版社 2005 年版，第 492 頁。
〔註116〕張申府：《張申府文集》，第三卷，河北人民出版社 2005 年版，第 394 頁。
〔註117〕張申府：《張申府文集》，第一卷，河北人民出版社 2005 年版，第 187 頁。

或其所關聯，所因緣。三、能於異見同，於現實看出可能，能由前提推結論，承認了前提就承認結論。四、能分析，知分別，明分際，有分寸，守分量，重分明。五、承認有它，作面面觀，敬重他人，肯替他人設想。」〔註118〕最後簡化為三點：「一、說話做事有根有據，有條有理，有原有委；二、能分別，有分寸，明分際；三、知道有它，承認他人，作面面觀。」〔註119〕但是不管張申府如何表述，他最強調的主要還是三個字：實、分、全。

實是理性的基礎，是實踐，是客觀，是唯物。眞有理性的人必是如實的，必然事實如何，或應當如何，便如何處理；必不會任憑成見放縱感情，或聽人牽著鼻子走。能夠實與理性的人，作價值判斷，「當認好的就是可以實行的；而值就是值，就是適值，有價值就是合適或適宜。這樣子當然不會迷信，盲從，武斷，獨斷。」〔註120〕理性的第一要點是說話做事有根有據。而所謂有根有據，「第一在事實，第二在邏輯。」〔註121〕張申府認為，人生最要的一事是敢於「承認事實」，即敢「說實話」，是者是而非者非，科學法的精神在此，理性的勝利也在此。不論信什麼，說什麼，作什麼，怎樣信，怎樣說，怎樣作，都要看證據，都要有事實的證據，腳踏實地，實事求是。邏輯是「理性的極致」〔註122〕，反對理性的人一定反對邏輯。人到了不反對邏輯的時候，也就可以不反對理性了。理性的行事，總是自覺的，知道自己在幹什麼，而慮到會幹出什麼後果。也就是循著天下一定的道理，應當怎樣就怎樣，不多不少，無偏無頗，清清楚楚，切切實實。如果有邏輯的習慣，對一個名詞，總要覓其含義，總看它的邏輯地或辯證的必然結論。能由前提推到結論，承認它為前提，或承認它的前提，也就要承認其後果。一個有理性的人，不但要事事自覺，事事要作得有理由，而且也要成功知道理由，失敗也知道理由。這就是張申府常說的有原有委，也可說就是孔子正名的意義。

分是理性的來源，是分析，是辯證。「理性的來源，本在於分理，沒有分是沒有理的。分別，分析，分明，分寸，分量，都是理性的成分。」〔註123〕理性就是明事理，有分際。「而根本就在據實循實，有個數目。」〔註124〕但是

〔註118〕張申府：《張申府文集》，第三卷，河北人民出版社2005年版，第393頁。

〔註119〕張申府：《張申府文集》，第一卷，河北人民出版社2005年版，第656頁。

〔註120〕張申府：《張申府文集》，第一卷，河北人民出版社2005年版，第286頁。

〔註121〕張申府：《張申府文集》，第一卷，河北人民出版社2005年版，第190頁。

〔註122〕張申府：《張申府文集》，第一卷，河北人民出版社2005年版，第569頁。

〔註123〕張申府：《張申府文集》，第一卷，河北人民出版社2005年版，第286頁。

〔註124〕張申府：《張申府文集》，第一卷，河北人民出版社2005年版，第296頁。

真做到理性的人，必不因分而忽全，必不因分遂對一切都作機械觀。正如卡西勒所說：「理性最重要的功用，是它有結合和分解的能力。它分解一切簡單的事實，分解所有簡單的經驗材料，分解人們根據啓示、傳統和權威所相信的一切；不把所有這一切分解爲最簡單的成分，不把關於這些事物的信念和見解分解爲最終因素，它是決不罷休的。分解之後就開始建設。理性不能在這一堆支離破碎的廢墟前停步；它不得不從中建立起一座新的大廈，一個眞正的整體。」〔註125〕

　　全即全面，是容忍，是寬容，是多元基礎上的統一與綜合。根據海德格爾和伽達默爾的說法，理性的最初意義接近「言」和「詞」的含義，邏各斯最原始的意義就是說話，讓人說話和自由地發表意見是理性的題中應有之義。張申府也認爲，世界不止一個人，也不止一個看法。就令只有一個看法是對的，但要達到這一個看法，也必須先作面面觀。換言之，絕對乃是相對的集合。人的生理生活習慣環境，種種不同。人的嗜好見解需要欲望，也自然有異。凡這些在一個好的社會裏是都應該容許的。在思想上，至少應從這個地方出發。只這樣子，才可漸漸地進到理性的生活。理性的要義就「在對於事物不只從一方面著想，不只作一方面的認識。」〔註126〕承認旁人，重視旁人，關心旁人，體貼旁人，肯替旁人設想，遇事設身處地，切近人情，平易近人，平情論事，平實主張，這都是理性或有理性或通情理的應有表現。因此「所謂理性者，一在不爲已甚，二在肯替他人設想。」〔註127〕總之，邏輯，科學，解析，多元，大客觀，都是理性的表示。反過來消極地說，有理性的人必是不迷信，不盲從，不武斷，不固執成見，不拘守偏見，不畏懼權威，不因襲傳統的。切實，客觀，解析，圓融，是有理性的人的總態度。孔子的四絕，勿意，勿必，勿固，勿我，就是有理性的人的知識上的理想。

　　傳統理性概念忽視了人的主體性和實踐的能動性。張申府的理性觀把理性從宇宙原理還原爲人的日常生活態度，從先天能力還原爲人的行動習慣，從而確定了人及其實踐在理性認識過程中的主體性、能動性和基礎性、創造性地位。我們認爲，張申府的理性觀是一種以經驗理性爲基礎的辯證理性觀，它以實踐爲基礎，以分析爲方法，以綜合爲歸宿，不僅區別於作爲宇宙原理的理性，與唯理論的天賦理性也顯著不同，正如張申府本人所說：「如果重視

〔註125〕卡西勒：《啓蒙哲學》，山東人民出版社1988年版，第11～12頁。
〔註126〕張申府：《張申府文集》，第一卷，河北人民出版社2005年版，第193頁。
〔註127〕張申府：《張申府文集》，第一卷，河北人民出版社2005年版，第146頁。

理性，便應腳踏實地，實事求是，就事循理；對事事作面面觀，而不拘於一方；注意事情的發展關聯，而不拘於一事一時的狀況。這本就是所謂唯物辯證法的一種根本精神。」〔註128〕

理性與非理性的關係問題向來是哲學史上爭論的焦點問題。縱觀人類文明幾千年發展史中諸多理論和實踐問題上的偏頗，皆與理性和非理性關係的不善處置有關。張申府也曾把非理性置於理性的對立面，他寫道：「與理性相反的，第一是意氣與感情。可惜現在人類裏，許多地方都還是意氣用事，許多事情都還是感情作用。」〔註129〕他之所以說人不是理性動物，就是因為「理是敵不過欲的」〔註130〕，「理性為情慾所制宰」〔註131〕，人「自造了偶像，又自己來毀偶像」〔註132〕，「為什麼所震駭，便願意什麼萬能。」〔註133〕但張申府並不否認非理性在人類活動與社會發展中的作用，他說：「人而無情，不論什麼偉大的事，美好的事，必都是作不出來的。就是所謂屬於理智的科學本也創於情感。」〔註134〕改善世界的行動，是非有熱烈的感情不成的。「理性可以指導人，熱情可以鼓動人」。人無熱情，必致什麼都不會有。不用說藝術，就連科學也不能有。人們所有的行為，都是熱情的表示，不論是說話，不論是寫文章，不論是求學，不論是作事。「人的真正的革命，尤其要是熱情的表露。」〔註135〕但感情有好壞兩方面，拿著熱烈的感情去行動，去正的行動，是好的。假使感情用事便壞了。「感情是要有範圍的，感情是要有調劑的。而範圍感情，調劑感情的，就正是理性。」〔註136〕「熱烈的感情應以溫靜的理性為基礎。感情而沒有理性的基礎，結果只有恣肆發狂罷了。」〔註137〕因此，「理性不是不要情慾，只是要加以調理，使有條理。」〔註138〕理就在欲

〔註128〕張申府：《張申府文集》，第一卷，河北人民出版社2005年版，第147頁。
〔註129〕張申府：《張申府文集》，第一卷，河北人民出版社2005年版，第146頁。
〔註130〕張申府：《張申府文集》，第三卷，河北人民出版社2005年版，第74頁。
〔註131〕張申府：《張申府文集》，第三卷，河北人民出版社2005年版，第51頁。
〔註132〕張申府：《張申府文集》，第三卷，河北人民出版社2005年版，第77頁。
〔註133〕張申府：《張申府文集》，第三卷，河北人民出版社2005年版，第130頁。
〔註134〕張申府：《張申府文集》，第三卷，河北人民出版社2005年版，第166～167頁。
〔註135〕張申府：《張申府文集》，第一卷，河北人民出版社2005年版，第138～139頁。
〔註136〕張申府：《張申府文集》，第一卷，河北人民出版社2005年版，第188頁。
〔註137〕張申府：《張申府文集》，第一卷，河北人民出版社2005年版，第181頁。
〔註138〕張申府：《張申府文集》，第三卷，河北人民出版社2005年版，第393頁。

中，「其實，理，就不見得不就在欲之中。」「上善，就是滿足極大量之欲。」
〔註139〕張申府所追求的理想境界，就是理性與情感「充分而平行發展」〔註140〕，
「理性情感融通為一」〔註141〕。他說，中國今日需要三種東西：理性，情感，
公心。理性使人有客觀如實的認識，而情感公心使人勇敢有為，把認識措之
於實際。「理性以情感為基礎，而且純出公心，眞正能仁，能忠，能恕，天下
為公，與人為善，確是人之有善若己有之，這是今日最大的精神需要。也是
今日最需要的眞精神。」〔註142〕顯然，在張申府看來，理性與非理性是辯證
統一的關係，二者缺一不可。雖然在當時非理性主義泛濫的歷史條件下，他
更注重理性精神的發揚，但二者的和諧發展，才是他最終的目標。正如黑格
爾在高度評價亞里士多德關於美德和至善乃是理性和欲望的統一的思想時所
說，「當熱情（意向）和理性發生關係並服從理性的命令而行動時，我們就稱
此行為為美德。……在善裏面，應該有一種非理性的衝動，而理性則另外出
來判斷和規定這個衝動。……美德既然這樣被認為欲望、實現意向和理性的
識見兩個方面的統一，具有一個非理性的環節在自身之內，因此他就把美德
的原理看成是一種中庸之道；這樣一來，美德就成為兩個極端之間的中項，
例如在貪婪和浪費之間有慷慨；在激情與麻木之間有溫和；在魯莽和怯懦之
間有勇敢……」〔註143〕

在古希臘，人被看成是理性動物，理性是人的本質，是人性的本質部分，
是人高於和區別於其它動物的東西。誠然，人除了理性之外，還有情感、意
志、欲望等不同的方面，但它們只處於附屬地位，從屬於理性並接受理性的
指導。只有理性才是人的本質力量之所在，是人之所以為人的內在根據。而
古代中國人對人的本質則有不同的理解，他們認為，人與動物的區別不在於
人有理性，而在於人有德性。人有仁義道德，而動物沒有，是仁義道德把人
與動物區別開來。孟子說：「仁也者，人也。」〔註144〕「仁」是作為人的最本
質的規定性，是中國傳統德性的核心，這是儒家一以貫之的主張。中國人雖
然也講智慧，也講理性，但理性是從屬於德性的，是在德性的支配下活動的。

〔註139〕張申府：《張申府文集》，第三卷，河北人民出版社 2005 年版，第 74 頁。
〔註140〕張申府：《張申府文集》，第一卷，河北人民出版社 2005 年版，第 668 頁。
〔註141〕張申府：《張申府文集》，第一卷，河北人民出版社 2005 年版，第 250 頁。
〔註142〕張申府：《張申府文集》，第一卷，河北人民出版社 2005 年版，第 656 頁。
〔註143〕黑格爾：《哲學史講演錄》，第二卷，商務印書館 1960 年版，第 361 頁。
〔註144〕《孟子・盡心下》。

張申府則試圖把理性與德性、即理性與仁統一起來。他說：「生活行動習慣的理性，確乎是值得擁護，應該鼓吹，可以發揮顯揚張目的。沒有這種理性，必至不能成社會，頂多也只能成一個一治一亂時分時合的社會。『仁者人也』。沒有仁，真難乎其為人。而理性，可以說，就是仁在人的生活行事上的一個表見。仁從二人。假使只一個囫圇整個，沒有分理，沒有表裏，沒有對待，也便無所謂理。」〔註 145〕仁及忠恕之道也就是理性之道。「忠，盡己為人。恕，推己及人。仁，首在活靈靈地感到他人。所以，仁及忠恕，都是假定有他人，都是承認他人，容許他人，重視他人的。沒有理性，這個如何作得到？」「能思想的人，照生物學的意思，不必有理性。沒有思想或不能思想的人，也必定沒有理性。反之，沒有理性的人，必定沒有思想，甚且不能思想。說話作事，不管後果，不管對於他人的影響，都是沒有理性，沒有思想，甚且不能思想的。都是沒有受過教育，至少是沒有受過好教育的。都是沒有養成善良習慣或好習慣的。也就是都是不道德或沒有道德的。至少在攸關云為上。這種人也就是不懂得忠恕之道的，這個路人對路人都要行的道德的起碼發端。」〔註 146〕社會因理性而成，因此「集體必須理性」〔註 147〕。人與人共處於社會之中，絕對的利己主義與純粹的利他主義都是不現實的，都不能促進人與社會的和諧與發展。理想的社會關係應是人既「各為己」，又要「互為人」：「人不可為己太多，以至為人太少。也不可為人太多，以至為己太少。為人太少則不應。為己太少則不行。為人有兩種，或直為人，或望人互為人。為己也有兩種，或但為己，或望人各為己。最好：由真積力久則入以至於自然而然，無為而無不為地，人互為人，亦各為己。這也就是純真成熟的理性的仁及忠恕之道。」〔註 148〕人是社會的存在，是一定社會關係的總和，他有多種多樣的規定性，是多種多樣本質的復合整體，理性和德性都內在於人性，是人的本性的兩個主要方面。單純以理性或德性概括人的本質，雖然深刻，不免片面。人既是理性的存在，也是德性的存在，既應該過一種以理性為根據的生活，也應該過一種以德性為根據的生活。尋求理性與德性的統一，是近現代哲學的一個主要趨勢，在這一方面，張申府無疑走在了歷史的前列。

〔註 145〕張申府：《張申府文集》，第三卷，河北人民出版社 2005 年版，第 394 頁。
〔註 146〕張申府：《張申府文集》，第三卷，河北人民出版社 2005 年版，第 423～424 頁。
〔註 147〕張申府：《張申府文集》，第三卷，河北人民出版社 2005 年版，第 440 頁。
〔註 148〕張申府：《張申府文集》，第三卷，河北人民出版社 2005 年版，第 424 頁。

第三章　科學與民主：社會改造的
　　　　精神武器

一、科學與民主的關係

　　實與理性，表現在學術與政治上就是科學與民主。自從陳獨秀在《敬告青年》一文中宣告：「國人欲擺脫蒙昧時代，羞爲淺化之民也，則急起直追，當以科學與人權並重」〔註1〕以來，科學與民主就成爲中國社會改造的兩杆大纛。一般認爲，近代中國的社會改造，就是以科學改造人，以民主改造政治，因爲「民主是專制主義的對立物，科學是蒙昧主義的對立物。提倡民主與科學，就是以資產階級的民主政治來反對封建地主階級的專制統治，以資產階級認識事物的科學法則來反對封建迷信和蒙昧主義。」〔註2〕五四知識分子提出科學與民主兩大主張，就是希望「以科學的方法克服意義的危機，以民主的藍圖重建社會政治秩序」〔註3〕。事實上，科學不僅僅是用來改造人的思想，民主也不僅僅是用來改造政治制度，科學與民主，同時既是人的改造、也是制度改造的精神武器，只不過在具體的社會功效上，二者各有所偏重而已。先進的中國知識分子是「把科學和民主結合起來，作爲衡量一切社會現象的價值原則，合之者則接受、信仰，反之者則摒棄、批判」〔註4〕。正如陳獨秀所說：只有「德」、「賽」二先生「可以救治中國政治上道德上學術上思想上一切的黑暗」〔註5〕。因此張申府認爲，科學與民主是西洋文明的「兩個最大的貢獻」〔註6〕，二者

〔註1〕陳獨秀：《獨秀文存》，安徽人民出版社1987年版，第9頁。
〔註2〕陳旭麓主編：《近代中國八十年》，上海人民出版社1983年版，589～590頁。
〔註3〕許紀霖：《二十世紀中國思想史論》上卷，東方出版中心2000年版，第2頁。
〔註4〕陳旭麓：《近代中國社會的新陳代謝》，上海人民出版社1992年版，第394頁。
〔註5〕陳獨秀：《獨秀文存》，安徽人民出版社1987年版，第242～243頁。
〔註6〕張申府：《張申府文集》，第一卷，河北人民出版社2005年版，第173頁。

「在發生上部分相同,在長大上互相依賴。」〔註7〕它們就像車的兩個輪子,鳥的兩張翅膀,相輔而行,缺一不可。社會越民主,科學會越進步。科學眞能進步,社會遲早也會要民主。科學與民主實有相輔相推的效用。

首先,科學是民主的。

第一、科學是客觀的,民主也是客觀的。無論如何,在科學裏不能主觀,不能意想情願,不能感情意氣用事,想怎麼樣就說怎麼樣,願意怎麼樣就認爲怎麼樣。科學所講的事實,不能只你看得見,我看不見。「無論如何,科學必求大通,必是客觀的,必是實在觀的,總要認世界爲實在,爲實有,總要盡可能地事實怎麼樣就說怎麼樣,就令進一步要變革之也罷」。同時,「確也是,眞正的客觀必是大客觀,就是承認主觀的存在,認識主觀的作用,以至人力的重要,創造的意義,理想的價值」〔註8〕。

第二、科學有進步性,也可說有積累性,相續性。在科學上前人的成績,後人可以繼續。就是:後人可以根據前人的所得,繼續進步。「這也是說:科學不但不能是一個人或少數人的,也實不是一個人或少數人的」〔註9〕。

第三、科學是普利的。科學的收穫可以遍益一切人或大多數人。雖然也有人濫用科學殺人放火,製造惡業,「但科學本身絕不負其責任。科學實在也是,不但是爲大眾的,也是能爲大眾的」〔註10〕。

第四、科學是平等的。「英雄無種,科學家也無種。科學界裏不但無貴族,也不能容貴族(或說,特殊階級)」〔註11〕。誰敢於實驗,誰有膽子嘗試,誰不怕面對新事實,創闢新道路,誰不憚於推翻陳腐了的阻礙進步的舊的,而建立適合眞正科學要求或人類需要的新的,誰就可以作成科學中的革新者,成爲前進科學的人物。此外,「不但科學裏邊不能容貴族,科學裏邊也無『王路』」,科學對它研究的對象,不但要客觀,不但要持實在觀,如實觀,分別觀,而面觀,發展觀,以至關聯觀,社會觀,實踐觀,而且「要抱平等觀,事實上也確抱的是平等觀」。「科學對它所研究的腦子與臟腑,思想與便溺,人與微生物,在方法精神上都是平等看待的,都是不作、不應作、也不能作

〔註7〕張申府:《張申府文集》,第一卷,河北人民出版社2005年版,第535頁。
〔註8〕張申府:《張申府文集》,第一卷,河北人民出版社2005年版,第435頁。
〔註9〕張申府:《張申府文集》,第一卷,河北人民出版社2005年版,第436頁。
〔註10〕張申府:《張申府文集》,第一卷,河北人民出版社2005年版,第436頁。
〔註11〕張申府:《張申府文集》,第一卷,河北人民出版社2005年版,第436頁。

感情地岐視的，都是守著倫理的中立的」〔註12〕。

第五、科學是實踐的。「要科學進步，以至於要有科學，一定不可以輕視作，輕視動手，輕視勞動，輕視技術或工藝，輕視工具，輕視機器，因此，就一定不可以輕視物質，輕視大眾」。〔註13〕

其次，民主也是科學的。

張申府引述英國算數生物學家小海登教授和倫敦大學物理學教授柏努的話說，「在一個科學繼續不斷地影響我們一切的生活的時代，對於科學沒有一種更廣博的多的知識，民主是不能發生效力的。」「科學與教育依然是保衛民主，並使民主能向著一種有秩序而自由的合作社會擴張發展的有力武器。」〔註14〕民主之所以可欲，就因為它「最合乎科學，最合於科學法。事情由會議討論決定，服從多數，尊重少數，都深合乎科學的實驗方法。『科學乃是民主的一個伴隨』。科學出於理性，民主也出於理性。科學是多元的（就一個意義說。可以說是就方法的意義說，不是就根本說。就根本說，我一向相信，數目是多，類則一，而作用在二。中國歷來所謂體用的關係，則是不一不異），民主也是多元的（意義說法，也同科學）。科學重解析，民主也不能不重解析，重分別，要寬容，要容許他人，異見，要作面面觀，平等觀。科學要實在，重事實，民主是有理想的現實政治，而且民主重人，重人人，重個人，也可以相通。科學於個別事實間求普遍規律，民主則於不同個人求共同點。」〔註15〕科學是實在的學問，是「樸實實驗踏實認真的學問，是最可以培養人的健實的實在之感而大有正德利用厚生的作用的學問。更可以幫著人養成切實篤實，實事求是，精益求精，正視事實，注重證據，小心，虛心，嘗試而不固執的習慣。」〔註16〕因此，民主的實現必須以科學精神的培養為基礎。民主的科學性至少可以從兩個方面來說明：

第一，科學精神是民主的前提。民主與迷信無知是不能相容的，因此民主與教條主義、獨斷作風也是不能相容的。而破除迷信、掃滅無知，根本在於揭露事實。在一個社會裏，如果某些重要事實只為一個人或少數人所知，那個社會一定民主不了。「科學可以說就是告訴人事實的，就是告訴人事實的

〔註12〕張申府：《張申府文集》，第一卷，河北人民出版社2005年版，第436～437頁。
〔註13〕張申府：《張申府文集》，第一卷，河北人民出版社2005年版，第436頁。
〔註14〕張申府：《張申府文集》，第一卷，河北人民出版社2005年版，第424頁。
〔註15〕張申府：《張申府文集》，第一卷，河北人民出版社2005年版，第499頁。
〔註16〕張申府：《張申府文集》，第一卷，河北人民出版社2005年版，第475頁。

規律的，因而還是使人能夠預言將來的事實，預言事實可能的發展的，並因而更是使人能夠變革事實的，所以才是科學都可作人類行動的嚮導（指導）。雖然歷來科學所著重的還只是大規模的事實，或一般的事實，總之科學是最能爆發事實的。」〔註17〕因此我們可以說，一個社會越科學，必越民主。反之，一個社會越民主也會越科學。

第二，科學與民主都源於理性，都是理性的。理性是民主的精神，理性也是科學的精神。「在一個民主社會裏，必須把人看成人，必須容許他人，敬重他人。在一個民主社會裏，對人對事，必然要重視證據，必然要清楚明白，必然要作客觀，實在觀，如實觀，分別觀，面面觀，平等觀，以致關聯觀、發展觀。」〔註18〕這些都是科學方法的精神。科學要有這些習慣，民主也要有這些習慣。所以說民主是科學的。

再次，科學與民主彼此相需。在人類歷史上，「科學與民主總是並進的，或並不進的。就是：進則一塊兒進，不進也一塊兒不進。」〔註19〕如前所述，社會越民主，則科學越進步；反過來說，要加速科學的進步，應該促進社會更民主。如果一個社會不是民主的，不容自由思想，甚至是迷信的，不使人或不許人發現事實，或敢於面對事實，那就不會有科學，科學也不會進步。因此要想實現中國社會的改造，就必須一方面努力促科學更進步，一方面努力使社會更民主，「同時轉動兩輪，同時鼓起兩翼，同時撥推利用相反相成的力量以前進的舵與楫」〔註20〕，最終實現人與制度的雙重改造，進於理想的大同社會。

二、科學主義及其反思

（一）「唯物論科學主義」〔註21〕

科學主義思潮是近代中國最重要的社會思潮之一。自從甲午戰爭後嚴復把「物競天擇，適者生存」的進化論觀念作為一種救亡圖存的科學理念介紹

〔註17〕張申府：《張申府文集》，第一卷，河北人民出版社2005年版，第437頁。
〔註18〕張申府：《張申府文集》，第一卷，河北人民出版社2005年版，第437頁。
〔註19〕張申府：《張申府文集》，第一卷，河北人民出版社2005年版，第435頁。
〔註20〕張申府：《張申府文集》，第一卷，河北人民出版社2005年版，第438頁。
〔註21〕借用李維武先生的提法。李先生從哲學角度把張申府的思想概括為唯物論科學主義，其特點在於明確地宣稱應當把科學主義與辯證唯物主義結合起來，同時吸取中國傳統哲學的精華，以融鑄成一種新形態的哲學。（參見李維武：《中國科學主義思潮的百年回顧》，《哲學動態》1999年第12期）

到中國、科學由「器」、「技」上昇到「道」以來，科學開始獲得了崇高的地位和普遍的世界觀意義，並作爲一種意識形態逐漸滲透到社會生活的各個領域，深刻影響著中國人的價值觀念、思維方式和意識形態。正如胡適所說：「這三十年來，有一個名詞在國內幾乎做到了無上尊嚴的地位；無論懂與不懂的人，無論守舊和維新的人，都不敢公然對他表示輕視或戲侮的態度。那個名詞就是『科學』。這樣幾乎全國一致的崇信，究竟有無價值，那是另一問題。我們至少可以說，自從中國講變法維新以來，沒有一個自命爲新人物的敢公然譏謗『科學』的。」〔註22〕在西方科學主義思想和近代中國社會現實的雙重作用下，近代中國的知識分子，不管自覺不自覺，願意不願意，都或多或少地受到科學主義的影響，張申府自然也不能例外。

在科學主義思想影響下，張申府相信，運用科學及其方法不僅可以認識自然、社會及人本身，而且可以改造自然，改造社會，改造人本身；不僅可以解決近代中國社會面臨的各種問題，而且可以找到改造中國社會，實現國家富強的正確途徑。有些人口口聲聲「科學，科學」，卻「只知道科學可以造出堅甲利兵，只知道科學可以利用，而不知道科學可以正德，不知道科學也有科學的世界觀，科學更有科學的方法論。」〔註23〕張申府認爲，現在是科學時代，什麼重要的東西都已離不開科學。科學的發展是社會進步的前提，「科學的進步總在社會別的方面的進步前頭。」〔註24〕「科學本是一種進步的東西。但令科學進步，社會一般，不愁它不跟著進步。」〔註25〕在科學時代裏，科學是立國的基礎，「沒有科學是不能立國的。沒有科學，現在不拘什麼國家什麼政制，也必然難得維持。」〔註26〕尤其是科學乃社會民主的保障已如前文所述。從這個意義上說，只有科學家，才最可以爲國家的柱石〔註27〕。在內憂外患交相煎迫的近代中國，「中國人是非要科學不可以的」〔註28〕，「我相信弄科學，最是中國今日根本之圖」〔註29〕。「無論如何，不拼命地興盛科學（方法與結果），是不會有好結果的。國家之衰，國家之弱，

〔註22〕張君勱、丁文江：《科學與人生觀》，山東人民出版社1997年版，第10頁。
〔註23〕張申府：《張申府文集》，第一卷，河北人民出版社2005年版，第215頁。
〔註24〕張申府：《張申府文集》，第一卷，河北人民出版社2005年版，第480頁。
〔註25〕張申府：《張申府文集》，第一卷，河北人民出版社2005年版，第476頁。
〔註26〕張申府：《張申府文集》，第一卷，河北人民出版社2005年版，第173頁。
〔註27〕張申府：《張申府文集》，第一卷，河北人民出版社2005年版，第88頁。
〔註28〕張申府：《張申府文集》，第三卷，河北人民出版社2005年版，第118頁。
〔註29〕張申府：《張申府文集》，第一卷，河北人民出版社2005年版，第91頁。

壞的舊思想之彌漫，壞的新思想之彌漫，都只一個科學可治（或者要加上一些『愛』）」〔註30〕。在近代中國，科學最大的功用就是社會改造。張申府在給周作人的一封信中說：「我也好為大言。時常口不離言換世界，心不斷想社會改造。再從詳言之，我總覺社會改造並不是沒辦法的。開頭的辦法也很簡單。一言以蔽之，就是你要千萬注意的那一『真』字。申言之，便是『說實話』。再說，就是要痛揭人類的瘡疤；物物事事顯出它的本來面目。我信，科學之所圖，也不過如此。所以言精神，便是要『科學法』的精神。起個主義的名字，我就叫它『純客觀主義』。重反言之：就是要打破一切幻念迷信獨斷等等。」〔註31〕而其中尤以人的改造為科學的根本要圖。張申府堅信，要反抗近代中國的思想專制，袪除中國人的種種劣根性，「只有身體力行『科學法』」〔註32〕，只有依靠「少數人行『科學法』以從事於改人性。」〔註33〕「中國人壞到這個樣子，中國人麻木到這個樣子，中國人敷衍苟且，不耐煩，不講理，急功貪小便宜，到這個樣子，這也非拿一個非不敷衍，非講理，非耐煩不成的科學來治他不成。」〔註34〕

張申府對科學價值的認定，注重的主要不是有關科學的知識和理論，而主要是自嚴復以來近代中國知識分子普遍信仰的科學方法和科學精神。科學之所以有價值，其根本原因就在於：科學精神的倡揚促進了人們觀念的變革，科學方法的運用使問題的解決成為可能。受這種認知的影響，在張申府的科學理念中，科學的意義便集中體現為科學的方法和科學的精神。因此張申府反覆強調，「有一種新學說，必先有一種新方法」〔註35〕，「現在提倡科學，不應只注意其結果，尤要注意其方法，其精神。」「要使科學影響一般人生，改變人的心習思想，那麼，科學方法，科學精神，科學態度，科學脾氣，更大有培植的必要。」〔註36〕「在推廣科學上，更應特別注意科學法（算數的經驗主義），科學精神，科學態度，科學脾氣。」〔註37〕

〔註30〕 張申府：《張申府文集》，第一卷，河北人民出版社 2005 年版，第 88～89 頁。
〔註31〕 張申府：《張申府文集》，第一卷，河北人民出版社 2005 年版，第 75 頁。
〔註32〕 張申府：《張申府文集》，第一卷，河北人民出版社 2005 年版，第 81 頁。
〔註33〕 張申府：《張申府文集》，第一卷，河北人民出版社 2005 年版，第 85 頁。
〔註34〕 張申府：《張申府文集》，第一卷，河北人民出版社 2005 年版，第 91 頁。
〔註35〕 張申府：《張申府文集》，第三卷，河北人民出版社 2005 年版，第 177 頁。
〔註36〕 張申府：《張申府文集》，第一卷，河北人民出版社 2005 年版，第 174 頁。
〔註37〕 張申府：《張申府文集》，第一卷，河北人民出版社 2005 年版，第 250 頁。

近代中國的科學主義者雖然主張科學方法萬能，但對科學方法的理解卻具有一定的局限性，他們過分誇大了歸納法在科學方法中的地位和作用，甚至把科學方法只限於或等同于歸納法。如丁文江說：「我們所謂科學方法，不外將世界上的事實分起類來求他們的秩序，等到分類秩序弄明白了，我們再想出一句最簡單明白的話來，概括這許多事實，這叫做科學的公例。」〔註38〕演繹法雖曾被有的知識分子提及，但重歸納、輕演繹是自嚴復以來中國科學主義者的普遍態度，他們對演繹邏輯缺乏應有的認識，或即便有所認識，也是停留在傳統演繹邏輯的程度，視演繹法為歸納法的從屬與補充。更有甚者，任鴻雋竟認為演繹邏輯為一種錯誤的虛構，他在比較歸納邏輯和演繹邏輯時指出：「1. 歸納邏輯是由事實的研究，演繹邏輯是形式的敷衍。2. 歸納邏輯是由特例以發見通則，演繹邏輯是由通則以判斷特例。3. 歸納邏輯是步步腳踏實地，演繹邏輯是一面憑虛構造。4. 歸納邏輯是隨時改良進步的，演繹邏輯是一誤到底的。」〔註39〕對此，張申府並不苟同，他說，「科學方法在根本上並不只是一個實驗，只是一個拿證據來，謹嚴精密的算數也是它一個必不可缺的要素。」〔註40〕張申府給科學法或科學方法列了一個簡單的公式，即：

等號 加號
科學法 ＝ 算數＋經驗主義

也就是說，科學法或科學方法等於「算數加經驗主義」〔註41〕，張申府又稱之為「數學的實驗主義」〔註42〕，「精密有數量的實法」〔註43〕。總之，科學法就是「算學與實驗的結合」〔註44〕，它要把「數學與實驗合而一之」〔註45〕。在張申府的心目中，科學的特徵首先是「實」，「科學研究的是事實，著重的是現實，科學精神要踏實，科學態度要確實，科學脾氣要切實，科學習慣要如實。總之都離不了一個『實』字。」〔註46〕同時，「科學的出發點是分」，

〔註38〕丁文江、張君勱：《科學與人生觀》，山東人民出版社1997年版，第39頁。
〔註39〕任鴻雋：《科學救國之夢——任鴻雋文存》，上海科技教育出版社、上海科學技術出版社2002年版，第202頁。
〔註40〕張申府：《張申府文集》，第一卷，河北人民出版社2005年版，第479頁。
〔註41〕張申府：《張申府文集》，第一卷，河北人民出版社2005年版，第343頁。
〔註42〕張申府：《張申府文集》，第三卷，河北人民出版社2005年版，第99頁。
〔註43〕張申府：《張申府文集》，第一卷，河北人民出版社2005年版，第295頁。
〔註44〕張申府：《張申府文集》，第一卷，河北人民出版社2005年版，第174頁。
〔註45〕張申府：《張申府文集》，第三卷，河北人民出版社2005年版，第99頁。
〔註46〕張申府：《張申府文集》，第一卷，河北人民出版社2005年版，第343頁。

「所注重的是數量」〔註47〕，因此也「要清楚，要條理；要精密，要謹嚴；要分別，要分析，要分明，要有分寸，要重分際，要講分量；要歸結於數。」〔註48〕「沒有實驗與算數，沒有健實的實在之感」〔註49〕，是沒有科學的。這樣，張申府就在一定程度上避免了丁文江等人的偏差，在重視歸納邏輯的同時，予演繹邏輯以應有的地位。

科學方法是科學精神的表現形式，科學精神是科學方法的實質內容。在說明科學方法的同時，張申府對科學精神也作了充分的解釋。所謂科學精神主要是指人的思維方式的轉化，即依據事實用自己的頭腦去思考判斷，張申府將其概括為「誠實」二字，也就是敢於「承認事實」，敢「說實話」，其要義就在「認事實，重證據，要清清楚楚，一絲不苟，確切精審，而戒漠漠忽忽」〔註50〕。具體說來就是：「權勢不能束縛我們、傳說不能束縛我們、古人不能束縛我們、今人也不能束縛我們。習慣、罔信、成見、偏執，都是應當極力排斥的。吾們只求的是眞，吾們只認得的是實。『剛亦不吐，柔亦不茹』。大至於僅約略可想像不可測度的全宇宙，小至於幾萬倍的顯微鏡下看清楚的微塵，吾們要一律看待。代加德（即笛卡爾）的方法之疑（Methodical doubt）是吾們的方法。孔仲尼之四絕——毋意、毋必、毋固、毋我，『意』是本私意猜度、預先揣測的意思，與『不億不信』、『億則屢中』之『億』同。『億』不可解作『想像』。預測與想像的分別是一個有成見有欲望，一個無有。就是：預測本著欲望猜未來怎樣，想像只坦然求未來可能的眞相。『必』、『固』就是韓非所謂『無參驗而必之』、『弗能必而據之』的意思。『毋我』的意思不是要不認我的存在，只要毋事事以我爲主，毋把我當物物的標準。認得我存在，便要同時也認得外界種種個體與我有同樣的存在。重要也是相等的。既不可以我爲主、強非我與之合，也不可以非我爲憂，屈我與爲一。但當並立而齊合，不然則脫。——這便是『毋我』的意思——是吾們的精神。吾們總要把心、把思想放開，要曉得、要覺到除了現實的以外還有種種色色的『可能』。」〔註51〕這就是所謂的科學精神，這就是所謂的科學法的態度。這種理解與同時期其他思想家的理解是基本一致的。

〔註47〕 張申府：《張申府文集》，第一卷，河北人民出版社 2005 年版，第 260 頁。
〔註48〕 張申府：《張申府文集》，第一卷，河北人民出版社 2005 年版，第 343 頁。
〔註49〕 張申府：《張申府文集》，第一卷，河北人民出版社 2005 年版，第 295 頁。
〔註50〕 張申府：《張申府文集》，第一卷，河北人民出版社 2005 年版，第 174 頁。
〔註51〕 張申府：《張申府文集》，第三卷，河北人民出版社 2005 年版，第 31 頁。

那麼，科學精神從哪裏來？科學方法根據何在？爲說明這一問題，張申府進一步挖掘了隱藏在科學方法和科學精神背後的「科學假定」，即：

一、自然界的問題可以分開解決；而且應該分開解決。

二、自然界的事物是有條理的；而且條理是找得出的。

三、自然界事物的發生都有其原因，原因就在自然界本身；而且可以找得出。因果間的關係是不變的。

四、自然界的事物有種類的不同，卻無高下之分；而且種類的不同都是由於結構的不同，數量的不同。

五、自然界的事物都可以觀察實驗，測量計算，比較統計；而且這樣得出來的才最可靠。」

以上種種，就形成科學看法，「科學精神，科學態度，科學脾氣，科學習慣，由科學看法而來，由科學方法而見。」〔註 52〕這一分析，使張申府對科學方法的提倡和對科學精神的張揚有了更爲堅實的基礎，而不致使其成爲毫無根據的無源之水，無本之木。

（二）科學的發展

科學的重要，科學的社會意義，已經越來越爲世人所認知。張申府認爲，要使科學在中國得到發展，除宣傳鼓吹提倡獎勵外，最應努力的主要有三點。

首先是寬籌科學研究經費。張申府指出，對於科學要迎頭趕上，本來不是什麼絕對困難的事，「但先決條件之中，錢卻是第一件，至少也是最首要的條件之一。」〔註 53〕「巧婦難爲無米之炊」。沒有充足的科研經費，科學是發展不起來的。在中國經濟極爲落後的條件下，他建議兼學英美及蘇聯成例，採用國家財政撥款和資本家個人捐獻兩種方式，共同資助中國的科學研究事業，這樣，就不愁中國的科學不進步。

其次是講學自由。「要使科學發達，是必須予科學研究者以充分圓滿的自由的，必須使其好奇心，求知欲，無所爲的精神，得到充分圓滿發揮的方便與機會。」〔註54〕「科學的成長總是需要寬敞的境地，流通的空氣，豐滿的陽光的。」〔註55〕但所謂自由、方便與機會，不能是空的，不能口惠而實不至，這

〔註 52〕 張申府：《張申府文集》，第一卷，河北人民出版社 2005 年版，第 343 頁。
〔註 53〕 張申府：《張申府文集》，第一卷，河北人民出版社 2005 年版，第 477 頁。
〔註 54〕 張申府：《張申府文集》，第二卷，河北人民出版社 2005 年版，第 294 頁。
〔註 55〕 張申府：《張申府文集》，第一卷，河北人民出版社 2005 年版，第 478 頁。

就要求社會和國家予科學研究者以尊重和優待，保障其生活和為研究所需要的種種設備，並能與社會多方面發生接觸，對科學工作者的拘牽，只有妨礙科學的前進。張申府認為，科學的發生與發展，有賴於兩個方面，即理論與實踐的統一，而非只要理論或只要實踐，一方面是為的利用，「是社會生活的需要，實用實踐的要求，切實如實的習慣。另一方面就是科學的好奇心，求知欲，不自私，無所為的精神。」二者是相反相成的。對於科學研究最好不要太過限制，即便說是為了實用，為了社會需要，也是要不得的。「科學本來是實用的，科學的研究本來是會滿足社會人生需要的」，這是科學研究的目的，也是科學的本性。但如果「念念不忘實用，斤斤察察於社會需要，那就科學既發達不了，所能達到的實用必無多，所能滿足的社會需要必有限，所能推進的實踐也將沒有什麼。」「社會最好是養成重實的風氣，造成切實實踐的哲學，對於科學家，科學研究者，不好拘之牽之，鞭之策之地從外面向什麼地方趕，或唯有用無用是問。只令是認真的研究，只令研究能夠開展，總之是不會離開社會背景，生活需要的。就好像人既生在地球上就不能離開地球，既在地球上就不能不呼吸空氣一樣。」〔註56〕所以，社會應予科學研究者以充分的自由和條件，而不能拘泥於實用或理論。

除自由原則外，為適應時代需要，提高工作效率，還應提倡科學研究的組織化與計劃化。所謂科學的組織化，「一個意思就是科學研究的有組織地互相關照，互相配合，靈活地互相利便，互相呼應。」所謂科學的計劃化，「乃是為科學研究預立計劃，預定進程，預標歸結，使與一般國家建設計劃相適應，使在一般國家建設計劃中占一席地。而密切配合國家社會建設發展的實際需要。」〔註57〕自由與組織與計劃也是相反相成的，科學研究的組織化與計劃化，「其實也就是至少一種意義的科學研究的更民主化，或更集體化，或更有機化。」〔註58〕

再次，要對科學本身有真正的瞭解。一、「要曉得只有科學及其應用，而不可強作純粹科學與應用科學之分」。二、「純理研究乃科學進步的一種根本，必不可忽略之」。三、「必須切認理論與實踐的統一，沒有這個是沒有西洋近

〔註56〕張申府：《張申府文集》，第二卷，河北人民出版社 2005 年版，第 295～296頁。

〔註57〕張申府：《張申府文集》，第一卷，河北人民出版社 2005 年版，第 405 頁。

〔註58〕張申府：《張申府文集》，第一卷，河北人民出版社 2005 年版，第 438 頁。

代科學的」。四、「必須切認科學的精髓所在乃在科學法或科學方法」。五、「更必須切實注重科學與人生」〔註59〕的關係。

經費，自由，正確的認識，三者之中，假使有一樣有所欠缺，科學的進步就難以收到預期的成效，這是在中國發展科學所不可不注意者。

（三）反思的科學主義

由上可知，張申府的科學觀具有明顯的科學主義傾向，他不遺餘力地宣傳鼓吹科學，但決非一個科學主義者，或者說決非一個絕對的科學主義者；而毋寧說是一個反思的科學主義或超越的科學主義者。表現在：

1、否認科學萬能

科學主義者相信，在自然科學領域內有效的科學研究方法和原則在人文社會科學領域內同樣有效，科學可以解決包括社會人生在內的所有領域的一切問題。他們賦予科學以至高的地位，並對其持一種信仰的態度。科學已不再是一種具體的經驗知識或單純的方法論，而是昇華爲一種普遍的價值規範，一種衡量一切的唯一尺度。近代中國的科學主義者一般都是科學萬能論者或科學方法萬能論者，他們坦言：「我們也許不輕易信仰上帝的萬能了，我們卻信仰科學的方法是萬能的」〔註60〕，「在知識界內，科學方法是萬能的，科學的萬能，科學的普遍，科學的貫通，不在它的材料，而在它的方法。」〔註61〕張申府雖有科學主義傾向，但並不主張科學萬能，他說：「科學雖能，並不是萬能（至少在今日），採用了科學便可挽救了一切，現在的天下也還沒有這樣便宜事。」〔註62〕在這一點上，張申府顯然與典型的科學主義者有別。

2、反對技術崇拜

張申府認爲，「技術對於科學的產生，對於科學的進步，是必要的」〔註63〕，也就是說，技術是科學發生發展的一個不可離、有時且不易分的必要條件。科學之所以不產生於上古而產生於近代，不產生於中國而產生於西洋，除了一般的物質條件社會背景之外，一個重要的緣故就是上古西洋與中國都不重

〔註59〕張申府：《張申府文集》，第一卷，河北人民出版社2005年版，第479頁。
〔註60〕胡適：《胡適文集》，第四集，北京大學出版社1998年版，第9頁。
〔註61〕丁文江、張君勱：《科學與人生觀》，山東人民出版社1997年版，第53頁。
〔註62〕張申府：《張申府文集》，第三卷，河北人民出版社2005年版，第190頁。
〔註63〕張申府：《張申府文集》，第二卷，河北人民出版社2005年版，第245頁。

視技術，而西洋在中世紀之後則「解放了手藝人，擡高了技術工藝，實踐了理論與實踐統一的理論」〔註64〕。對此可從兩方面加以說明：首先，技術是離不開方法的，「一方可以說技術是方法的具體的實現；一方也可以說方法是由技術的實施中精鍊培養出來的。雖不能說科學的產生必有待於先有了完成的科學方法，但非科學方法先有了規模，先有了綱領，科學必不能大成，必不能發展。」〔註65〕其次，技術也是離不開工具、儀器、機械的，而近代的實驗科學顯然離了近代的科學工具、儀器、機械，也是不能發生，更是不能發達的，因此要科學進步，「必非科學用具逐日加精不行」〔註66〕。但這並不等於說科學只需要技術，或科學等同於技術，假使只重「或過重技術，以至工具、儀器、機械」，甚至發展爲技術崇拜，「而忽視了使用技術的人，忽視了指導技術的理論，那結果也許技術教育可以發達，也許可以造成些技術家，造成些新機械」，但也可能使人異化爲技術的奴隸，「造成些機械人」〔註67〕，也就是馬爾庫塞所謂「單向度的人」〔註68〕。這無疑是錯誤的，是違背科學的宗旨的，也是我們力應避免的，「科學是產生機器的。但科學卻不是機器，尤不應使人變成機器」〔註69〕。從本質上說，「科學本是不能離人的，也是不應離人的。現在講科學，最好就是使它有人味兒。」〔註70〕技術是科學的必要條件，但並不是唯一必要條件或充分必要條件，「科學是有科學的理論的。科學是有科學的方法的。科學是有科學的特殊觀點的。在發生上，在發展上，除了技術、工具、儀器、機械以外，科學是也還需要適當的物質條件、社會環境、學術空氣的；是也還需要適當的哲學、邏輯、算數、言語、文學、符號、記號的。」可以說，科學與技術是相需相因的，技術可以促進科學，科學也可以促進技術；技術可以部分地限制科學，科學也未嘗不可以部分地限制技術。總之，「應該二者並駕齊驅，齊頭並進；而必應防其相牽相礙。所謂主導與支配，是也不可以離開了時代，社會、歷史，實踐來說的。」〔註71〕

〔註64〕 張申府：《張申府文集》，第二卷，河北人民出版社2005年版，第248頁。
〔註65〕 張申府：《張申府文集》，第二卷，河北人民出版社2005年版，第248頁。
〔註66〕 張申府：《張申府文集》，第二卷，河北人民出版社2005年版，第249頁。
〔註67〕 張申府：《張申府文集》，第二卷，河北人民出版社2005年版，第250頁。
〔註68〕 馬爾庫塞：《單向度的人》，重慶出版社1988年版。
〔註69〕 張申府：《張申府文集》，第一卷，河北人民出版社2005年版，第215頁。
〔註70〕 張申府：《張申府文集》，第一卷，河北人民出版社2005年版，第425頁。
〔註71〕 張申府：《張申府文集》，第二卷，河北人民出版社2005年版，第250頁。

3、「仁」與科學法

雷頤先生認爲，在張申府的思想中，「求眞」的科學與「求善」的道德是內在相通、互相發明的。將「眞」與「善」統一起來，是他的理想目標〔註72〕。張申府指出：「科學（或更好說，科學法，或科學方法）本是近代西洋文明的最大貢獻。」〔註73〕而仁則是「中國文明最大的貢獻」，是「人間的最高的理想」，「是人與人間最好的關係」。〔註74〕「『仁』與『科學法』，是我認爲人類最可寶貴的東西的。仁出於東，科學法出於西。」〔註75〕張申府推崇科學卻不徹底反傳統，對儒家的「仁」亦極爲推崇，他力圖溝通「仁」與「科學法」，並使二者統一起來，「今日世界的問題是如何把仁的生活，與科學或與由科學而生的工業，融合在一起」〔註76〕。因爲「科學是器，器無善惡」〔註77〕，所以需要一種價值觀念的引導，而「仁」就是張申府設想用來引導「科學法」的價值體系。張申府認爲，「求眞」的意義在於「求善」，「求善」的路徑在於「求眞」，科學的「求眞」與人類社會的「求善」是統一不可分的。

4、科學主義的超越

張申府把文化的發展過程分爲三個階段：宗教時期，科學時期，哲學時期。一般情況下，這個過程「就是由宗教而科學，而哲學」。西洋近代文化就是已渡過了宗教時期而進行到了科學時期。張申府認爲，以科學主義爲本質特徵的西洋近代文化已經暴露出野蠻、迷信、蒙昧、貪婪、自私的缺點，一方面是「自然科學知識的精進」，另一方面卻是「一般人間生活的不良」。「這樣的偏怙、失調、不稱」，無疑說明整個歷來世界的文化，尤其是主宰全世界的西洋近代文化，已經有重加檢討，從新估價的必要。從而迫切需要「由科學時期再進一步，順遂地進到包括美學的哲學時期」。

張申府認爲，「哲學就是學哲學，哲學最大的社會功用就是使人哲」。古語說，「知人則哲」。哲就是明哲，就是智慧。「也說是靈活，圓通，周到的人生智，是體驗與知識與明斷的結合，也是看得開、想得到、有見無蔽，作面

〔註72〕雷頤：《中國現代史上的張申府》，《北京大學學報》，1998 年第 2 期。
〔註73〕張申府：《張申府文集》，第一卷，河北人民出版社 2005 年版，第 476 頁。
〔註74〕張申府：《張申府文集》，第一卷，河北人民出版社 2005 年版，第 318 頁。
〔註75〕張申府：《張申府文集》，第三卷，河北人民出版社 2005 年版，第 64 頁。
〔註76〕張申府：《張申府文集》，第三卷，河北人民出版社 2005 年版，第 123 頁。
〔註77〕張申府：《張申府文集》，第三卷，河北人民出版社 2005 年版，第 123 頁。

面觀，洞見膝理，實而且活的高級的知識。這本是歷來以至現代人類最缺少的物事」。他引用羅素在《科學爲西歐的一種成果》一文中的話說：「力量而無智慧是危險的，而我們的時代所需要的就是智慧，簡直是比知識還甚。有了智慧，科學賜予的力量，乃能弄來一種新程度的福利，給全人類；沒有智慧，便只能弄來破壞。」〔註 78〕馬克斯·韋伯也曾有過一段有趣的比喻，他說，科學猶如一張地圖，只能告訴我們怎樣走，卻不能告訴我們應往何處走。張申府顯然是希望用「以體與辨爲方法而以通與中爲歸宿」〔註 79〕的中國傳統哲學爲科學指引方向。他強調，「哲學的最後目的」是「通」，「參伍錯綜，唯通可以通之。唯通乃可以不膠執，乃可以執兩而用中，乃可以集眾見而見蔽之所以蔽，而還各以其相當的地位。」「誰能得其中道，誰能得其恰好？這豈不在融通，這豈不在矛盾的諧和，這豈不在知事變之變動不居？」〔註 80〕「一與多是東方哲學之特長。多與析則西方哲學之所擅。」「我則祈：於多見一，由析達通；一不忘多，析而以通爲歸宿。」〔註 81〕最終的目的，顯然還是中國哲學的「通」。

綜上所述，張申府對科學萬能的否定，對技術崇拜的警惕，對「仁」與「科學法」的溝通，對文化的哲學時期的嚮往，在在說明了他對科學主義的反思與超越，聯繫到科學主義在近代中國思想界的泛濫，以及歐美除哈耶克在二十世紀四十年代對科學主義的批判外，到六七十年代才掀起對科學主義的反思浪潮，我們不得不佩服張申府的慧眼獨具與超前意識。

三、綜合民主論

（一）系統民主論

在近代中國，尤其是五四以後，中間派知識分子對民主含義的理解主要包括三種類型〔註 82〕：一是從民主的政治表現的角度認識民主的含義，把民主看作民主政治，主要是指制度方面的民主。以鄒韜奮最爲典型，代表了中間派知識分子中大多數人的理解。他提出保障人民的各種自由權利、實行法

〔註 78〕 張申府：《張申府文集》，第一卷，河北人民出版社 2005 年版，第 689 頁。
〔註 79〕 張申府：《張申府文集》，第一卷，河北人民出版社 2005 年版，第 690 頁。
〔註 80〕 張申府：《張申府文集》，第三卷，河北人民出版社 2005 年版，第 54 頁。
〔註 81〕 張申府：《所思》，生活·讀書·新知三聯書店 1986 年版，第 135 頁。
〔註 82〕 方敏：《「五四」後三十年民主思想研究》，商務印書館 2004 年版，第 134～146頁。

治、建立由人民普選產生的民意機關和對人民負責的政府、實行政黨政治等，實際上是主權在民思想的具體化，也是民主政治應該包括的具體內容。二是從民主精神的角度認識民主的含義，以梁漱溟和民盟爲代表。梁漱溟主要圍繞人與人之間的社會關係來理解民主的精神，對民主精神的理解重在尊重個人，尊重他人，在此基礎上要求遵守人人平等、服從多數、協商辦事、以理服人、不抹殺個性等基本原則。民盟則把「以人爲目的」作爲立論的基點，認爲民主是一種做人的道理和原則，在這一道理和原則下，人是社會和國家的主人，而社會制度和一切政治經濟組織都只是服務於人的工具，人是最終的目的。梁漱溟和民盟都從民主精神的角度來理解民主的含義，儘管立論的基點不同，但是都以「人」爲核心，都力求通過探究作爲社會最基本分子的「人」的問題來理解民主的眞正含義，在研究「人」的社會關係、「人」的主人地位等基礎上探究以民主的方式解決社會和國家的一系列基本問題，尊重個性，尊重人在社會和國家中的主人地位，要求人的全面充分的發展，一切社會活動與社會組織都以人爲中心、以人爲目的等，是他們理解的民主精神方面最重要的含義。三是從綜合的角度對民主含義作比較系統的解釋，以張申府和張東蓀的認識最爲突出。張東蓀認爲，「民主主義同時必是理性主義」〔註 83〕，即講理的、科學的；民主的基本觀念是自由、平等、進步〔註 84〕；民主的「總意」在於求得人民「普遍的幸福」〔註 85〕；民主還必須是國際的，因爲世界「如果要平和，必把世上所有各國一律改爲民主主義」〔註 86〕。張東蓀總結說，民主「同時是個政治制度，同時是社會組織，同時是個教育精神，同時是個生活態度，同時是個思維方法，同時是個前途的理想，同時是個切身的習慣」〔註 87〕。因此歸根到底，民主主義「是一個精神，又是一個原則，又是一個目標」〔註 88〕。

在這方面，張申府與張東蓀有著類似的認識，在他的思想中，民主同樣是一個系統性的概念，他從綜合的角度對民主作了比較系統的解釋。首先，張申府從以下幾個方面解釋了「民主的一般意義」：

〔註 83〕 張東蓀：《思想與社會》，遼寧教育出版社 1998 年版，第 205 頁。
〔註 84〕 張東蓀：《思想與社會》，遼寧教育出版社 1998 年版，第 201 頁。
〔註 85〕 張東蓀：《思想與社會》，遼寧教育出版社 1998 年版，第 204 頁。
〔註 86〕 張東蓀：《思想與社會》，遼寧教育出版社 1998 年版，第 216 頁。
〔註 87〕 張東蓀：《思想與社會》，遼寧教育出版社 1998 年版，第 192 頁。
〔註 88〕 張東蓀：《思想與社會》，遼寧教育出版社 1998 年版，第 203～204 頁。

（一）根據林肯在葛底斯堡演說中的說法，他把民主定義爲「民有、民治、民享」，其基本的意義就是主權在民，由人民來治理國家，人民應該享有一切民主權利等。用張申府自己的話說就是：「民主字義——民爲主——主權在民——民有，民治，民享」。所謂「民有、民治、民享」，張申府又翻譯爲「人民的，由人民的，爲的人民的」〔註 89〕。張申府反對「一黨專政」的提法，他認爲民主是「普通人」的民主，而非一個階級的民主，因此「人民」是一個抽象的概念，它泛指「全體人民（漢奸除外，可不待言），而非指的哪一部分。」〔註 90〕尤其指的是「老百姓，就是一般人或普通人，就是無權無勢者，就是被統治者，就是勞苦大眾，就是貧賤愚者，就是一切一向被壓迫、被剝削、被侵略者，被人瞧不起者。」〔註 91〕這決定了他所謂的民主也必然是抽象的而非具體的。

（二）民主的眞諦是：「甲、權責分擔，名利均霑，盡可能期於人人生遂欲達志滿」；「乙、使最大多數人都得到最大量的發展——人人都得展其才，盡其力，發其業———一切人都應有止於至善的機遇。」〔註 92〕這就是說，人們在實際生活中，說話作事都必須遵循權責分擔、名利均霑、使最大多數人都得到最大發展等原則。顯然，在張申府看來，民主已不僅僅局限於政治領域，它實際上已經成爲一切社會生活的原則和標準。

（三）民主的基礎是「人與人差不多而不同的事實的認識；理性的昂揚；技術生產的發達，交通貿易的便利，社會生活的富足。」〔註 93〕這就是說，民主有三方面的理論基礎，其生理基礎是「人與人差不多而不同的事實」。人與人之間雖然有差別，但卻相差不多，這不但是中國的古訓，如孔子所說，「性相近也，習相遠也」，「惟上知與下愚不移」；而且具有現代科學的事實根據，特別是遺傳學的有關結論。因此，在「根本上，所有人都應有差不多的權與責。」〔註 94〕民主的「心理基礎，實即社會基礎」就是理性。張申府認爲，理性是民主的精神，民主是理性的具體運用。「稍稍具體言之，就在採取方法的多元，對人作平等觀（在精神上），對事作分別觀（在物質上）。更具體言

〔註 89〕張申府：《張申府文集》，第一卷，河北人民出版社 2005 年版，第 532 頁。
〔註 90〕張申府：《張申府文集》，第一卷，河北人民出版社 2005 年版，第 506 頁。
〔註 91〕張申府：《張申府文集》，第一卷，河北人民出版社 2005 年版，第 699 頁。
〔註 92〕張申府：《張申府文集》，第一卷，河北人民出版社 2005 年版，第 532 頁。
〔註 93〕張申府：《張申府文集》，第一卷，河北人民出版社 2005 年版，第 532 頁。
〔註 94〕張申府：《張申府文集》，第一卷，河北人民出版社 2005 年版，第 498 頁。

之，就在承認他人，容許他人，重視他人，相信我可以對別人也可以對，同時別人有錯誤我也會有錯誤；因此，一般言之，別人的意見與我的意見是同樣有價值的。在生活上絕不為人代庖，絕不強人同於己。這自要肯與人為善，也要相信人之欲善莫不如我（如嫌這樣說近於唯心，就說在某些條件下人的要向好處走，彼此差不多，也可）。特別就政治說，就是承認人之為國莫不如我（這當然也可唯物地以條件說）。當然，清清楚楚，公私分明，根據對事的分別觀，也是民主應有的性徵。」〔註95〕民主的物質基礎就是經濟的發展和人民生活的富足。張申府認為，政治與經濟是分不開的，在中國要實現民主尤其缺不了「發達科學與經濟建設」〔註96〕。也就是說，真正的民主是有其存在的必要條件的，尤其是有其賴以存在的物質和意識方面的必要的基礎。物質方面最主要的是經濟的發展和人民生活的富足，意識方面最主要的是人民思想中對理性主義的認定。沒有這兩方面的基礎，就談不上真正的民主。這說明，張申府在中國的民主問題上特別注意到了兩個重要的實際問題：一是人們思想深處存在著非理性的獨斷專制思想的障礙；二是中國社會缺乏民主必要的經濟基礎，這二者是中國社會長時間內難以實現民主的重要原因。這種認識體現出一定的深刻性〔註97〕。

另外，張申府還揭示了民主的三大要素：自由（發展的自由）、平等（機會的平等）、合作（事業的合作），和五個方面：思想民主、社會民主、政治民主、經濟民主、國際民主，詳見「和諧民主論」部分。

其次，張申府認為民主的一般表現是：「甲，有法守法（怎麼設定怎麼作）」，法的原則有三，一是由民意制定，二是由民意修改，三是上下所共守；「使得一切有關人都得與聞有關事（大家事歸大家管）」，人人都有貢獻其知識能力於國家社會的機會，並有看見其貢獻被採納施行的自由；「服從多數，尊重少數（相信事情是多方面的，真理是相對的；辦法求其可行，行不通就改）」，這是科學嘗試辦法在民主政治上的應用。「乙，由討論來決定，本同意為治理（『討論政治』『同意政治』）；有不用開槍而和平變更統治者的力量（『和平革命』）；切求中和均平公正（以『平等機會』『公道待遇』為意義的所謂『公平的玩』，所謂『運動家風度』，所謂『君子無所爭，必也射乎！……其爭也

〔註95〕張申府：《張申府文集》，第一卷，河北人民出版社 2005 年版，第 456 頁。
〔註96〕張申府：《張申府文集》，第一卷，河北人民出版社 2005 年版，第 486 頁。
〔註97〕方敏：《「五四」後三十年民主思想研究》，商務印書館 2004 年版，第 142 頁。

君子』)。」〔註98〕和平協商，平等公正是民主的基本特徵。

再次，張申府認為，民主「是人類最高的理想之一」〔註99〕，我們「必須努力於成立民主制度，發揚民主精神，養成民主習慣。」〔註100〕也就是說，「民主至少有兩個方面。一是民主政治或民主制度，一是民主習慣或民主精神。」〔註101〕民主不僅僅是指民主政治，不僅僅是一種政治方式，民主也是人的行動習慣，就在日常生活，思想行動，尤其凡有集體團體的地方都應，也都可，實行民主的原則。民主政治指的是立憲、國會、選舉等等民主制度。民主習慣則是指「平等相待，容許別人，予人人以機會，使一切有關人對一切有關事都得與聞發言，人人守法，循規、蹈矩，決了必行，說了必算」〔註102〕的習慣，這是一種可以普遍應用的民主原則。張申府認為，民主的這兩個方面是「互相制約，互為因果」的關係。「沒有民主政治，民主習慣大概不會普遍。沒有民主精神，民主制度更恐不易實現。」〔註103〕只有一部分人先養成了民主的習慣及一般理性的習慣，一般政治上真正的民主才有實現的可能。因此他特別強調要實現民主必須要培養民主精神，養成民主習慣。

那麼，如何培養民主精神，養成民主習慣呢？這就需要社會其它方面的配合。如果由社會的各方面多培養些有益民主的精神習慣，也未嘗不可有助於政治民主化的進行。張申府認為這特別表現在哲學、科學與中國傳統文化上。

張申府認為，「哲學是講可能的學問，是根本原則的學問。本以體與辨為方法，而以中及通為歸宿。因此，哲學對於人生特別可以使人注意根本，使人看到大處遠處：使人養成大量的習慣，而不拘於狹隘的小圈，強作物我之別；使人實而活。使人力行以求天人合一，『止於至善』，達於理想之境，火候純青，恰到好處，而不忽於一切可能的發展。也就是可以使人能夠有理性：能夠由前提推到結論，由結論回溯前提；能分別，有分寸，重分明，於異見同，更於同察異；能夠作面面觀，如實觀，平等觀，也能容納多方面，重視種種不同的他方面。這都是充實民主所必需。」〔註104〕因此，張申府認為民

〔註98〕張申府：《張申府文集》，第一卷，河北人民出版社 2005 年版，第 533 頁。
〔註99〕張申府：《張申府文集》，第一卷，河北人民出版社 2005 年版，第 430 頁。
〔註100〕張申府：《張申府文集》，第一卷，河北人民出版社 2005 年版，第 257 頁。
〔註101〕張申府：《張申府文集》，第一卷，河北人民出版社 2005 年版，第 455 頁。
〔註102〕張申府：《張申府文集》，第一卷，河北人民出版社 2005 年版，第 407 頁。
〔註103〕張申府：《張申府文集》，第一卷，河北人民出版社 2005 年版，第 455 頁。
〔註104〕張申府：《張申府文集》，第一卷，河北人民出版社 2005 年版，第 474～475頁。

主需要一種哲學作為其基礎。「現在是民主的時代。民主應該更發達。應該有一種更圓滿的民主哲學。」〔註 105〕可以說，沒有某一種哲學，就沒有某一種民主；沒有某一種哲學，就沒有眞民主。張申府很自負地認為，最可以作為民主的理論基礎的哲學，就是他的大客觀主義和具體相對論。「我深信，我的見解恰恰與這個合拍，恰恰可以作民主哲學的一種基石。」〔註 106〕這是一種「最民主的哲學」，它「以『中』為極則，以『辨』為方法，以『通』為歸宿」〔註 107〕，而可以解決一切哲學問題。「這樣一種哲學見解，是可以助成民主的。民主而沒有這種大客觀的態度，一定圓滿不了。不論抹殺客觀或抹殺主觀，或隔離而二之，都不能得到眞理。同樣，不論抹殺別人或抹殺自己，或隔離而二之，也都不能實現民主。」〔註 108〕民主的所以可能，在能容人，容人生活，容人活動，尤其是容人之言或意見，那就要確認：「一句話這樣解釋雖是錯的，換樣解釋就可以是對的；就這個範圍說雖是錯的，換個範圍說就可以是對的；根據這種事實說雖是錯的，換種根據說就可以是對的。」因此對於別人的說話最好是盡量替它求解釋，找所當，而最不好是輕下判斷。「人如能替別人這樣設身處地，這樣體諒別人，民主方眞能行得通，行得圓滿。」〔註 109〕這樣子，民主才可以圓滿發展而成功。

民主必須與中國傳統文化中的精華部分相結合。張申府認為，「中國顯然從沒行過民主政治。至於中國有沒有過民主思想，民主精神，那就要看怎樣解釋。講理性或講情理，要商量，重恕道或忠恕之道，這都是民主的根本」。〔註 110〕「民主最近於中國天下為公的大同精神，最近於『仁』與『中』的哲學，最近於恕道，最近於講情理講理性的風尚。——民主也是有合於哲學的辨與通的。這也是中國眞傳統之所重。」〔註 111〕因此，中國傳統文化是可以予民主以支持的。雖然儒家所稱道的「天視自我民視，天聽自我民聽」〔註 112〕，「天聰明自我民聰明，天明畏自我民明畏」〔註 113〕，以及「民為貴，社稷次

〔註 105〕張申府：《張申府文集》，第二卷，河北人民出版社 2005 年版，第 334 頁。
〔註 106〕張申府：《張申府文集》，第二卷，河北人民出版社 2005 年版，第 334～335 頁。
〔註 107〕張申府：《張申府文集》，第一卷，河北人民出版社 2005 年版，第 502 頁。
〔註 108〕張申府：《張申府文集》，第二卷，河北人民出版社 2005 年版，第 337 頁。
〔註 109〕張申府：《張申府文集》，第二卷，河北人民出版社 2005 年版，第 344 頁。
〔註 110〕張申府：《張申府文集》，第一卷，河北人民出版社 2005 年版，第 516 頁。
〔註 111〕張申府：《張申府文集》，第一卷，河北人民出版社 2005 年版，第 499 頁。
〔註 112〕《尚書·泰誓》。
〔註 113〕《尚書·皋陶謨》。

之」〔註114〕，都是與民主相關的人本思想，但也只是接近民主思想，而夠不上說是民主思想。如果斷章取義地用現代思想解釋的話，倒是書經號稱伊尹作的咸有一德篇的最後兩句話，「無自廣以狹人。匹夫匹婦不獲自盡，民主罔與成厥功」〔註115〕，合乎今日民主的意思，雖然原文所謂民主指的是民的主，而非民為主。張申府用現代思想重新解釋了中國傳統文化中的某些概念，以與民主思想接合，這就是仁，即「生動靈活，能感覺，有深厚純篤的同情」；恕，即「遇事設身處地，肯替別人設想，相互負責，彼此體諒」；權，即「不偏，不私」；敬，即「不輕怨，不隨便」；貞一，即「保持個性，謹守原則，不動搖游蕩，隨風轉舵，或俯仰依人」；時中，即「事事適當其可，各得其宜，各如其分」；而能辨，即「能分別，作面面觀，看得開，想得到，顧得周」〔註116〕；絕四，即「毋意，毋必，毋固，毋我」，張申府認為，「『意』是本私意猜度、預先揣測的意思，與『不億不信』、『億則屢中』之『億』同。『億』不可解作『想像』。預測與想像的分別是一個有成見有欲望，一個無有。就是：預測本著欲望猜未來怎樣，想像只坦然求未來可能的真相。『必』、『固』就是韓非所謂『無參驗而必之』、『弗能必而據之』的意思。『毋我』的意思不是要不認我的存在，只要毋事事以我為主，毋把我當物物的標準。認得我存在，便要同時也認得外界種種個體與我有同樣的存在。重要也是相等的。既不可以我為主、強非我與之合，也不可以非我為憂，屈我與為一。但當並立而齊合，不然則脫。──這便是『毋我』的意思」〔註117〕。

因此，中國要想實現民主，發展民主，是必須變得有了理性：是必須與哲學的大量精神，與科學的切實習慣，與中國傳統文化中的民主精神，密切結合的。

另外，張申府還分析了民主與領袖、民主與組織與紀律、民主與設計或計劃化的關係。他認為，民主不抹殺領袖，民主運動更需要領袖，「民主不但不與領袖敵對，而且只有民主，領袖才算最有力量，因為一切心、力集成一個整體供他使用。」〔註118〕「但民主運動的領袖必是服從民眾的領袖，必是不怕人多的領袖；必是有心有腦有膽，眼明手快，切實能前知（即能料事，

〔註114〕《孟子・盡心下》。
〔註115〕《尚書・咸有一德》。
〔註116〕張申府：《張申府文集》，第一卷，河北人民出版社2005年版，第581頁。
〔註117〕張申府：《張申府文集》，第三卷，河北人民出版社2005年版，第31頁。
〔註118〕張申府：《張申府文集》，第一卷，河北人民出版社2005年版，第457頁。

明燭機先，能察變斷勢，估得定事變的可能趨勢），沉著而不遲鈍，穩重而不失機的先驅的領袖。」〔註119〕民主不但不與紀律衝突，而且只有民主，紀律才最能貫徹，因為曾經眾心的表示。「組織是保障自由發展自由的條件之一。民主運動也同於民主，為求集中有力而免於散亂或無政府，是需要組織與紀律的。但民主與民主運動的組織與紀律是平等的，不是單面的：組織既不是單單自上而下的組織，而是上下相通的組織；紀律也是上下，領袖與群眾，共守的紀律：是公約式的紀律，而不是命令式的紀律，而不是強迫外鑠的紀律。」〔註120〕張申府認為，第二次世界大戰後，設計或計劃化必然流行。中國也不能例外。所謂「設計或計劃化，說明白了，也沒有什麼，要義不過是腳踏實地，通盤籌算，周密配合。而民主的設計就是由下而上，不要由上而下。由此，自然雖說設計，也不過是集體合作，自不至於妨礙個人發展，自不至於陷於獨裁部勒。」〔註121〕設計或計劃化其實是並不違反自由民主的，「寧可說是自由民主更進一步的具體表現；或更好說，設計或計劃化可以使得自由民主更圓滿地具體實現。」〔註122〕

那麼，在中國，怎麼樣，怎樣做法，在原則上，才最有使中國民主的可能呢？張申府認為，它至少要具備三個根本的條件。

第一，「必須是中國的。」〔註123〕張申府相信，「凡是要整好一個地方，總要有一部分方法，應該是從那個地方本身去求的。一個已有長久的歷史的地方尤其要如此。我願標此為公例。」〔註124〕因此，「一切中國的改革必須以中國為出發點」〔註125〕。如果在中國，對中國事，而不由中國人以中國為第一位；所採取的辦法不絜根在中國的本土，對於大多數中國人必都不免多少隔閡。當然，消納世界一切有價值的東西，利用世界一切可資利用的利器，自也同屬絕對的必要而分當。

第二，「必須是獨立的。」〔註126〕中國的民主必須以中國為體以中國為

〔註119〕張申府：《張申府文集》，第一卷，河北人民出版社 2005 年版，第 535～536 頁。
〔註120〕張申府：《張申府文集》，第一卷，河北人民出版社 2005 年版，第 536 頁。
〔註121〕張申府：《張申府文集》，第一卷，河北人民出版社 2005 年版，第 575 頁。
〔註122〕張申府：《張申府文集》，第一卷，河北人民出版社 2005 年版，第 468 頁。
〔註123〕張申府：《張申府文集》，第一卷，河北人民出版社 2005 年版，第 473 頁。
〔註124〕張申府：《張申府文集》，第一卷，河北人民出版社 2005 年版，第 93 頁。
〔註125〕張申府：《張申府文集》，第一卷，河北人民出版社 2005 年版，第 248 頁。
〔註126〕張申府：《張申府文集》，第一卷，河北人民出版社 2005 年版，第 473 頁。

本位而行之；中國的民主也必須不但不奴於他國，也不在精神上依賴他國而行之。人民精神的獨立與國家主權領土的完整獨立，必須相輔而具備。

第三，「必須是民主的。」〔註127〕正如前文所述，張申府認爲民主不僅僅是一種政治方式，民主也是人的行動習慣。有的人「只覺著民主就是民主政治，而不曉得就在日常生活，凡有集體團體的地方都應，也都可，實行民主的原則。」〔註128〕因此，要在中國實行民主，「說民主的人，就應該自己民主」〔註129〕，中國必須「民主地來建民主的國。」〔註130〕中國之所以自五四運動時期就號召民主，提倡民主，但民主卻遲遲不能眞正實行，其中一個主要原因就是「許多主張民主鼓吹民主的自己卻不民主，也只落得一個只跟著說而不照著作，或則仍守著自己例外的老規則。」因此，就「特別需要今日要求民主者最好先就己身或自己團體盡可能地培養些民主精神，養成些民主習慣，以開創風氣，以爲天下先，以爲將來備。」〔註131〕「說民主就民主，這實在是推進民主的一個最實在最切己的步驟。」這就是說，「要實現民主，現在主張民主，要求民主，推進民主者，應該自己盡可能地先民主。當然一般不能說在政治上，但至少要在日常生活，思想行動，政治活動上；尤其在自己的團體組織裏（假使有的話），做到民主。」有民主的精神，行民主的辦法，自去部落思想，自關門戶之見，自絕封建的等級習慣。「假使不然，假使不幸，主張民主，要求民主，推進民主者而自己並不民主，那……必達不到民主的目的……以身教，以身作則，樹立榜樣，開導風氣，少責人而多求己。說一不二，怎麼說就怎麼作，批評人家的己莫作，己要作的別批評人，我深信，都是今日最最必要的。不但照我的實的教義要如此，實在事實迫人不得不如此。」〔註132〕

根據方敏先生的研究，「張申府是試圖從人類生活的各個方面去認識民主的含義的，民主的意義已經不僅僅是一般人所講的自由平等、主權在民、民主制度等內容，民主實際上已成爲組織全人類社會生活的一種原則、精神和理想。很顯然，這其中包含著鄒韜奮等人理解的民主政治的基本含義，還包

〔註127〕張申府：《張申府文集》，第一卷，河北人民出版社2005年版，第473頁。
〔註128〕張申府：《張申府文集》，第一卷，河北人民出版社2005年版，第455頁。
〔註129〕張申府：《張申府文集》，第一卷，河北人民出版社2005年版，第133頁。
〔註130〕張申府：《張申府文集》，第一卷，河北人民出版社2005年版，第587頁。
〔註131〕張申府：《張申府文集》，第一卷，河北人民出版社2005年版，第455頁。
〔註132〕張申府：《張申府文集》，第一卷，河北人民出版社2005年版，第407頁。

括梁漱溟、民盟等從民主的精神和理想的角度所理解的民主含義，張申府對民主的認識是一種全方位的多角度的綜合的認識。從他理解的民主含義中，我們能感受到一個富有民主精神的理想社會。」〔註133〕

（二）自由民主論

民主與自由的關係是理論家們經常討論的主題，有人甚至認爲兩者存在著不可克服的悖論。民主的價值追求是平等，自由的價值追求是獨立。民主作爲一種政治體制，它要求個人放棄自己的自由，轉而服從多數的裁定。因此托克維爾認爲，「在身份平等的國家比在其他國家更容易建立絕對專制的政府」〔註134〕，如果沒有制度創新，民主往往始於平等，終於專制，自由湮沒無聞。伯林也斷言：「個人自由和民主統治之間，並沒有什麼必需的聯繫。『誰統治我』和『政府干涉我多少』從邏輯上看，是截然不同的兩個問題。」〔註135〕戴維‧赫爾德甚至認爲，沒有對多數人和政府權力的限制的普遍原則，民主與自由就會陷入根本的衝突之中。因爲一方面，所謂民主，就其本質來說，固然是全體公民掌握最高權力的政治，但是，就其實現來說，卻勢必是多數公民掌握最高權力的政治。這樣，多數公民便可能濫用他們所握有的最高權力，而淪爲「多數暴政」。另一方面，即使民主不導致多數對少數的暴政，卻仍然可能導致暴政：一種侵犯每個人的個人自由和個人權利的暴政。因爲最高權力就其本性來說與無限權力相通，極易演進爲無限權力，因而無論掌握在君主手裏，還是掌握在人民手裏，都可能成爲無限權力而淪爲暴政。〔註136〕但大部分自由主義者倒並沒有把兩者放在對立的地位上，而是強調其互補和平衡。阿克頓說：「自由被認爲是與民選政府相關聯的產物。」〔註137〕哈耶克也一再說：「民主本身雖然不是自由，卻是一種對自由的最重要的保障。」〔註138〕科恩認爲，一方面，「自由和平等是民主的兩個最重要的目標」，另一方面，「自由使民主成爲可能」，「有了自由才能實行民主」〔註139〕，因此「實行民主必須自由，這些自由常被稱爲權利。」

〔註133〕方敏：《「五四」後三十年民主思想研究》，商務印書館 2004 年版，第 143 頁。
〔註134〕托克維爾：《論美國的民主》，商務印書館 1988 年版，第 873 頁。
〔註135〕Isaiah Berlin.Four Essay on Liberty. Oxford University Press ,1969：130.
〔註136〕王海明：《論自由與民主》，《新疆大學學報》，2006 年第 1 期。
〔註137〕阿克頓：《自由與權力》，商務印書館 2001 年版，第 316 頁。
〔註138〕Hayek.F.A. Law, Legislation and Liberty:Volume2. China Social Sciencds Publishing House Chengcheng Books Ltd, Beijing,1999.P5.
〔註139〕科恩：《論民主》（中文版序言），商務印書館 2004 年版，第 2～3 頁。

〔註 140〕亨廷頓也認爲，「政治民主與個人自由密切相關。民主國家可能、而且也的確濫用過個人的權利和自由，一個治理得井井有條的威權國家甚至會爲其公民提供高度的安全和秩序保障。不過，從總體上說，民主的存在與個人自由的存在之間的相關性是極高的。的確，一定程度的個人自由是民主政治的一個基本組成部分。反過來看，民主政治運作的長期後果可能是擴大和加深個人的自由。在某種意義上講，自由是民主的特有美德。如果人們關心自由，把自由當作終極的社會價值來加以關懷，人們同樣也應該關懷民主的命運。」〔註 141〕自由與民主的關係其實是內在的，沒有個人自由也就沒有民主，而民主的根本目的除了公共決策外，便是保障公民的自由權利。民主與自由密不可分，不能以民主來否定自由，也不能只強調自由而忽視民主。對此，張申府也有著清醒的認識。他認爲，一方面，自由是民主的三個要素——自由、平等、合作——之一，〔註 142〕「是民主的精髓」〔註 143〕，「人人自由與人人都得到可能的最大發展一樣，本是民主的最高理想。」〔註 144〕「用另一個說法，民主本就是使人人都平等自由。平等自由的人與其自由越多，就是越民主」〔註 145〕。另一方面，自由是民主的先決條件，「因爲沒有自由，民主是不可能的。如果沒有言論，出版，集會，結社，身體，居住，職業，思想，學術，學習，研究，講學，以至免除匱乏，排脫恐懼，不至賦閒的自由」〔註 146〕，必然作不到民主。因此，要在中國實行民主，「要求先給人民以言論出版集會結社身體職業等自由。或者說先保障人民這種種權理（不是權利）。當然在民主政治之下，人民不能沒有這種種自由或權理；人民沒有這種種自由或權理的民主政治，當然只是一句笑話或『膿沁思』。這種種自由或權理，許可說是民主的先決條件，其實更可以說這種種自由或權理只是民主的一部分內容，一部分結果。尤其在今日，如果說必待這些自由或權理都實現了，然後方可以談民主，那就要求者一方面說只是自欺，就給予者一方面說就是欺人。事實上，在今日那不但緩不濟急，簡直且是不可能。在理

〔註 140〕科恩：《論民主》（中文版序言），商務印書館 2004 年版，第 123 頁。
〔註 141〕亨廷頓：《第三波——20 世紀後期民主化浪潮》，上海三聯出版社 1998 年版，第 28 頁。
〔註 142〕張申府：《張申府文集》，第一卷，河北人民出版社 2005 年版，第 653 頁。
〔註 143〕張申府：《張申府文集》，第一卷，河北人民出版社 2005 年版，第 515 頁。
〔註 144〕張申府：《張申府文集》，第一卷，河北人民出版社 2005 年版，第 652 頁。
〔註 145〕張申府：《張申府文集》，第一卷，河北人民出版社 2005 年版，第 472 頁。
〔註 146〕張申府：《張申府文集》，第一卷，河北人民出版社 2005 年版，第 499 頁。

論上，自由與民主是不相離的；在事實上，自由與民主也應同時並有。在今日事實上，簡直是必待有了民主，所謂人民的種種自由或權理，乃能具體有著，而不落空。」〔註147〕在張申府漫長一生的大部分時間裏（五四初期除外），他主要是從民主的角度來審視自由的。

據張申府的夫子自道：他「是一個赤裸裸的個體主義者；且跟著羅素只相信眼前的一晃為實在；而近來又明白地回覆到相信絕對自由；自然，不願意受什麼束縛。但卻不免覺著相當的結合，合作確像是很必要。」〔註148〕這段話概括了張申府自由思想的發展軌跡，表明他思想的天平逐漸從個人向社會傾斜。

在新文化運動初期，由於受無政府主義和羅素「個人主義」的影響，他對以個性獨立、個性發展為核心的個人主義、自由主義觀念有著深深的眷戀之情。與中國的大多數知識分子一樣，在個人與社會、群與己的關係上，張申府更多地關注個體的自我，關注個人自由、個人價值的實現。他說：「政治家重秩序，革新家重自由，二者之不能相容，實根於此。就是一般人也不免把秩序看得太重了，以為他是最應培根的東西，其實這純粹是謬論。秩序是極易致的，最難得、最難保時的東西乃是自由。秩序當為自由而設，妨礙自由的秩序是絕對要不得的。」他認為自由「是政治營生中最偉大最寶貴的東西」，〔註149〕人類的最終目標不是幸福，而是自由，「吾們應當標為人生最高鵠的是自由，不是幸福。不自由無幸福。現在世界的壞，豈純是因為貧寒。許多受難者之所要求，與其說為幸福，不如為解放、為自由較為得真。使人自由實比使人幸福，無窮的更重要，……吾們應當極力自由去想像人人自由，人人的事事合乎自然的自由的時代的境況——去開發，去創造！」〔註150〕他放情的吶喊，「自由！自由！個個的自由！沒有自由沒長進！沒有自由久沉淪。」〔註151〕在這一時期，張申府所謂的自由是「合乎自然的自由——就是真正的自由」〔註152〕。他說：「自然便美，美在自然。」〔註153〕「自

〔註147〕張申府：《張申府文集》，第一卷，河北人民出版社 2005 年版，第 505～506 頁。

〔註148〕張申府：《張申府文集》，第一卷，河北人民出版社 2005 年版，第 77 頁。

〔註149〕張申府：《張申府文集》，第三卷，河北人民出版社 2005 年版，第 30 頁。

〔註150〕張申府：《張申府文集》，第三卷，河北人民出版社 2005 年版，第 33 頁。

〔註151〕張申府：《張申府文集》，第三卷，河北人民出版社 2005 年版，第 34 頁。

〔註152〕張申府：《張申府文集》，第三卷，河北人民出版社 2005 年版，第 30 頁。

〔註153〕張申府：《張申府文集》，第一卷，河北人民出版社 2005 年版，第 11 頁。

然無敵！」〔註 154〕只有合乎自然的自由，才是「合理的自由」〔註 155〕。他
認爲自然的自由除了信仰自由、思想言論自由、集會結社自由外，還包括三
種更爲重要的自由：「第一，就是教育自由。第二，工作自由。第三，男女關
係自由。」「教育自由是人人得自由受教育，概無限制。」「工作自由是不問
人做工不做工，但有工作的志願（這個條件，其實也不必需），都不得缺他的
衣食居，就是人人得有他必需的生活資」〔註 156〕男女關係自由就是根本打破
「那種受買賣主義最壞的影響的最難脫離的賣淫制度——嫁娶」，「廢掉男女
的分別而有意擴張之」，從而使「交際自由，離合自由、愛情解放——與愛情
以機會」〔註 157〕。但這還不是最「主腦」的自由，他說，「我們時時在心的
中心自由其實不過一個。一個是哪個？一個便是自由去創造！」他深情地呼
喚：「放創造性自由。（Freedom of Creation, Liberation of Creativeness，即
Liberalism of Creativeness）必有創造的自由，乃有創造的愉快，創造的歡樂，
（Joy of Creation, Delight of Creation）；無上無窮的愉快歡樂。」〔註 158〕他所
謂的秩序有兩個含義：一是自然的秩序，一是人爲的秩序。他反對的是人爲
的秩序，而不是自然的秩序。他說：「秩序與法律相依附（就往今說）；自由
以自然爲止歸（永久如此）。越高的理想必是越近於自然的。違背自然的制度
總不會有好結果。待遇一個人、一個群、一個種族、一個階級，如使自發自
展，見助而不見阻，那個人群種族階級便是走在正道。這條新則的勢子已至
是流行如火的了。凡自然都是幫忙這種待遇的，自然之中，自有法律。自然
之中，自有秩序。人如從他以外，另有造他，矯揉扭捏，就不必有意爲非作
歹，也必弄得迷了軌道，致有像現在世界這樣子的種種非自然的不相容。」
「以前人講自由，常說什麼自由於法律之中。天性少人性多的人遂就把法律
爲利器，一切壓抑專暴之弊都從此起。須知現在世界的法律本是少數人居著
強者、享樂者、統治者的地位，本著私意設的。這種東西，豈可容他約束人
人應有的自由？」〔註 159〕但所謂「合於自然，只是順從本然，不是自加網
羅。……因爲吾們不應因爲自己是人就把人看得特別高貴，所以人間法絕不

〔註 154〕張申府：《張申府文集》，第一卷，河北人民出版社 2005 年版，第 12 頁。
〔註 155〕張申府：《張申府文集》，第一卷，河北人民出版社 2005 年版，第 13 頁。
〔註 156〕張申府：《張申府文集》，第一卷，河北人民出版社 2005 年版，第 13～14 頁。
〔註 157〕張申府：《張申府文集》，第一卷，河北人民出版社 2005 年版，第 14～15 頁。
〔註 158〕張申府：《張申府文集》，第一卷，河北人民出版社 2005 年版，第 15～16 頁。
〔註 159〕張申府：《張申府文集》，第三卷，河北人民出版社 2005 年版，第 30 頁。

可違反自然律」〔註160〕。張申府對兩種秩序的區分，與後來哈耶克對「自發秩序」與「人造秩序」的區分若合符節，表現了中國現代知識分子的獨到眼光與非凡睿智。

五四運動後，在李大釗的引領下，張申府開始由一個激進民主主義者向共產主義者轉變。作為馬克思主義的譯介者、信仰者和中國共產黨的創建者之一，他對以集體主義為目的的大同境界和馬克思主義理論體系，懷著深深的崇敬之意，他思考的重心逐漸向群體與社會轉移，夢想一個群與己、個人和社會和諧統一的理想社會。他說：「社會本以人與人的關係而結成。但社會卻常只為社會計而不為個人地。」〔註161〕「至少在這個社會中，提到社會似乎就不能不聯想到拘禁，而個人就是自由。」〔註162〕「群與己，少與多，總之是社會問題的核心。」〔註163〕他認為人生飽蘊著矛盾，「人生矛盾之一即群與己。過顧社會則礙個人。過重小己亦妨社會。」〔註164〕人生的其它矛盾都是從這一矛盾派生出來的，「人生類比之矛盾，皆是群與己問題之一體。根本均在我與它的相抵。」〔註165〕他懷疑「人生而自由」的合理性，認為「在理想上，人是應當生而自由（平等也同）；但是在實際裏，不論在自然事實中，或在社會事實中，人卻是生下來既不自由，也不平等。在現狀下，如果確認為人生下來就自由平等，那不過不自覺地有意掩蓋事實，蒙蔽人民，粉飾太平，純本唯心方法，替現社會說教：其極致，足以麻醉人心，麻痺人力，實不仁之至。至少也是把『是』與『應』，把實際與理想，把事實上的話與價值上的話，給渾淆了。」〔註166〕自由不再是絕對的了，「自由就是讓別人自由。自由就是人人彼此相許以自由。」〔註167〕「自由必須自制」〔註168〕，「誰也沒有權理侵礙別人。誰也沒有權理侵礙別人的癖嗜（但令其無顯害於大群）。」〔註169〕「自由本不過一種對待的話。不受統治的壓迫，對於統治，便算是自由了。絕對的自由，其實是沒有的事。就令一個人自由去思想，他也一定有

〔註160〕張申府：《張申府文集》，第三卷，河北人民出版社 2005 年版，第 32～33 頁。
〔註161〕張申府：《所思》，生活・讀書・新知三聯書店 1986 年版，第 158～159 頁。
〔註162〕張申府：《張申府文集》，第三卷，河北人民出版社 2005 年版，第 268 頁。
〔註163〕張申府：《所思》，生活・讀書・新知三聯書店 1986 年版，第 158～159 頁。
〔註164〕張申府：《張申府文集》，第三卷，河北人民出版社 2005 年版，第 156 頁。
〔註165〕張申府：《張申府文集》，第三卷，河北人民出版社 2005 年版，第 126 頁。
〔註166〕張申府：《張申府文集》，第一卷，河北人民出版社 2005 年版，第 681 頁。
〔註167〕張申府：《張申府文集》，第一卷，河北人民出版社 2005 年版，第 380 頁。
〔註168〕張申府：《張申府文集》，第三卷，河北人民出版社 2005 年版，第 170 頁。
〔註169〕張申府：《張申府文集》，第三卷，河北人民出版社 2005 年版，第 143 頁。

一定的範圍，有一定的題材。」〔註170〕他這時候的自由觀，顯然更傾向於古典自由主義的自由觀。但有時他的思路並不會至此而止，他所追求的「自然的自由」有時會轉變為「順必然而行」的自由〔註171〕，認為「自由在必然之中。真的自由是必然之自覺。」〔註172〕因此，「必然之識，自由攸賴。」〔註173〕在這種認識下，他甚至主張人要「抱定目的不妨作工具」。他說，「我近來很感到，但令是為的人類，為的社會，以至為的民族，而不只是為的個人，但令對於人類前進的大輪是推進而不是阻礙，人便應肯甘於作工具，而且敢於作工具，假使雖為了人類的進化，而也不肯作工具，那種人所有的必只是些書生的虛驕浮誇不切事實之見。」他認為，「道德家常教人，要把人當目的，不要把人當手段。但這頂多也是人所應以待人，而非所以自待。社會本由人與人的互相利用而織成。既然如此，人為什麼不自覺？為什麼不自覺地甘作時代社會的工具？」因此，「人要緊的是善於自用。如能認清時代，知道自己是什麼材料，便甘於作一個適當的工具，如此，既盡了自己的人生使命，也便可算得沒白活一輩子。」總之，「人類社會的自覺地進步實在就在人能自覺地作人類的工具」〔註174〕。這種論調，已經完全是一種歷史決定論的語氣了。秩序也不再與自由完全衝突了，「如果偏重個人，則會擾亂社會秩序；如果偏重社會，則會妨礙個人自由。二者對於人類進步都是不利的。如何把社會和個人安排得各如其分，各得其所，秩序自由雙方兼得，這是自古至今沒有解決的一個問題。」〔註175〕「人群一切都是相關聯的，」「強裂之必無當。」過去中國「講群而不兼從群出發，而但從小己或家出發，積兩千多年的習染，遂弄到始終一盤散沙，全無國家思想，全無組織能力！」〔註176〕於是，「人要自立，自由。又要組織與秩序。」〔註177〕自由不是無價的，自由的獲得，首先必有所失，實現個人自由的前提是秩序的建立。「天地惡乎定？定於一。」「但今能一之者，不是不嗜殺人者，而是能犧牲自己者。一由於多？多何能一？必在各願有所失，以求有所得。必須各個犧牲一部分自由，獲得

〔註170〕張申府：《張申府文集》，第三卷，河北人民出版社2005年版，第251頁。
〔註171〕張申府：《張申府文集》，第三卷，河北人民出版社2005年版，第169頁。
〔註172〕張申府：《張申府文集》，第三卷，河北人民出版社2005年版，第182頁。
〔註173〕張申府：《張申府文集》，第三卷，河北人民出版社2005年版，第443頁。
〔註174〕張申府：《張申府文集》，第三卷，河北人民出版社2005年版，第244～245頁。
〔註175〕張申府：《張申府文集》，第一卷，河北人民出版社2005年版，第512頁。
〔註176〕張申府：《張申府文集》，第三卷，河北人民出版社2005年版，第167頁。
〔註177〕張申府：《張申府文集》，第一卷，河北人民出版社2005年版，第312頁。

一部分安全，以獲得另一部分自由。」〔註178〕

也就是說，解決群與己、個人與社會、自由與秩序、自由與組織的關係的問題，「只有御矛盾的辯證之法，乃可以御之」〔註179〕，「必須是解析綜覈辯證法的。注意關聯，注意變化發展，注意互相影響，注意浸積而突變，注意否定的否定，注意相反相成，矛盾對立的統一。」〔註180〕從辯證統一的角度入手，張申府認爲，「自由與組織就不是互相敵對的，個人與社會並不是根本不相容的：自由與組織，個人與社會，其實是相反相成的。」〔註181〕他說：「我的意思也並非只是說，沒有個人沒有社會；而且今日世界更沒有沒有社會的個人，換言之，就是在今日尤其是離開了社會也就沒有個人。我的意思尤在說，在今日的世界上，沒有自由就沒有組織，而且沒有組織也就沒有自由。沒有自由的組織是不會組織得堅固有力的；沒有組織的自由也不會自由得充分圓滿而盡致。自由與組織，如果缺一，其餘一個，在今日世界上，不但必然空虛而不實，而且簡直竟是不可能。今日世界需要自由，也要有組織。在好的社會裏與其個人上，尤其既要有自由，也要有組織。而自由與組織則是相依相賴的，相反相成的，似相否定而其實是互相發展的。相反的相成總是好的。因此，自由進步，組織也進步，也就是人類最高理想的期望。」〔註182〕但在對立統一的自由與組織、個人與社會雙方的辯證關係中，張申府顯然更重視後者，「與其說中國今日需要自由，無寧說中國今日更需要組織。」〔註183〕他深信，「沒有組織或組織不好，是不能保障人人的自由的，」「組織不是束縛或阻礙自由的，組織正是或正應是保障或發展自由的。一個亂七八糟的社會必不會使得人人都自由。善良的組織一定：一，使其分子的才能都得到圓滿的發展；二，使其分子的力量都得到充分的使用；三，一定更凡可以利用的力量（人與物）都不憚於利用。……也就是把人人都擺在他最適當的地位，使人人都作他最能作的事，而且也不憚於所謂楚才晉用，以至外舉不避仇。善良的組織也就是善於動員的組織。」〔註184〕但這時張申府所謂的自由已經

〔註178〕張申府：《張申府文集》，第三卷，河北人民出版社 2005 年版，第 311 頁。
〔註179〕張申府：《張申府文集》，第三卷，河北人民出版社 2005 年版，第 156 頁。
〔註180〕張申府：《張申府文集》，第一卷，河北人民出版社 2005 年版，第 312～313 頁。
〔註181〕張申府：《張申府文集》，第一卷，河北人民出版社 2005 年版，第 512 頁。
〔註182〕張申府：《張申府文集》，第一卷，河北人民出版社 2005 年版，第 513 頁。
〔註183〕張申府：《張申府文集》，第一卷，河北人民出版社 2005 年版，第 513 頁。
〔註184〕張申府：《張申府文集》，第一卷，河北人民出版社 2005 年版，第 517 頁。

不僅僅是消極的自由，而更主要的是積極的自由。在 20 世紀 40 年代，張申府第一次對兩種自由概念作了分梳。

在自由主義思想史上，消極自由和積極自由的區分具有劃時代的重要意義，這自然應主要歸功於以賽亞·伯林 1958 年具有開創性的著名演說《兩種自由概念》，或者再往前追溯至貢斯當的《古代人的自由和現代人的自由》，而很少有人注意到中國知識分子對兩種自由概念所作的分梳。如胡偉希先生認為，「對於中國自由主義者來說，由於引入西方自由主義的目的在於解決中國面臨的種種問題，他們在理論上從來不屑於對消極自由與積極自由作仔細的區分。」〔註 185〕許紀霖先生也認為，「在自由的這兩個層面上，中國的自由主義者都有所發揮」，但「幾乎沒有人能夠將這兩者予以明確區分。」〔註 186〕「在現代中國自由主義知識分子之中，能夠在學理上將這兩種自由作明確區分的，可能只有張佛泉。他的《自由與人權》一書，對自由作了清晰的分梳。但這已經是五十年代的事了」。〔註 187〕事實上，在伯林之前，不僅在歐洲已有人明確使用了「消極自由」或（和）「積極自由」的概念，如格林、拉斯基、拉吉羅、E.H.嘉爾等；而且在中國，也有一些敏感的知識分子注意到了二者的區別，並對之作了分梳，其時間甚至遠早於伯林所作的區分，雖然他們看待消極自由與積極自由的態度與對二者關係的處理與伯林有所不同。張申府就是其中的佼佼者。

張申府區分兩種自由概念的思想來源是英國的國際關係學者 E.H.嘉爾（Edward Hallett Carr）教授。在《和平的條件》*Conditions of Peace* 一書中，嘉爾認為，有必要以「經濟學術語重新解釋『自由』」，因為「現在這個詞被十九世紀唯一的政治觀點重重掩蓋住了。自由仍然被廣泛地假定意味著某種公民和政治權利的享有，而與國家視野之外的日常生活中的經濟壓迫無關。於是，人們實際上意識到由政府所施加的嚴密控制和危險，而無視經濟制度對千百萬人的行為的控制——只有通過經濟制度的干預，他們才得以維持生計。對群眾來說，自由不是最重要的，除非它把人們更為幸運地從經濟統治

〔註 185〕胡偉希：《理性與烏托邦——二十世紀中國的自由主義思潮》，載許紀霖編：《二十世紀中國思想史論》，下卷，東方出版中心 2000 年版，第 16 頁。

〔註 186〕許紀霖：《現代中國的社會民主主義思潮》，載許紀霖編：《二十世紀中國思想史論》，下卷，東方出版中心 2000 年版，第 40 頁。

〔註 187〕許紀霖：《現代中國的社會民主主義思潮》，載許紀霖編：《二十世紀中國思想史論》，下卷，東方出版中心 2000 年版，第 57 頁。

下解放出來，正如從政治統治下解放出來一樣。只要最強大的新聞機構為在經濟上佔優勢的集團所掌握，甚至言論自由和新聞自由也部分地失去其重要意義。沒有這種經濟術語的重新解釋，自由觀，就像民主觀一樣，將面臨僵化死亡的危險。消極的自由觀以『不要管我』為之表示，是富有者的特徵。其他人以『給我個機會』來表達他們對自由的需要。假使自由要恢復其意義，必需重新界說為差不多像『極大量的社會與經濟的機會』這樣的說法。」「說我們以前的自由觀是不完整的，它需要延伸到經濟領域，所有不同種類的自由都是有價值的而且必須同時保持，是不夠的。正如林肯曾經說過：『羊和狼對自由的定義是不一樣的』；假定它們各自的定義能同時同等得適用是輕率的。我們面臨著在自由的傳統解釋──其擁護者要求排他的權利，和一種新的、到目前為止還遠未被承認、表示為『給我一個機會』的觀念之間事實上不可調和的對立。」〔註 188〕

張申府是一位博覽群書、喜求新知而又極為敏感的學者。嘉爾的著作於一九四二年三月出版，第二年一月他就在文中作了引用：「民主自由對於一般人的積極意思，就是『給我機會』。自由對於過著優閒生活的消極意思，才是『讓我自在』」。〔註 189〕在戰爭年代交通不便的條件下，這是難能可貴的。

根據嘉爾的論述，結合當時世界自由主義理論的新動向，張申府認為，當時已經形成了「一套大體一致的」新自由理論，其最重要處至少可以分為兩項。「第一項就是：除了政治自由以外，還要經濟自由；沒有經濟自由，則政治自由雖有也是空的。因此不匱乏的自由為今日人所最注意。因此全部有業的問題為今日人所最注意，這也就是所謂『窮人不是自由人』（羅斯福常引語）。」「第二項是在自由上分別消極積極兩方面。」「自由的消極看法，是『不要管我』Let me alone。這是不夠的，這是不行的，這只有養尊處優的人或『有』的人，即富有的人，才可以說。至於別的人所要的自由乃是『給我個機會』Give me a chance。假使自由要恢復其意義，必需重新界說為差不多像『極大量的社會與經濟的機會』這樣的說法。」除了引用嘉爾的話外，張申府並沒有給消極自由和積極自由下一個明確的定義，但根據他的論述，所謂消極自由，主要是不受限制的自由，包括「起碼的身體居住遷徙職業出版集會結社

〔註 188〕Edward Hallett Carr,*Condition of Peace*,pp30,31.London Macmillan＆Co. Ltd. 1942.

〔註 189〕張申府：《張申府文集》，第一卷，河北人民出版社 2005 年版，第 463 頁。

思想信仰學習研究講學的自由」。〔註190〕也就是「要說什麼就說什麼，要信什麼就信什麼，要作什麼就作什麼，要吃有吃，要穿有穿，而且更不怕什麼迫害危險；但令自信無意加害大眾，也不想不勞而獲，便都可不受什麼干涉限制。」〔註191〕而積極自由則更注重每個人的全面充分的發展，其主旨「尤在於機會，尤在於發展，尤在於盡性。……使個人都得到最大的發展，都竭盡性分之所能，都踐履職分所應爾，都對人類社會作最大的貢獻，有最大的收穫，達到盡可能地最高的造詣成就。」〔註192〕張申府認為，「自由是民主的精髓。要實現民主，必須保障自由。這所謂保障的自由，確乎不止消極的自由，而尤在於積極的自由，尤在於自由的機會。」尤其是他在《民主原則》一文中重重說道的「使得人人都能盡量地發展發揮發皇其才其力其業」，「使得一切人力都發展到，施展到可能的最高峰」，「使一切人所潛藏的才幹可能都得到最圓滿的發展實現」。〔註193〕系統地說，就是：「充分運用一切現代科學方法與工藝技術直接間接所造成的一切可能與機會，而一，把一切人或群己的才力都發展到最高處；二，把一切人已有的或已發展成的才力都使用到至盡處；三，使一切人對於他所屬的團體或所擔負的任務，都得盡其最大的可能，作其最善的努力，而使一切『止於至善』。這樣解說的自由可以叫作發展的自由。」〔註194〕

那麼，消極自由和積極自由的關係如何？如果二者的地位是不對等的，應以何者為重？張申府認為，「一一推到極處，兩層本也並無二致。」〔註195〕但是，由於當時中國的政治經濟以及政治經濟所影響的許多方面，比諸歐美一些國家實在太落後了，因此，「在今日中國」，「固然更要積極自由，也不能不要消極自由，甚至起碼的身體居住遷徙職業言論出版集會結社思想信仰學習研究講學的自由。」〔註196〕「現在講自由，首重予人以機會」。〔註197〕

〔註190〕張申府：《張申府文集》，第一卷，河北人民出版社 2005 年版，第 514～515 頁。

〔註191〕張申府：《張申府文集》，第一卷，河北人民出版社 2005 年版，第 681 頁。

〔註192〕張申府：《張申府文集》，第一卷，河北人民出版社 2005 年版，第 500 頁。

〔註193〕張申府：《張申府文集》，第一卷，河北人民出版社 2005 年版，第 515～516 頁。

〔註194〕張申府：《張申府文集》，第一卷，河北人民出版社 2005 年版，第 516 頁。

〔註195〕張申府：《張申府文集》，第一卷，河北人民出版社 2005 年版，第 472 頁。

〔註196〕張申府：《張申府文集》，第一卷，河北人民出版社 2005 年版，第 515 頁。

〔註197〕張申府：《張申府文集》，第一卷，河北人民出版社 2005 年版，第 567 頁。

可見，在張申府的心目中，積極自由和消極自由是不矛盾的，二者無寧是相輔相成的，是一個問題之兩面。雖然在當時一般人民的力量日益壯大的情況下，張申府顯然更為重視積極自由，但他並不忽視消極自由，因為在當時的中國，人民連最起碼的人身自由和權利也還沒有。〔註198〕

　　消極自由和積極自由概念的經典闡述者是英國自由主義思想大師以賽亞·伯林。他認為，消極自由和下面這個問題的解答有關，即：「主體（一個人或人的群體）被允許或必須被允許不受別人干涉地做他有能力做的事、成為他願意成為的人的那個領域是什麼？」〔註199〕在他看來，「政治自由簡單地說，就是一個人能夠不被別人阻礙地行動的領域。如果別人阻止我做我本來能夠做的事，那麼我就是不自由的；如果我的不被干涉地行動的領域被別人擠壓至某種最小的程度，我便可以說是被強制的，或者說，是處於奴役狀態的。……強制意味著在我可以以別的方式行事的領域，存在著別人的故意干涉。」〔註200〕這種定義不在於指出自由應該是什麼，而在於指出政府權力或其他政治強權不應該限制什麼、損害什麼、剝奪什麼，它只意味著「免於……」的自由。積極自由回答的問題是：「什麼東西或什麼人是決定某人做這個、成為這樣而不是做那個、成為那樣的那種控制或干涉的根源？」〔註201〕簡單地說，積極自由即是「做……」的自由，在《兩種自由概念》中，伯林對這種自由概念作了精彩的描述：「『自由』這個詞的『積極』含義源於個體成為他自己的主人的願望。我希望我的生活與決定取決於我自己，而不是取決於隨便哪種外在的強制力。我希望成為我自己的而不是他人的意志活動的工具。我希望成為一個主體，而不是一個客體；希望被理性、有意識的目的推動，而不是被外在的、影響我的原因推動。我希望是個人物，而不希望什麼也不是；希望是一個行動者，也就是說是決定的而不是被決定的，是自我導向的，而不是如一個事物、一個動物、一個無力起到人的作用的奴隸那樣只受外在自然或他人的作用，也就是說，我是能夠領會我自己的目標與策略且能夠實現它們的人。當我說我是理性的，而且正是我的理性使我作為人類的一員與

〔註198〕在其它地方，張申府也曾說過，「要積極自由，不要消極自由」，但揆諸上下文意，「要給人機會，不僅僅要任人去」，他並未否定消極自由。見《張申府文集》，第一卷，河北人民出版社2005年版，第652頁。
〔註199〕以賽亞·伯林著：《自由論》，譯林出版社2003年版，第189頁。
〔註200〕以賽亞·伯林著：《自由論》，譯林出版社2003年版，第189～190頁。
〔註201〕以賽亞·伯林著：《自由論》，譯林出版社2003年版，第189頁。

自然的其他部分相區別時，我所表達的至少部分就是上述意思。」〔註202〕可見，積極自由的根本意義，就是自我引導、自我實現及自我主宰，自己做自己的主人。

應該說，在對消極自由與積極自由的基本含義的闡釋上，張申府與伯林大同小異，大致相同。但是，伯林認為，消極自由至少包含兩個相互關聯的原則：第一，惟有「權利」才能成為絕對的東西，除了權利以外，任何「權力」都不能被視為絕對；第二，人類在某些界限以內，是不容侵犯的。「不管以什麼樣的原則來劃定不受干涉的領地，無論它是自然法、自然權利或功利原則，還是絕對命令的要求、社會契約之規定或人們藉以澄清和衛護他們的信念的任何其他概念，自由在這一意義上就是『免於……』的自由，就是在雖變動不居但永遠清晰可辨的那個疆界內不受干涉」。〔註203〕在這兩個方面，張申府顯然沒有伯林強調地如此絕對。另外，在自由與自由的能力、自由與平等的關係上，張申府更是明顯與伯林有別。伯林極力反對把自由和能力連在一起，說一個人是自由的，並不意味著他能做他想做的事。一方面，能力與大自然對我們的限制有關，例如我們不能像鳥兒一樣在空中飛翔；另一方面，也很容易把自由與財富連在一起，進而必將導致政府對財富進行再分配。「只有當你被人為地阻止達到某個目的的時候，你才能說缺乏政治權利或自由。純粹沒有能力達到某個目的不能叫缺少政治自由。」〔註204〕自由和平等不能混淆，「任何事物是什麼就是什麼：自由就是自由，既不是平等、公平、正義、文化，也不是人的幸福或良心的安穩。」〔註205〕如果剝奪某些人的自由以求減輕不平等的恥辱，同時卻並未實質性地增加他人的個人自由，那麼，結果就是自由絕對地喪失了。自由之所失也許會為公正、幸福或和平之所得所補償，但是失去的仍舊失去了。剝奪並不會增加被剝奪的東西，即自由，不管這種剝奪有多大的道德需要或補償。而張申府則認為，「平等而後有自由。假使個個事事處處都要超越一切，有互相砍殺而已，有什麼自由可說？」人們「必須各個犧牲一部分自由，獲得一部分安全，以獲得另一部分自由。」〔註206〕顯然，他並未滿足於單純解除外在束縛的消極

〔註202〕以賽亞‧伯林著：《自由論》，譯林出版社2003年版，第200頁。
〔註203〕以賽亞‧伯林著：《自由論》，譯林出版社2003年版，第195頁。
〔註204〕以賽亞‧伯林著：《自由論》，譯林出版社2003年版，第190頁。
〔註205〕以賽亞‧伯林著：《自由論》，譯林出版社2003年版，第193頁。
〔註206〕張申府：《張申府文集》，第三卷，河北人民出版社2005年版，第311頁。

自由，而更衷情於自主意義的積極自由。在積極自由的概念上，他也並未像伯林那樣覺察到有導致極權暴政的反自由傾向。伯林則恰恰相反，他更偏愛消極自由，主張消極自由優先於積極自由。他認為，自我管理的要求，或至少參與自我的生活由以得到控制的過程的要求，與對行動的自由領地的要求，「並不是對同一種東西的要求。事實上，這兩種要求是如此的不同，以致最終導致了支配我們這個世界的意識形態的大撞擊。因為，在『消極』自由觀念的擁護者眼中，正是這種『積極』自由的概念——不是『免於……』的自由，而是『去做……』的自由——導致一種規定好了的生活，並常常成為殘酷暴政的華麗偽裝。」〔註 207〕

　　積極自由可能導致暴政，單純的消極自由也未必就是自由的康莊大道，如何在消極自由與積極自由之間尋得一個適當的平衡，二十世紀四十年代張申府對兩種自由概念所做的分梳也許會給我們一些有益的啟示。

　　總之，張申府認為，要在當時的中國實行自由，至少應注意三點。

　　第一必須人人自由。「人人自由，乃無侵略自由，壓迫自由，剝削自由。」〔註 208〕但張申府雖然主張個人自由，卻反對國家自由，他說「個人應自由，國家不應自由。國家應獨立，不受侵略壓迫。但獨立的國家對外自由，歐洲十九世紀的自由主義遂演成了帝國主義」〔註 209〕。這一點使張申府與近代大部分自由主義者大異其趣，因為近代中國的主流思想是以國家的自由抑制個人的自由，如嚴復就說：「特觀吾國今處之形，則小己自由，尚非所急。而所以祛異族之侵橫，求有立於天地之間，斯真刻不容緩之事。故所急者，乃國群自由，非小己自由也。」〔註 210〕梁啟超也指出，「自由云者，團體之自由，非個人之自由也。」〔註 211〕孫中山更強調犧牲小己自由以換取國家自由，他說，「個人不可太自由，國家要得到完全的自由。到了國家能夠行動自由，中國便是強盛國家，要這樣做，便要大家犧牲自由。」〔註 212〕與這些前輩思想家相比，張申府顯然更為清醒，對自由的堅持也更為執著，雖然他也主張自

〔註 207〕以賽亞・伯林著：《自由論》，譯林出版社 2003 年版，第 199～200 頁。
〔註 208〕張申府：《張申府文集》，第一卷，河北人民出版社 2005 年版，第 652 頁。
〔註 209〕張申府：《張申府文集》，第一卷，河北人民出版社 2005 年版，第 653 頁。
〔註 210〕嚴復：《法意》按語，下冊，《嚴譯名著叢刊》，商務印書館 1931 年版，第 917 頁。
〔註 211〕梁啟超：《梁啟超選集》，上海人民出版社 1984 年版，第 227 頁。
〔註 212〕孫中山：《孫中山選集》，人民出版社 1981 年版，第 722 頁。

由與組織的辯證統一，但並未以犧牲個人自由爲代價。另外，張申府還提出一個別具一格的觀點，即他「認爲社會正當的單位應該是偶體個人──兩個異性個人融成一體」，而不應當是「單純的個人（自然人）」，「這也是一種相反相成；但實現恐非易易。」﹝註213﹞可惜他只是一語帶過，而並未展開論述，我們不能窺其全貌。

第二要消極自由，更要積極自由。「要給人機會，不僅僅要任人去。生存自由，學習自由，工作自由，或如所謂免於匱乏的自由，免於恐懼的自由，都要是積極的自由。」﹝註214﹞在這一點上，他與政治學者吳恩裕同調。在近代中國，明確使用消極自由與積極自由概念的，除張申府外，就是吳恩裕了。他說：「自由有消極和積極兩種意義。消極方面，自由有：取消約束或限制之意。例如信仰自由，便含有旁的人或政府不干涉個人信仰宗教之意。又如言論自由，也同樣有反對任何人干涉的意思。積極方面，自由有：任意選擇辦法或觀點意思。例如上述兩種自由，在積極方面，便含有任意選擇宗教信仰，任意選擇立論的觀點的意思。」在消極自由和積極自由中，吳恩裕更傾向於後者：「特別是從自由的積極意義說，它乃是任何社會進步的基本條件。一個社會的進步乃是大量的創造活動及思想所造成的。而創造性的活動及思想，都包括著『選擇』的作用。那就是說，假如有最好、好、不好三個可能，那麼創造性質的活動及思想，就選擇那『最好』的一個可能。旁人、政治權力，都不能限制或阻礙這種選擇。」﹝註215﹞他認爲，自古以來，人們一直在追求自由，但自由的實現始終沒有擴展普及於全民，其原因就是：「在全民中之貧困的農工階級在現代國家中，雖然表面上享有自由的法律權利，但是他們自己的經濟情況，卻阻礙了他們實際上享受這種權利。所以，法律上的規定是『應該』享受自由；而事實上的問題是『能』『不能』享受自由。這種『能』與『不能』的背後，實在隱藏著階級的分野，財富分配的不均。這種情形就正是所謂『不平等』。」因此，他認爲，「全民普遍地獲得自由，必須建築在經濟平等之上。我們必須取消經濟上的不平等，然後才能實現全民的自由。」「全民的自由，必須以平等爲基礎。……沒有平等的基礎，眞正全民的自由是不會實現的。平等和自由是不衝突的，因此我們一方面固然要爭取自由，

﹝註213﹞張申府：《張申府文集》，第一卷，河北人民出版社2005年版，第652頁。
﹝註214﹞張申府：《張申府文集》，第一卷，河北人民出版社2005年版，第652頁。
﹝註215﹞吳恩裕：《自由乎？平等乎？》，《觀察》第三卷第十二期。

另方面也要促成平等，以爲自由的基礎。」〔註216〕而所謂平等基礎上的自由，當然就是積極自由。例如張申府在區分了兩種經濟自由（一種是原始意義上的經濟自由，即「窮的自由」；一種是「不閒的自由」，即人人得有工作的自由）後說，「一個不窮的方法就是不閒。不閒的自由也就是另一種經濟自由。歷來雖說不患貧而患不均，今日中國是即患不均也患貧。同時今日世界卻是不患不工作而患無工作。問題已不大在生產，而大在種種分配。分配得當，忙閒才得均勻。這才眞是已不患貧，而患不均。」〔註217〕

第三切認自由與組織相反相成。「無自由，組織不能充實健旺；無組織，自由不得充分發展。要自由的組織，即有自由的組織；也要組織的自由，即有組織的自由。組織正予自由以機會；自由才使組織有『靈魂』。自由在組織之中，成自覺的自由；組織於自由之下，乃是自覺的組織。」〔註218〕關於自由與秩序、自由與組織的辯證統一關係，李大釗早在二十年代初就有過精彩的論述，他說：「個人與社會，不是不能相容的二個事實，是同一事實的兩個方面；不是事實的本身相反，是爲人所觀察的方面不同。一云社會，即指由個人集成的群合；一云個人，即指群合中的分子。離於個人，無所謂社會；離於社會，亦無所謂個人。故個人與社會並不衝突」。「個人是群合的原素，社會是眾異的組織。眞實的自由，不是掃除一切的關係，是在種種不同的安排整列中保有寬裕的選擇機會；不是完成的終極境界，是進展的向上歷程。眞實的秩序，不是壓服一切個性的活動，是包蓄種種不同的機會使其中的各個分子可以自由選擇的安排；不是死的狀態，是活的機體。」「我們所要求的自由，是秩序中的自由；我們所顧全的秩序，是自由間的秩序。只有從秩序中得來的是自由，只有在自由上建設的是秩序。個人與社會，自由與秩序，原是不可分的東西。」〔註219〕張申府思想的轉變，也可能是受到了李大釗思想的影響。

（三）和諧民主論

和諧是人類永恒的追求。自古及今，無論中外，幾千年來，人們前赴後繼，殫精竭慮，夢想著實現人與自然的和諧、人與人的和諧、人與社會的和

〔註216〕吳恩裕：《自由乎？平等乎？》，《觀察》第三卷第十二期。
〔註217〕張申府：《張申府文集》，第一卷，河北人民出版社2005年版，第502頁。
〔註218〕張申府：《張申府文集》，第一卷，河北人民出版社2005年版，第652頁。
〔註219〕李大釗：《自由與秩序》，《李大釗文集》，下冊，人民出版社1984年版，第437～438頁。

諧、人與自身的和諧，但和諧社會總是像海市蜃樓般虛無飄渺，可望而不可及。其原因何在？張申府認為，這是因為人類還遠未實現民主、或充分的民主之故，只有民主，才能使人類社會漸進和諧之境。

首先，和諧是民主的必然趨勢，民主是和諧的本質要求。

張申府對民主的解釋，是他的和諧民主論的理論基礎。他說，民主，「最簡單的解釋就是民為主，或主權在民，或由民而治，民主的一個初步或準備原則是：法律之前人人平等。推而廣之，就是：一切公民都有平等的政治權理（俗作權利，不當）。」〔註220〕但這還不夠，因為民主乃是嚴格的「民為主」和「主權在民」，「不但『對人民』To the People 一定不是民主，就是『為人民』For the People 也夠不上民主。民主一定是『由人民』而且『盡人民』By the People and from the People」。〔註221〕張申府認為，「人人自由與人人都得到可能的最大發展」，「是民主的最高理想」。〔註222〕民主的真諦就是人的充分發展和自我實現，就是「使一切人力都發展到，施展到可能的最高峰。」「使一切人所潛藏的才幹可能，都得到最圓滿的發展實現」〔註223〕，「使得人人都能盡量地發展發揮發皇其才其力其業」。系統地說，就是「充分運用一切現代科學方法與工藝技術直接間接所造成的一切可能與機會，而一，把一切人或群己的才力都發展到最高處；二，把一切人已有的或已發展成的才力都使用到至盡處；三，使一切人對於他所屬的團體或所擔負的任務，都得盡其最大的可能，作其最善的努力，而使一切『止於至善』。」〔註224〕其根本精神則是「盡其在我」、「各得其所」、「與人為善」。所謂盡其在我，就是「盡性」，就是使人人都達到可能的大發展，從而止於至善。所謂各得其所，就是「權責分擔，名利均霑」〔註225〕，「使人人事事物物都得其所。因此，假使有一人不得教養，一夫不得其用，一分力不出於身，一貨委棄於地，一賢一能不見選，一事不信不睦，一物不為公，那就都算不得充分的民主。那自說不上：民的，由民的，為的民的；或民有，民治，民享。」所謂與人為善，「也就是人人都可以為善，

〔註220〕張申府：《張申府文集》，第一卷，河北人民出版社2005年版，第492頁。
〔註221〕張申府：《張申府文集》，第一卷，河北人民出版社2005年版，第517頁。
〔註222〕張申府：《張申府文集》，第一卷，河北人民出版社2005年版，第652頁。
〔註223〕張申府：《張申府文集》，第一卷，河北人民出版社2005年版，第471～472頁。
〔註224〕張申府：《張申府文集》，第一卷，河北人民出版社2005年版，第515～516頁。
〔註225〕張申府：《張申府文集》，第一卷，河北人民出版社2005年版，第532頁。

認『人之欲善，莫不如我』。」〔註226〕「不但要大家來，而且有互相配合的意思」。〔註227〕民主的基礎（心理基礎，實即社會基礎）就是理性，稍稍具體言之，「就是在採取方法的多元，對人作平等觀（在精神上），對事作分別觀（在物質上）。更具體言之，就在承認他人，容許他人，重視他人，相信我可以對別人也可以對，同時別人有錯誤我也會有錯誤；因此，一般言之，別人的意見與我的意見是同樣有價值的。在生活上絕不爲人代庖，絕不強人同己。」〔註228〕民主政治就是「理性政治，或討論政治。」〔註229〕民主的人生觀就是遂生、大生、美生的人生觀，「因此人生的目的便應當是使人人都得遂其生，善其生，美其生，擴大其生。而所謂善與美者，也就是使生活易，使生活易於進步的意思。」〔註230〕

　　在張申府的思想中，民主是一個全面系統的概念，包括「思想民主，社會民主，政治民主，經濟民主，國際民主」五個方面。在其思想與社會方面，民主社會是一個思想解放，獨斷、迷信、盲從袪除的社會，是一個「以個人爲社會本位，法律之前人人平等」，婦女解放、男女婚姻關係解放的社會。〔註231〕政治民主是指政治制度方面的民主，包括憲政、法治、選舉產生的民意機關及責任政府等，「以憲法規定國家的根本組織，規定人民權理的保障；以議會爲人民議政的機關，監督政府的行動；以對議會負責的政府執行人民的共同意見。」〔註232〕在思想民主和政治民主已爲大多數人所承認、所提倡、所主張因而是不言而喻的基礎上，他更爲重視經濟民主和國際民主。他認爲，「民主必須擴張。必須由僅僅政治民主擴張到經濟民主，社會民主。如經濟上，社會上，不民主，所謂政治民主也就是假的。假民主一定站不住。也可以說，非整個民主即無民主。」〔註233〕「社會主義是進步民主的一方面——經濟民主即社會主義即民主集體主義或集體民主主義。」〔註234〕就是「平均地權，一切有關經濟事項，都由國家與各業的集合，有機地有計劃地統籌統轄之。由制度的合理化，實業的

〔註226〕張申府：《張申府文集》，第一卷，河北人民出版社2005年版，第472頁。
〔註227〕張申府：《張申府文集》，第一卷，河北人民出版社2005年版，第568頁。
〔註228〕張申府：《張申府文集》，第一卷，河北人民出版社2005年版，第456頁。
〔註229〕張申府：《張申府文集》，第一卷，河北人民出版社2005年版，第475頁。
〔註230〕張申府：《張申府文集》，第一卷，河北人民出版社2005年版，第160頁。
〔註231〕張申府：《張申府文集》，第一卷，河北人民出版社2005年版，第533頁。
〔註232〕張申府：《張申府文集》，第一卷，河北人民出版社2005年版，第533頁。
〔註233〕張申府：《張申府文集》，第一卷，河北人民出版社2005年版，第467頁。
〔註234〕張申府：《張申府文集》，第一卷，河北人民出版社2005年版，第534頁。

發達，教育文化的進步，企求管理者生產者享受者的統一。獎勵人民投資，獎勵各種實業的開發，但必須裁抑過富過貧，人剝削人，勞動者不得食，得食者不勞動的現象，而永絕不必要的所謂『勞資』的紛擾。」〔註235〕在一個民主社會裏，其經濟結構必然是「以社會福利爲生產的出發點；以設計或計劃化與逐漸集體化爲經濟發展的途徑；以均衡爲分配的標準。」〔註236〕顯然，所謂經濟民主其實就是社會主義，就是公有制、按勞分配、計劃經濟與平等。另外，「民主必須兼是國際的」。〔註237〕張申府是一個民族主義者，也是一個世界主義者，他對民主的提倡，其出發點就是民族的解放與國家的獨立。但他從不因民族主義而忘卻世界主義，更不因世界主義而忽視民族主義。民主除了是救國的利器外，還是世界的潮流，是世界發展的根本趨勢。世界和諧、人類大同更是張申府永遠的追求。張申府向來主張，「本世界見地改造各個地方：不要爲一地方好而改造那個地方，要爲世界好而改造各個地方。就令一切地方各單獨像是好了，世界全個仍可以不好；世界全個不好，各個地方其實不能好。」〔註238〕以民主的原則處理國際關係，以民主的力量推進世界和平，是張申府民主思想的題中應有之意。因此，民主的國際關係應該是「成立推進世界和平與安全的包括政治、經濟、法律、軍事、文化各方面的國際組織；推進各民族的普遍發展；推進各地物質資源的充分的互惠的利用。」〔註239〕這個民主的國際關係必然是和平性質的，必然「以民主的力量，進步和合作的辦法，保障社會安全，推進世界和平順遂的發展，永遠消彌人類間的戰爭，向著逐生、大生、美生的人生理想，實現人類社會的大同。」〔註240〕

民主有三個要素，即「自由（發展的自由），平等（機會的平等），合作（事業的合作）。」〔註241〕所謂發展的自由，就是在保證「起碼的身體居住遷徙職業言論出版集會結社思想信仰學習研究講學的自由」〔註242〕的基礎上，「尤在於機會，尤在於發展，尤在於盡性。……使個人都得到最大的發展，都竭盡性分之所能，都踐履職分所應爾，都對人類社會作最大的貢獻，有最

〔註235〕張申府：《張申府文集》，第一卷，河北人民出版社2005年版，第367頁。
〔註236〕張申府：《張申府文集》，第一卷，河北人民出版社2005年版，第533頁。
〔註237〕張申府：《張申府文集》，第一卷，河北人民出版社2005年版，第469頁。
〔註238〕張申府：《張申府文集》，第一卷，河北人民出版社2005年版，第21～22頁。
〔註239〕張申府：《張申府文集》，第一卷，河北人民出版社2005年版，第533頁。
〔註240〕張申府：《張申府文集》，第一卷，河北人民出版社2005年版，第535頁。
〔註241〕張申府：《張申府文集》，第一卷，河北人民出版社2005年版，第532頁。
〔註242〕張申府：《張申府文集》，第一卷，河北人民出版社2005年版，第514～515頁。

大的收穫，達到盡可能地最高的造詣成就。」〔註243〕張申府認為，「自由是民主的精髓。要實現民主，必須保障自由。這所謂保障的自由，確乎不止消極的自由，而尤在於積極的自由，尤在於自由的機會。」〔註244〕平等與自由是一個辯證的否定之否定的關係，但「平等必須先於自由。不平等，有等級，是最顯著的封建結習。由政治的封建到經濟的封建，都如此。不平等時的自由，必只便宜了少數人。自由生產，自由貿易，自由發財，結果是自由剝削，自由壓迫，自由侵略。真是許多罪惡假自由之名以行！」〔註245〕「平等而後有自由。假使個個事事處處都要超越一切，有互相砍殺而已，有什麼自由可說？有了自由，而後有平等。使個個都得遂其圓滿的發展，這平等是高一級的而且逐漸增高的真平等。」〔註246〕合作是民主精神的題中應有之意，因為「民主的出發點就是集體」〔註247〕，人是社會的人，人之所以為人就在於人的社會性，假使不承認人的社會性，不承認社會是人的集體，「不知己外有人，不知人與己有密切關係，是一體的；不知人與己一般解事，己並不會怎樣了不得的智，人也不必怎樣太比己愚；或則不知有社會，只謀私而不計公，甚且假公濟私，少也公私不分；不但抱定『各人自掃門前雪，不管他人瓦上霜』，就是人己兩便的事也不肯作」〔註248〕，民主必定難以圓滿地實現，因此，張申府認為，「合作組織為今日推進民主的一種最適宜的生產與消費制度——以民主設計，發展科學，廣增生產，暢利流通，充分就業，保障社會安全，而使人人享有免於匱乏免於恐懼的自由。」〔註249〕。在這裡，張申府把自由的意義理解為發展的自由，把平等的意義理解為機會的平等，比起一般人單純講權利自由、個性自由、人的解放和社會分配結果的平等多了一層要求進步的意義，因而更具有積極性和主動性；同時，在自由平等的基礎上引入合作的精神，使民主的含義更為豐富，更為切合近代中國的實際，因此也更易於被人們所接受，因為民主的目的不僅僅是要實現人人平等和自由，而且是要使全體人民能夠團結合作，促進國家和社會的全面發展。

〔註243〕張申府：《張申府文集》，第一卷，河北人民出版社 2005 年版，第 500 頁。
〔註244〕張申府：《張申府文集》，第一卷，河北人民出版社 2005 年版，第 515 頁。
〔註245〕張申府：《張申府文集》，第一卷，河北人民出版社 2005 年版，第 653 頁。
〔註246〕張申府：《張申府文集》，第三卷，河北人民出版社 2005 年版，第 311 頁。
〔註247〕張申府：《張申府文集》，第一卷，河北人民出版社 2005 年版，第 472 頁。
〔註248〕張申府：《張申府文集》，第一卷，河北人民出版社 2005 年版，第 472～473 頁。
〔註249〕張申府：《張申府文集》，第一卷，河北人民出版社 2005 年版，第 534 頁。

可見，一個實現了充分民主的社會，必然是一個人人自由、人人平等、人人發展、人人盡性、人人幸福美滿的公平、正義、和平的和諧社會，也就是「全體人民各盡其能、各得其所而又和諧相處的社會」〔註250〕。而這樣一個和諧的社會，也只有通過民主的途徑才能獲得，因為「只有民主乃能容許人人或最大多數人的才力都得到極大量的發展與利用。然後最進步的世界，最快活的人生，人類最高的理想，乃能有實現的可能。」〔註251〕

其次，和平發展與平衡發展是中國民主發展必然遵循的道路，也是社會和諧的必經之途。

張申府曾主張通過革命實現天下為公、和諧美好的大同理想社會。但他後來認識到，「只有由和諧的途徑，才能獲得和諧的結果。」〔註252〕在抗日戰爭勝利後國共內戰風雲密佈的情況下，張申府指出，和平發展與平衡發展，「實在是今日中國發展的大道，也是今後中國發展應該遵行的坦途。」〔註253〕

所謂和平發展，包括國內和平與國際和平兩方面，國內和平即指和平建國。「中國建國應該和平，非和平必不能建國，這已人人共信，全無問題。」但和平卻不是只限於一時，「這個階段要和平，下一個階段也要和平。而且將來由一個階段過渡到另一個階段，尤其要和平。所謂和平發展，實在特別指此而言。必這樣子，必能做到這樣子，中國的民主才表現了最大的作用。」〔註254〕國際和平則正如前文所述，通過團結世界上的民主進步力量，成立推進世界和平與安全的包括政治、經濟、法律、軍事、文化各方面的國際組織，保障社會安全，推進世界和平順遂的發展，永遠消彌人類間的戰爭，向著遂生、大生、美生的人生理想，構建和諧世界，實現人類社會的大同。

在和平發展的基礎上，還應追求平衡發展。「所謂平衡發展，更是今日民主的一個最重要意義之所在。國際的不平衡發展是事實。一國內的不平衡發展也是事實。這都是由於不民主，或未達到民主，未能民主所致。中國今日開始民主，實在尤其最需要平衡發展，以救過去發展的偏怙，並以幫著圓滿民主的實現。民主的真義是人人事事物物都達到可能的最大的發展。這不是

〔註250〕《中共中央關於加強黨的執政能力建設的決定》，《人民日報》，2004 年 9 月
　　　　 27 日。
〔註251〕張申府：《張申府文集》，第一卷，河北人民出版社 2005 年版，第 498～499 頁。
〔註252〕張申府：《張申府文集》，第一卷，河北人民出版社 2005 年版，第 616 頁。
〔註253〕張申府：《張申府文集》，第一卷，河北人民出版社 2005 年版，第 593 頁。
〔註254〕張申府：《張申府文集》，第一卷，河北人民出版社 2005 年版，第 593～594 頁。

平衡發展是什麼？中國今日事事都需要發展；那就最好平衡發展。而平衡發展其實就是最有效的發展。」平衡發展既包括各地方、各區域的平衡，也包括各領域、各階層、各職業的平衡，因此國家的各項政策設施必須兼顧各方的利益。「一言以蔽之，就是全國各方面都要得到應當的發展，都要得到不妨礙其他的發展。在中國今日國情之下，如果作不到這個，必致有違民主之眞義，不但不是今日中國所需要，更是今後中國所應避免。」〔註255〕

平衡發展必然要求設計或計劃化，或「民主的設計」。張申府認爲，第二次世界大戰後，「設計或計劃化必然流行」，中國當然也不能例外。所謂設計或計劃化，「說明白了，也沒有什麼，要義不過是腳踏實地，通盤籌算，周密配合。而民主的設計就是由下而上，不要由上而下。由此，自然雖說設計，也不過是集體合作，自不至妨礙個人發展，自不至於陷於獨裁部勒。」〔註256〕有人懷疑平衡發展不合設計的潮流，恰恰相反，「今日所謂設計或計劃（英字 Planning）正是包含平衡發展，包含各方面互相適應的發展而言。」「假使不是爲的平衡發展，爲的各方面互相配合互相照顧互相適應的發展，其實也就不必要什麼設計了。最近這三四年英美方面新流行所謂『民主的設計』（democratic planning），即輔助個人自由發展而非妨礙個人自由發展的設計，也就是特別爲了要表明設計的平衡發展的意義，才有此相反相成的說數。」〔註257〕

最後，中國的民主是多階級融合融洽、和諧相處的民主。

抗日戰爭行將結束之際，中國社會發展的主題開始了由抗戰向建國的轉變，中國社會的各種政治勢力開始把主要注意力集中到在抗戰勝利後建什麼國的問題上來。共產黨人提出了聯合政府的主張。以民盟爲代表的中間勢力則在蘇聯無產階級民主思想和十九世紀末、二十世紀初興起的民主社會主義、新自由主義思想的影響下，在調和國共、兼親美蘇、走中間路線的要求下，提出了「中國型的民主」思想，其基本內容可以用一句話來概括，即英美的政治民主加蘇聯的經濟民主。首先要學習「英美兩國在民意政治上的經驗」，同時「拿蘇聯的經濟民主來充實英美的政治民主」〔註258〕。

〔註255〕張申府：《張申府文集》，第一卷，河北人民出版社 2005 年版，第 594 頁。
〔註256〕張申府：《張申府文集》，第一卷，河北人民出版社 2005 年版，第 575 頁。
〔註257〕張申府：《張申府文集》，第一卷，河北人民出版社 2005 年版，第 594 頁。
〔註258〕《中國民主同盟臨時全國代表大會政治報告》，《中國民主同盟歷史文獻》，文史資料出版社 1983 年版，第 76～77 頁。

　　張申府則認爲，中國的民主必須是獨立的，中國式的。近百年來，由於帝國主義的侵略和以境爲樂的人生哲學，中國社會思想文化上普遍流行的是封建主義思想和殖民地心理，早已失去了應有的獨立狀態。視人爲強，視己爲弱；視人爲優，視己爲劣；視人爲先進，甘稱自己落後，鑄成了一種奴性和依賴性。他認爲必須廓清這種思想。「中國的民主必須以中國爲體以中國爲本位而行之；中國的民主也必須不但不奴於他國，也不在精神上依賴他國而行之（就令是最好的友邦也罷）。人民精神的獨立與國家主權領土的完整獨立，必須相輔而具備。」〔註259〕張申府向來主張，「要變革世界，必然瞭解世界。要改造一國，也必須瞭解一國。」〔註260〕「改革中國總要在中國找辦法，雖然一般大法不妨借資他人，借鏡他國。」〔註261〕在民主問題上，他也認爲，必須以中國的國情實際爲出發點和落腳點，中國的民主「必須是中國的。……如果在中國，對中國事，而不由中國人以中國爲第一位；所採取的辦法不紮根在中國的本土，對於大多數中國人必都不免多少隔閡。」雖然「消納世界一切有價值的東西，利用世界一切利用的利器，自也同屬絕對的必要而分當。」〔註262〕因此，他不同意「中國今日政治上應採取英美，而經濟應採取蘇聯」的說法，認爲「政治經濟總是生活裏的事。政治經濟上外來東西可以實際採用的，實很難不限於原則。假使中國的政治經濟而不在中國的實際生活上紮根，任何外來的辦法，拿來強加上，必無濟於事。而且外來的辦法，凡是可採的都可以參考，也不能強分畛域。如果是來源不同的一種政治制度與一種經濟制度，是否可以匯合在一起，或如何才可以匯合在一起，又何嘗不是問題？頂多可以說，中國最近應有的革新，在政治上，英美方面可以參考之處，比較多一些；在經濟上，蘇聯可以參考之處比較多一些。並非在經濟上英美全無可採，在政治上蘇聯全無可採也。政治經濟又豈能嚴格劃分或割開？」「但最要緊的究竟還在中國的本土，還在中國自古以至今日的實際生活。」〔註263〕職此之故，「中國的民主既不是蘇聯的民主，也不是英美的民主。中國的民主只是中國的民主。而且中國的民主，既不能說在經濟上要像蘇聯，更不能

〔註259〕張申府：《張申府文集》，第一卷，河北人民出版社2005年版，第473頁。
〔註260〕張申府：《張申府文集》，第一卷，河北人民出版社2005年版，第297頁。
〔註261〕張申府：《張申府文集》，第一卷，河北人民出版社2005年版，第304頁。
〔註262〕張申府：《張申府文集》，第一卷，河北人民出版社2005年版，第473頁。
〔註263〕張申府：《張申府文集》，第一卷，河北人民出版社2005年版，第547頁。

說在政治上要像英美。」〔註264〕這是由中國的社會結構所決定的，而中國的社會結構，與英美的社會結構，與蘇聯的社會結構，都有根本的不同。

關於社會結構，張申府同意馬克思主義的階級論，但對所謂階級或階層，卻有自己獨特的理解。他認爲，階級或階層不必一定要拿社會中人在生產過程上的地位，或對於生產工具的關係來解釋，只一般地拿「利害」來說，也就可以了。「一個社會裏邊，生活上利害根本共同的便構成一個階級；生活上利害根本不同的便屬另一個階級。一個社會裏邊，有沒有階級，只看裏邊的人生活上是不是根本有所不同，就夠了。所謂生活上，說得精密一點，也可說資生之具，或說靠什麼生活也行。」〔註265〕根據這一對社會結構的解釋，中國社會，與英美社會，與蘇聯社會的社會結構，都有根本的不同。概括言之，「可以說英美社會是二階級的，蘇聯社會是一階級的，而中國社會是多階級的。在英美社會裏，由兩個主要階級，即資產階級與無產階級，在一般情形下，互相對壘，而中產階級通常屬於次要地位。蘇聯社會裏則只有工農與主要由工農生成的知識分子，合成唯一的階級。中國社會乃以農民，小地主，小資產階級（包括手藝人，手工業者，小商人等），知識分子爲主；大地主，現代工人，現代資本家，都居於非決定重要的少數。」既然中國的社會結構與英美，與蘇聯的社會結構如此不同，根據經濟基礎決定上層建築的原理，彼此的民主制度，當然也不能一樣。如果說英美的民主是「一個主要階級在上，一個主要階級在下的民主。蘇聯的民主是一個唯一階級構成社會的民主」的話，中國的民主則應是「多階級平等，多階級融洽，多階級合作的民主」〔註266〕。這是中國民主的可能，也是中國民主的理想。

張申府認爲，理想的和諧社會是沒有階級的社會，也就是所謂大同社會。實現社會和諧和人類大同，必須首先實現「一個」階級的社會。由兩個階級或幾個階級的社會變成唯一階級的社會有兩個方法，一是兩個或幾個階級融合爲一個階級；二是由一個階級把另一個階級或另幾個階級消滅，而那一個階級必是非有它不可的階級，即「勞動與知識階級」。蘇聯採取的是第二個方法，「而中國則應，或最好，也最可能採行第一個方法——多階級融合法。」

〔註264〕張申府：《張申府文集》，第一卷，河北人民出版社2005年版，第539頁。
〔註265〕張申府：《張申府文集》，第一卷，河北人民出版社2005年版，第539頁。
〔註266〕張申府：《張申府文集》，第一卷，河北人民出版社2005年版，第540頁。

〔註267〕一則，中國社會的階級劃分還不清楚，無需人爲地先把它劃分清楚再來消滅。他說，人類應該領受歷史的教訓，不必重蹈覆轍，中國無需再走歐洲階級鬥爭的老路。二則，第二次世界大戰以來，世界已進入「人民革命」時代，這種革命是「人民」的，而非「一個」階級的，因而，這個時代也是普通人的時代，是「平常人」擡頭的時代。在這種形勢下，居統治地位的資產階級不由得不讓步，同時在共同作戰精疲力竭之餘，也沒有轉國際戰爭爲國內戰爭的可能，「只有趨於階級的融合。」因此，張申府得出結論說，「中國的民主可以是，也應該是多階級融合的民主，既不能是一個階級在上，一個階級在下，一階級在旁的民主，也不會是唯一階級的民主。」〔註268〕

張申府的這些文字寫作於六十年前，在那個特殊的革命年代裏，他的思維方法，他所得出的結論，容或有不切實際、空想虛幻的成分。但是在六十年後的今天，在中國共產黨由革命黨轉變爲執政黨、致力於構建有中國特色的社會主義和社會主義和諧社會的時期，我們不得不說，張申府的大部分結論，對我們具有不可忽視的借鑒價值。

〔註267〕張申府：《張申府文集》，第一卷，河北人民出版社2005年版，第540頁。
〔註268〕張申府：《張申府文集》，第一卷，河北人民出版社，2005年版，第541頁。

第四章　啓蒙與革命：社會改造的現實手段

一、新啓蒙論

（一）新啓蒙運動的歷史背景

　　新啓蒙運動，又稱「新五四運動」或「第二次新文化運動」，是二十世紀三十年代後半期由共產主義理論家和左翼知識分子在北平、上海等文化中心發起的一場思想文化運動，它以弘揚五四精神爲旗幟，是中國啓蒙運動史上又一重要事件。作爲五四啓蒙運動的老將和新啓蒙運動的積極參與者，張申府對近現代中國的啓蒙思想有著特殊的貢獻。

　　新啓蒙運動的興起有著深刻的社會歷史和思想文化背景。首先，一九三一年「九‧一八」事變後，中日民族矛盾激化，抗日救亡成爲中國社會政治生活的主題。面對日益嚴重的民族危機，中國共產黨調整政策，提出了建立抗日民族統一戰線的方針。但是，由於「左傾」教條主義的影響，黨內關門主義、宗派主義、冒險主義流行，當時的中國思想文化界處於派別林立、一盤散沙的狀態。正如新啓蒙運動的倡導者所指出：過去我們在「文化上不可否認地有絕對主義及宗派主義的存在。而今，這兩種不良意識必須予以排斥」〔註1〕。爲配合中共抗日民族統一戰線政策的宣傳與實施，清除教條主義、關門主義、宗派主義、冒險主義的影響，同時建立思想文化界的抗日民族統一戰線，陳伯達、艾思奇等共產主義理論家聯合左翼文化人士，在文化界發起了新啓蒙運動。

〔註 1〕艾思奇、吳清友：《「新啓蒙運動」座談》，《讀書月報》創刊號。

其次，日本帝國主義在加速對中國進行武裝侵略的同時，還在淪陷區大力推行封建主義的奴化教育，倡導復古、尊孔、讀經、恢復封建禮教，並且將孔孟之道與日本帝國主義的「皇道」聯繫起來，鼓吹建立「大東亞新秩序」就是恢復孔子之教，企圖借封建迷信思想來奴役中國人民的心靈，泯滅中國人民的民族意識和愛國意識。與此同時，國民黨政府爲強化其法西斯統治，極力推行文化專制政策。他們一方面取締共產主義和民主主義；一方面將三民主義、法西斯主義和封建的倫理道德融合在一起，頌揚三民主義的「唯一性」和法西斯主義的「效能」，宣稱三民主義的基本精神就在封建主義的「四維」、「八德」，倡導「力行哲學」，推行「新生活運動」，竭力將封建禮教推行到大眾的日常生活中，以奴化人的的精神。國民黨封建勢力和日本帝國主義復古思想的合流，形成了三十年代後期保守反動的思想環境。

除以上眾所周知的原因外，張申府還認爲：

1、新啓蒙運動是社會歷史發展的必然結果。張申府指出，「大凡一個社會，與異文明有了接觸，發展到相當的程度，要打破智愚的懸隔，而走進一個更高的階段，於是一方要掃除舊渣滓舊束縛，一方要散播新知識新思想，在這個時期，便可以有啓蒙運動的發生。」「廣泛來說：這樣的啓蒙運動，就如同每天的黎明，本是時常可有的。」〔註 2〕而三十年代的新啓蒙運動，就符合了這樣的情形，其發生除了歷史的原因外，「至少可說是由於七種必要：一是民族自覺的必要，二是思想解放的必要，三是中西文化結合的必要，四是新知識新思想（新哲學新科學等）普及的必要，五是剷除殘餘的封建惡流的必要，六是推進民主政治的必要，七是救亡運動轉向及擴大的必要。」〔註 3〕

2、新啓蒙運動是世界潮流在中國的反映。張申府認爲，新啓蒙運動是中國「適應時代潮流而與民族獨立自由（或說民族復興，又或說民族解放）運動相配應的文化運動」〔註 4〕，不僅是「中國今日正有與應有的一個潮流，而且也是世界正有與應有的一個運動，一個潮流」〔註 5〕。他說，現在不但中國，而且在全世界，都過在一個新的啓蒙時期，雖然歐美在表面上沒有同樣的號召，但實際上正有一種類似的運動進行著。「美國的史家羅賓森

〔註 2〕張申府：《張申府文集》，第一卷，河北人民出版社 2005 年版，第 290 頁。
〔註 3〕張申府：《張申府文集》，第一卷，河北人民出版社 2005 年版，第 292 頁。
〔註 4〕張申府：《張申府文集》，第一卷，河北人民出版社 2005 年版，第 281 頁。
〔註 5〕張申府：《張申府文集》，第一卷，河北人民出版社 2005 年版，第 264 頁。

（L.H.Robinson）、英國的文家威爾士（Wells），以及最近《大眾算學》與《市民科學》的作者，生物家霍格本（Hogben），便可說是其主要的代表。此外美國哲學老師杜威的努力於教育的改造，努力於鼓吹科學、把理智應用在社會上；以及英國哲學作家約德（Joad）的努力於擁護理性，也都可說是有啓蒙運動意義的。羅素在顯揚理性，普及新知與思想解放上的成就，更不待說。最近因爲自然科學的發達與辯證唯物論的流行，科學與社會的結合已經成一種風氣了。英美法代表這個結合的許多壯年學者，例如算學家萊維（H.Levy）教授，物理學家柏奈爾（J.D.Bernal）教授等，都可以爲是啓蒙運動者。」「還有深受羅素與其高足維特根斯坦（Ludwig Wittgenstein）博士影響，代表哲學界最新潮流的維也納派與同道者，雖其專門工夫乃在數理邏輯與邏輯解析，在其社會意義上，也正是向著這方面在走。維也納派，顯揚科學的世界觀，鼓吹物理主義，努力於學問的統一，努力於『統一科學』的百科全書的編纂，且召集國際大會來進行，也很可說是現代啓蒙運動潮流。」〔註 6〕因此中國的新啓蒙運動並不是孤立的，而是與國際最進步的思想學術潮流相配合的。「現代國際學術界兩個最進步的潮流，一個是新唯物派，一個是新百科全書派。兩派在形成上都是綜合的。而新啓蒙運動則正是中國土壤產生的，與抗戰建國適應的，這兩個潮流的合流。」〔註 7〕

（二）新啓蒙運動的新特徵

那麼，什麼是新啓蒙運動呢？或者說，新啓蒙運動的宗旨是什麼呢？張申府對此曾反覆申說：就字面意義而言，啓蒙就是開明的意思。再進一步說，所謂啓蒙，就是「打破欺蒙，掃除蒙蔽，廓清蒙昧」。換而言之，啓蒙就是「脫離迷信，破除成見，等等的意思」。啓蒙運動一般都必有三個特性：「一是理性的主宰；二是思想的解放；三是新知識新思想的普及」。所以，「凡是啓蒙運動必然反迷信，反武斷，反盲從，反權威，反傳統。而歷史上的啓蒙運動尤其在於反封建。」「也可以說，武斷，獨斷，壟斷，都是啓蒙運動所必反。」〔註8〕而對新啓蒙運動來說，由於當時是中國「團結救亡，民族解放，爭取自由，民主政治的時代」。因此，「今日的新啓蒙運動，就是適應這個時代的思想方面，文化方面的運動」，「也可說就是社會發展到這個階段的民族主義的

〔註 6〕張申府：《張申府文集》，第一卷，河北人民出版社 2005 年版，第 292～293 頁。
〔註 7〕張申府：《張申府文集》，第一卷，河北人民出版社 2005 年版，第 336 頁。
〔註 8〕張申府：《張申府文集》，第一卷，河北人民出版社 2005 年版，第 189 頁。

－111－

自由民主的思想文化運動」〔註9〕。

　　新啓蒙運動之所以為新，就在於：一、新啓蒙運動是五四啓蒙運動的揚棄。新啓蒙運動是相對於歷來的一些啓蒙運動、尤其是五四啓蒙運動而言的。張申府認為，五四運動有著廣大的意義，在中國社會上，思想上，有深厚的影響，對傳統的封建思想給了沉重的打擊，這是不容抹殺的事實。但另一方面，五四運動也有它的缺欠，有它的時代的限制，這也是不必諱言的。五四時代的啓蒙運動，實在不夠深入，不夠廣泛，不夠批判。事實上，五四運動並未完成它應該完成的任務，「五四所對付的問題，正是今日所應對付的問題。這個問題，經過十八年的歲月，非特未得解決，簡直變本加厲。」〔註10〕五四運動的意義應該認識，影響應該發揚，缺欠也應該補充。在思想上，如果把五四運動叫作啓蒙運動，則「今日確有一種新啓蒙運動的必要；而這種新啓蒙運動對於五四的啓蒙運動，應該不僅僅是一種繼承，更應該是一種揚棄。」〔註11〕比如，五四啓蒙運動有兩個頗似新穎的口號，就是「『打倒孔家店』，『德賽二先生』」。張申府認為這兩個口號不但不夠，亦且不妥，「多年的打倒孔家店，也許孔子已經被打倒了，但是孔家店的惡流卻仍然保留著，漫延著。至於科學與民主，本都是客觀的東西，而那時的文人的濫調，卻把它人格化起來，稱什麼先生，真無當於道理。」因此張申府對這兩個口號各下一轉語，改為：「『打倒孔家店』，『救出孔夫子』；『科學與民主』，『第一要自主』」〔註12〕。認識五四的意義，發揚五四的影響，補足五四的缺欠，除了在政治上反對帝國主義外，推動新啓蒙運動的開展，就成為當時的當務之急。二、一般啓蒙運動本是反傳統的，但新啓蒙運動則應該對傳統採取批判繼承的態度，「不應只是廢棄，而應該是揚棄，不應只是革除，而應該是沿革」〔註13〕。新啓蒙運動很可以說就是民族主義的科學、民主的思想文化運動。對於自己傳統的東西是要揚棄的。「所謂揚棄的意思，乃有的部分要拋棄，有的部分則要保存而發揚之，提高到一個更高的階段」，「中國的真傳統遺產，在批判解析地重新估價，撥去蒙翳，剝去渣滓之後，是值得接受承

〔註 9〕張申府：《張申府文集》，第一卷，河北人民出版社 2005 年版，第 190 頁。

〔註10〕張申府：《張申府文集》，第一卷，河北人民出版社 2005 年版，第 191 頁。

〔註11〕張申府：《張申府文集》，第一卷，河北人民出版社 2005 年版，第 191 頁。

〔註12〕張申府：《張申府文集》，第一卷，河北人民出版社 2005 年版，第 189～190 頁。

〔註13〕張申府：《張申府文集》，第一卷，河北人民出版社 2005 年版，第 196 頁。

繼的」〔註14〕。三、一般啓蒙運動本就是理性運動，但新啓蒙運動則是理性
與狂熱合一的運動。張申府認為，在人類社會中，感情也是有其用處的。不
但從事救亡，非有一種熱烈的感情不成；就是弄學問沒有一種熱情也必然是
維持不下去的。在抗戰的時候，特別在像中國對一個殘酷強暴的帝國主義的
國家抗戰的時候，一種非常崇高的情感是極其必要的。可是一方需要熱烈的
心腸，一方也需要冷靜的頭腦。感情是要有範圍的，感情是要有調劑的。而
範圍感情，調劑感情的，就正是理性。「這樣的情感必是以理性為基礎，而
與理性合一者」。因此，「說是理性情感合一運動，與但說理性運動，是不牴
觸的，因為仍要以理性為主宰」〔註15〕。理性，以及一種以理性為基礎為主
宰的情感，便是今日應鼓吹推進的新啓蒙運動，所應提倡，所應陶冶，所應
踐行。四、一般的啓蒙運動都是世界主義的，而新啓蒙運動則是民族主義或
愛國主義的。正如前文所述，由於中國正處於團結救亡、民族解放、爭取自
由、民主政治的時代，而新啓蒙運動就是社會發展到這個階段的民族主義的
自由民主的思想文化運動，因此張申府認定，「一、思想的自由與自發，二、
民族的自覺與自信，就是今日新啓蒙運動者最應努力做到的事。而要達到這
個必須發揮出民族的理與力。」「新啓蒙運動不但是民主、大眾的，並且是
帶有民族性的。」〔註16〕五、一般的啓蒙運動都是個人主義的，而新啓蒙運
動則是集體主義的。在張申府看來，「集體，集體生活，也是今日最該鼓吹
的一件事。我嘗以為科學法是西洋文明（即文化）的一個最大的貢獻。另一
個最大的貢獻，我最近感覺著就是集體生活。而且這都是未來的人類之所
趨。」〔註17〕集體主義已經代替個人主義成為時代的主流思想，理性之所以
必要，就因為「理性是公的。理性是社會的。理性對個人是種限制。理性是
一切統制的根本。」〔註18〕因此，新啓蒙運動「必然要變成大眾的，集體的，
而且是建設的」〔註19〕。

　　張申府把新啓蒙運動的全部任務或整個內容分為三個層次，「就是一、初
級的；二、中級的；三、高級的」。初級的啓蒙就是掃除文盲，普及教育以及

〔註14〕 張申府：《張申府文集》，第一卷，河北人民出版社 2005 年版，第 304 頁。
〔註15〕 張申府：《張申府文集》，第一卷，河北人民出版社 2005 年版，第 218 頁。
〔註16〕 張申府：《張申府文集》，第一卷，河北人民出版社 2005 年版，第 217 頁。
〔註17〕 張申府：《張申府文集》，第一卷，河北人民出版社 2005 年版，第 246 頁。
〔註18〕 張申府：《張申府文集》，第一卷，河北人民出版社 2005 年版，第 217 頁。
〔註19〕 張申府：《張申府文集》，第一卷，河北人民出版社 2005 年版，第 292 頁。

知識通俗化，學問大眾化，而目的在提高一般文化水準，使大眾一般都有文化生活。中級的啓蒙就是「使已有知識的人，知識得清楚，思想得清楚。廓清知識上的蒙翳，掃清思想上的朦朧，清除一切心習上的迷信、盲從、武斷、獨斷、成見、奴化的毛病，而達到一般人知識、思想、信念的淨化」。高級的啓蒙則是在「知識之質上的，組織上的，邏輯上的進步，學問的解蔽與釐清，即弄清楚，肅清一切知識、學問、言語、思想、觀念、概念上的不必要的籠統與漠忽。此所與中級的啓蒙特別不同，就是那是就主觀說的，這是就客觀說的。」〔註 20〕簡而言之，新啓蒙運動除了從事初級的啓蒙外，更要從事高級的啓蒙：不但要使不識字的識字，更要使識字的免於成見、盲從、迷信、獨斷；不但要使無知識的有知識，更要使有知識的有清楚的知識；不但努力於普及，更要努力於深入與提高，而深入與提高的開端必在於把一切弄清楚。

新啓蒙運動的主要性質或特徵有三個方面：

第一，新啓蒙運動必是理性運動：張申府認為，凡是啓蒙運動都是理性運動，使人類理性一點就是今日的大任。啓蒙運動不但要以發揚理性為積極的內容，啓蒙運動其實就等於理性運動。因為要以理性為主宰，而解放思想，所以要脫離迷信，反對獨斷，批判傳統，破除成見。因為要普及新知識新思想，所以主張知識學問的大眾化以及語言文字的簡易化。這些都是當然的結論。因此「新啓蒙運動的中心點就是顯揚理性而反封建」〔註 21〕，必然要「反對衝動，裁抑感情，而發揚理性」。不迷信，不武斷，不盲從，應該只是這個運動的消極內容。積極方面，應該更認真地宣傳科學法，實踐科學法。「科學法的特點是切實，是唯物，是客觀，是數量的，解析的（或說分析的）。反對的是籠統幻想，任憑感情衝動」。啓蒙的本意在開明，因而有思想自由，行動解放。沒有理性，如何能有開明？如何能容得下思想自由，行動解放？啓蒙的另一個說法是破除成見，打破傳統。這也是要靠著理性的。「理性的極致是辯證與解析。唯物，客觀，辯證，解析，便是現代科學法的觀點與內容，在這個新啓蒙運動中應該特別表現的。」〔註 22〕總而言之，新啓蒙運動要以理性為主宰。

〔註 20〕 張申府：《張申府文集》，第一卷，河北人民出版社 2005 年版，第 344～345頁。
〔註 21〕 張申府：《張申府文集》，第一卷，河北人民出版社 2005 年版，第 248 頁。
〔註 22〕 張申府：《張申府文集》，第一卷，河北人民出版社 2005 年版，第 191～192頁。

　　第二，新啓蒙運動是一種文化綜合運動。張申府認為，如果說五四運動引起一個新文化運動，那麼新啓蒙運動則應該是一個「眞正新的文化運動」。它「所要造的文化不應該只是毀棄中國傳統文化，而接受外來西洋文化，當然更不應該是固守中國文化，而拒斥西洋文化；乃應該是各種現有文化的一種辯證的或有機的綜合」。一種眞正新的文化的產生，照例是由兩種不同文化的接合。「一種異文化（或說文明）的移植，不合本地的土壤，是不會生長的」。新思想新知識的普及固然是啓蒙運動的一個要點，但為適應今日的需要，這個新啓蒙運動的文化運動卻不應該只是大眾的，還應該帶些民族性。處在今日的世界，一種一國的運動，似乎也只有如此，才能有力量。新啓蒙運動另一個主要特點本在自覺與自信。民族的自覺與自信固是今日中國所需要。要緊的是：「不可因為國際而忽略民族，也不可因為民族而忽略國際。或也可以說，不可因為大同而忽略小康，也不可因為小康而忽略大同。」〔註23〕

　　第三，新啓蒙運動是科學與社會相結合的運動。張申府指出，由今日來回看，五四的一個缺欠是不免淺嘗。對於一切問題都不免模糊影響。因此，今日的啓蒙運動不應該眞只是『啓蒙』而已。更應該是深入的，清楚的，對於中國文化，對於西洋文化，都應該根據現代的科學法更作一番切實的重新估價，有個眞正深刻的認識。這樣子，也才可以做到第二點所說的文化的綜合。對於自然科學，社會科學，都應有個深切的瞭解，而不僅於皮相，「庶幾可以接受那因自然科學的發達與辯證唯物論的開展而產生的一種最新潮流，就是科學與社會的結合」〔註24〕。所謂科學與社會的結合，就是科學社會化，社會科學化，不但要使科學「是社會的，與社會合拍，推進社會實踐，適應社會需要」〔註25〕；而且要使社會上人人「都習於科學方法，都熟於科學技術，都能實，都能準確，都能分明，以使事事物物都有科學的基礎，都得科學的條理；以使科學精神，科學態度，科學脾氣，科學習慣，在一切個人行動，社會生活上，都表現出來」〔註26〕，把科學方法應用在一切具體事例，社會生活中，最終形成科學與社會的統一。

〔註23〕 張申府：《張申府文集》，第一卷，河北人民出版社 2005 年版，第 192 頁。
〔註24〕 張申府：《張申府文集》，第一卷，河北人民出版社 2005 年版，第 192～193 頁。
〔註25〕 張申府：《張申府文集》，第二卷，河北人民出版社 2005 年版，第 240 頁。
〔註26〕 張申府：《張申府文集》，第一卷，河北人民出版社 2005 年版，第 344 頁。

（三）張申府新啟蒙論的特點

與參加新啟蒙運動的黨內知識分子相比，張申府的新啟蒙論有以下幾個特點：

1、由於政治身份的不同導致的對新啟蒙運動的態度及執著程度的差異，一方是一時的政治需要，一方是一貫的思想追求。新啟蒙運動的主將基本上都是中國共產黨的理論家：陳伯達於 1927 年入黨，時任中共北方局宣傳部長；柳湜 1928 年入黨，曾任中共安徽地下省委秘書；何乾之 1934 年入黨；艾思奇 1935 年入黨。他們發起並積極參與新啟蒙運動，主要目的是爲了配合黨的建立廣泛的抗日民族統一戰線政策的需要。1935 年 8 月 1 日，中共中央發表《八一宣言》，提出了建立全民族抗日統一戰線的政策；同年 11 月，中央又發表《抗日救國宣言》，進一步闡述了黨的抗日民主統一戰線的方針，批評了左傾關門主義的錯誤。「一二・九」運動後，劉少奇任中共北方局書記，提出要在黨內肅清關門主義和冒險主義，建立廣泛的抗日民族統一戰線，並改組北方局，任命陳伯達爲宣傳部長。正是在這種情況下，陳伯達、艾思奇等共產主義理論家根據中央指示精神，聯合左翼文化人士在思想文化界發起了新啟蒙運動。「七・七」事變後，隨著抗日戰爭的爆發和抗日民族統一戰線的逐漸形成，新啟蒙運動的推動者有的調往延安，有的流亡外地，有的親自彙入到抗日戰爭的洪流之中，大多無暇、也無意再爲新啟蒙運動吶喊，新啟蒙運動逐漸進入尾聲。根據余英時先生的研究，新啟蒙運動的發起與結束，都是由「共產黨通過其地下網絡統一指揮的」〔註 27〕。如果這一結論屬實，更說明了新啟蒙運動與政治需要之間的密切聯繫。張申府是五四運動時期就已聲名鵲起的啟蒙老將，啟蒙是他畢生的追求和一貫的思想主張。他雖曾參與創建中國共產黨，但在 1925 年退黨後，已不受政治身份的約束，因此能夠自由的發表自己的眞實思想。張申府第一次提到新啟蒙運動是在 1936 年 8 月 29 日，但他在此之前（1936 年 8 月 9 日）就已寫作了《訴於理性》一文，比陳伯達首倡新啟蒙運動之作《哲學的國防動員——新哲學者的自己批判和關於新啟蒙運動》（1936 年 9 月 10 日）早了一月有餘。而據張申府的夫子自道，他在 1932 年至 1934 年主編天津《大公報》副刊《世界思潮》時，就已有新啟蒙運動的意思，「那時我所說的與現在我所說的，根本上並無甚差異」〔註 28〕。抗

〔註 27〕余英時：《重尋胡適歷程》，廣西師範大學出版社 2004 年版，第 247～249 頁。
〔註 28〕張申府：《張申府文集》，第一卷，河北人民出版社 2005 年版，第 189 頁。

日戰爭爆發後，張申府繼續爲新啓蒙運動搖旗吶喊，並致力於新啓蒙運動的應用與實踐。直到 1946 年，他還念念不忘新啓蒙運動。就此而言，張申府對新啓蒙運動的態度比黨內知識分子更爲執著，更爲熱情，堅持的時間也更長。

2、對傳統文化的態度略有不同。黨內知識分子對中國傳統文化的態度有一個轉變的過程。最初，陳伯達主張「接受五四時代『打倒孔家店』的號召，繼續對於中國舊傳統思想，舊宗教，作全面的有系統地批判」〔註29〕。而艾思奇在其回應文章中則認爲，「現在是集中一切有愛國意義的文化成果，不管是舊的也好，新的也好，一致地去發揮對付外敵的作用，而不單是在自己內部做反封建的工作了」〔註30〕。顯然，在對待傳統文化的態度上，艾思奇和陳伯達之間存在些微間隙。隨著右冀勢力對新啓蒙運動攻擊力度的加大，新啓蒙運動的倡導者在策略上作了重大調整，逐漸收斂了「反傳統」、「反禮教」的鋒芒，認爲「新啓蒙運動的特徵同五四運動同樣的是文化運動，是愛國運動。然而新啓蒙運動的特徵不是像五四時代似的，單純地反封建，而是完全以科學的批判的精神，分析、比較、研究、攝取過去的文化。」〔註31〕艾思奇甚至表示：「只要是於民族的生存有利益的話，就是對一部分封建勢力攜手，也是在所不惜的。」〔註32〕這種「只問優劣、不問新舊」的態度，比諸新啓蒙運動初期時所揭櫫的「打倒孔家店」的主張，無疑有了顯著的變化，甚至走向了反面。而張申府始終主張用客觀辯證的觀點看待、分析中國的傳統文化，「中國人必須相信，中國以前對於世界文明或文化，是有過極大貢獻的，對於將來世界的文明或文化，必更有更大的貢獻，以躋人類於天人和諧之域」〔註33〕。在張申府看來，中國傳統文化有其優秀之處，爲世界文化作出了自己獨特的貢獻，因此我們對於傳統文化應該發揚其精華，而棄其糟粕，他說：「國於天地，必有與立」〔註34〕，「我是相信中國的」，「我並不說中國一切都是好的。但我相信中國有其過人的長處。我相信對於文化，中國有其特

〔註29〕陳伯達：《哲學的國防動員——新哲學者的自己批判和關於新啓蒙運動》，《讀書生活》第四卷第九期。

〔註30〕艾思奇：《中國目前的文化運動》，《生活星期刊》第一卷第十九期。

〔註31〕兆鷗：《五四和新啓蒙運動》，《北平晨報》，1937 年 5 月 4 日。

〔註32〕艾思奇：《新啓蒙運動和中國的自覺運動》，《文化食糧》創刊號。

〔註33〕張申府：《所思》，生活・讀書・新知三聯書店 1986 年版，第 67 頁。

〔註34〕張申府：《思與文》，河北教育出版社 1996 年版，第 239 頁。

殊的貢獻。我更相信，中國有其可以立國處，有其特別值得立國處。」〔註35〕
正是在這種思想基礎上，張申府在新啓蒙運動中提出了「打倒孔家店，救出
孔夫子」的主張。

　　3、對運動性質各有側重。黨內知識分子對新啓蒙運動的性質曾有一個完
整的概括：「（一）新啓蒙運動是思想文化上的愛國主義運動；（二）新啓蒙運
動是思想文化上的自由主義運動；（三）新啓蒙運動是理性運動；（四）新啓
蒙運動是建立現代中國新文化運動。」〔註36〕他們尤其強調新啓蒙運動的愛
國主義或民族主義性質。陳伯達在《哲學的國防動員》一文的標題中就直奔
主題，呼籲要組織「哲學上的救亡民主的大聯合」。何乾之認爲新啓蒙運動所
要解決的問題「第一是國難，第二是國難，第三也是國難」〔註37〕，它以「愛
國主義爲目的，以自由主義爲方法」〔註38〕，「充滿了愛國主義的氣味」，簡
直可以說是愛國主義文化運動的別名〔註39〕。而張申府則更側重於新啓蒙運
動的理性性質。如前文所述，張申府反覆強調新啓蒙運動應以理性爲主宰，
啓蒙運動最積極的內容是發揚理性，「最大最根本的特徵就是我所樂道的理
性」〔註40〕。1936年8月，張申府在首次提到新啓蒙運動時說：「聽說有人
要發起一種新啓蒙運動，反迷信，反武斷，反盲從。這都很好。但似可更加
上一個積極的內容，便是要訴於理性。」〔註41〕由此可見，新啓蒙運動的理
性性質很可能是由張申府首先提出，並爲黨內知識分子所承認的。但這一承
認也是有限度的。新啓蒙運動的始作俑者陳伯達在運動初期對理性主義推崇
備至，但到1940年就修正了自己的觀點：「我們所指的是唯物的『理性』，而
不是唯心的理性——理性並不是一切的主宰，存在是第一，理性是第二。」
〔註42〕這實際上已經背棄了新啓蒙運動的初衷。

　　4、新啓蒙運動的主導哲學不同。黨內知識分子認爲應運用馬克思主義哲
學指導新啓蒙運動。陳伯達在《哲學的國防動員》中表達了共產主義理論家

〔註35〕張申府：《張申府散文》，中國廣播電視出版社1993年版，第303頁。
〔註36〕何乾之：《近代中國啓蒙運動史》，生活書店1937年版，第224～225頁。
〔註37〕何乾之：《近代中國啓蒙運動史》，生活書店1937年版，第228頁。
〔註38〕何乾之：《近代中國啓蒙運動史》，生活書店1937年版，第257頁。
〔註39〕何乾之：《近代中國啓蒙運動史》，生活書店1937年版，第256頁。
〔註40〕張申府：《張申府文集》，第一卷，河北人民出版社2005年版，第431頁。
〔註41〕張申府：《張申府文集》，第一卷，河北人民出版社2005年版，第149頁。
〔註42〕陳伯達：《論「新哲學」問題及其他——致張申府先生的公開信》，《中國文化》
　　　　第一卷第五期。

在新啓蒙運動中的立場，即一方面要「努力不倦地根據自己獨立的根本立場，站在中國思想界的前頭，進行各方面思想的爭鬥，從事於中國現實之唯物辯證法的解釋」；另一方面要「在抗敵反孔教反獨斷反迷信的爭鬥中，以自己的理論為中心，而與哲學上一切忠於祖國的分子……進行大聯合。」他同時闡明了新啓蒙運動在哲學上的基礎是動的邏輯（即唯物辯證法）：「新啓蒙運動之哲學上的基礎」，「動的邏輯卻無疑地占著支配的地位。大革命以來，動的邏輯的逐漸鞏固和擴大自己的陣地，才使目前新啓蒙運動的提出成為可能。新哲學者乃是目前新啓蒙運動的主力，而且一切問題，將要借助於動的邏輯，才能作最後合理的解決」〔註43〕。而張申府則認為新啓蒙運動的主導哲學，「應是由經驗論變到邏輯經驗論，由唯物論進到辯證唯物論」〔註44〕。他相信，新啓蒙運動的哲學與方法應是「辯證唯物論與邏輯經驗論的合流」〔註45〕。

二、從無產階級革命論到「一個革命」論

（一）無產階級革命論

五四運動前後，張申府在李大釗的引領下，接觸並逐步接受了社會主義，認為社會主義是「善」與「仁的生活」的體現，因此他充滿熱情地宣傳、介紹社會主義學說。當然他還未能十分清楚地把羅素所主張的行會社會主義（基爾特社會主義）和馬克思的科學社會主義區分開，並且受到當時流行的無政府主義思潮的影響。1920年，張申府協助李大釗、陳獨秀組建中國共產黨，同年底赴歐，負責中共在歐洲的組織與發展，思想日益激進，明確主張社會革命：「社會是萬惡之成就者。人性是罪惡之教唆者。吾們只有：革社會之命；調理人之性。」〔註46〕

革命的性質是社會主義或共產主義，「社會革命，人性調理，現在最切實，因此可備最好的計劃，便是共產主義。」〔註47〕「我的根本主張是廢國滅產，絕婚姻」，「對於社會主義自然要絕對的信奉……社會主義資本主義之間，更沒有第三者……現在擺在眼前的，已只有共產主義與資本帝國主義兩條路」。「吾想創造的少年中國，乃是無產階級的少年中國。」〔註48〕

〔註43〕陳伯達：《真理的追求》，上海新知書店1937年版，第14頁。
〔註44〕張申府：《張申府文集》，第一卷，河北人民出版社2005年版，第292頁。
〔註45〕張申府：《張申府文集》，第一卷，河北人民出版社2005年版，第345頁。
〔註46〕張申府：《張申府文集》，第三卷，河北人民出版社2005年版，第41頁。
〔註47〕張申府：《張申府文集》，第三卷，河北人民出版社2005年版，第41～42頁。
〔註48〕《編輯室雜記》，《新青年》第九卷第六號。

革命的最終目標是實現共產主義社會。共產黨的「本目的乃是生產共有，分配共管，無階級、無國、無家、無政府的共產社會。」〔註49〕在共產主義社會裏，「一切生產器具大家共有。一切生產結果大家共有。公共生產，公共消費。不犧牲個人於公眾，不犧牲公眾於個人。全體享樂，各個享樂。社會良善組織，人人圓滿發達。普通說來，這就是所謂共產主義。」〔註50〕

革命的對象是腐朽的資本主義制度。「資本制度，在世界文明上，就令可算一個必經之階，絕不能為真文明之基礎。」在現階段，資本主義制度「已處在一種極不安的狀態：資本主義已不能管他自己的事；就說大混亂還未開始，實已迫在眉睫。」革命就是要推翻這種制度，而共產主義就是一種「最有組織的『推翻現在的社會品質而代以一個較好的』計劃。」〔註51〕

革命的主力是農工勞動階級。張申府認為，「人的社會本是由人作成的。人本要他怎麼樣，他就可以怎麼樣。」這句話，「對於農工勞動，尤其是對的。」因為勞動是人類生存與發展的手段，人的衣食住行，都由勞動賴以維持，「人的世界一天沒有勞動，一天就會消滅。既然如此，當然勞動願意人世怎麼樣，就應怎麼樣。」〔註52〕

革命的領導組織是中國共產黨。「共產黨是勞動階級的代表，是勞動階級的先驅，是要使人人都得其所的，是不許一人逾其分的。共產黨主張的，因此絕不是少數人的利害。共產黨的人必須是勞動階級或同化於勞動階級的。必須有死也不改的信仰，必須了然於同階級人彼此利害的共同，且認除此共同的利害，別無利害。必須對於現世的惡，誓死不相容。」〔註53〕張申府又引述共產國際第二次代表大會的決議說：「共產黨是勞動階級的一部分，是其最進步，最有知識，因此最富於革命性的那一部分。」「共產黨是合最好的，最有知識，最犧牲自己，最遠見的勞動者而成。」〔註54〕總之，共產黨是領導無產階級進行革命鬥爭的先鋒隊，「有了這個機關，乃有了指路的。有了這個機關，本階級較進步的分子乃可領著全體群眾，鼓舞而進。」〔註55〕俄國

〔註49〕張申府：《張申府文集》，第一卷，河北人民出版社2005年版，第44頁。
〔註50〕張申府：《張申府文集》，第三卷，河北人民出版社2005年版，第48頁。
〔註51〕張申府：《張申府文集》，第一卷，河北人民出版社2005年版，第48頁。
〔註52〕張申府：《張申府文集》，第一卷，河北人民出版社2005年版，第17頁。
〔註53〕張申府：《張申府文集》，第一卷，河北人民出版社2005年版，第50頁。
〔註54〕張申府：《張申府文集》，第一卷，河北人民出版社2005年版，第46頁。
〔註55〕張申府：《張申府文集》，第一卷，河北人民出版社2005年版，第45頁。

十月革命之所以成功，德國十一月革命之所以失敗，其根本原因之一就是一個有堅強的共產黨，一個沒有堅強的共產黨，因此，「我們主張即刻要有的只是一個共產黨，公開的共產黨，強有力的共產黨，極有訓練的共產黨，萬眾一心的共產黨。」〔註56〕那麼，共產黨的真諦何在呢？張申府認為，共產黨的真諦就在於「紀律」，「紀律是共產黨之魂」〔註57〕，「有紀律，有共產黨；無紀律，無共產黨。共產黨之所以強在此，共產黨之能成功在此。」〔註58〕

革命的手段是無產階級專政。建黨初期，由於革命力量的弱小，中共採取了與國民黨合作，建立革命統一戰線的政策，「他（共產黨）是要與國民黨等革命民主派及各革命的社會主義團體，結成聯合戰線（統一前敵），以完成民主戰爭，建立真面目的民主政治。」但是張申府提醒人們，這種辦法「究竟不是共產黨的終極目的，那種辦法究竟不（過）是一種手段，而且也不是像無產階級專政一樣的，共產革命的普遍的必然手段。只不過處像現在中國情勢之下，不得不取的一種特殊手段。採取這種手段的時候，必須牢牢記住：自己的正手段，乃是勞動會議式的無產階級專政」，「更要不忘為一種行動，與終極目的不同的黨派，結成統一前敵時，必須保持住自己組織的獨立！必須得機即把自己的終極目的向大眾標示！」〔註59〕因為「只有（由）無產階級的專政，建立了共產主義，社會的安定才能重得，秩序與進步才能再望」〔註60〕。

革命是暴力性質的。由資本主義制度到共產主義的變更，「必須是革命性質的；必須以非憲的手段抓住權力；必須以強力撲滅反革命。」〔註61〕

革命的範圍是世界性的。張申府寫道：「吾現在最簡單的所信是：本世界見地改造各個地方：不要為一地方好而改造那個地方，要為世界好而改造各個地方。就令一切地方各單獨像是好了，世界全個仍可以不好；世界全個不好，各個地方其實不能好。」〔註62〕因此，「資本主義的推翻必須是全世界的；地方的革命不濟事，非實現世界革命的計略，共產主義不能成就。」〔註63〕

〔註56〕張申府：《張申府文集》，第一卷，河北人民出版社2005年版，第49頁。
〔註57〕張申府：《張申府文集》，第一卷，河北人民出版社2005年版，第47頁。
〔註58〕張申府：《張申府文集》，第一卷，河北人民出版社2005年版，第46頁。
〔註59〕張申府：《張申府文集》，第一卷，河北人民出版社2005年版，第44頁。
〔註60〕張申府：《張申府文集》，第三卷，河北人民出版社2005年版，第48頁。
〔註61〕赤：《共產主義之界說》，《新青年》第九卷第六號。
〔註62〕張申府：《張申府文集》，第一卷，河北人民出版社2005年版，第21～22頁。
〔註63〕張申府：《張申府文集》，第三卷，河北人民出版社2005年版，第48頁。

總之，共產主義革命的基本信條是：「階級戰爭，世界革命，無產階級專政，全權屬於『蘇維埃』（農工評議會）：一切共有的共產主義捨此不立。」〔註64〕另外，張申府還指出共產主義革命的一個重要特色，也就是它與以前一切變更社會結構的革命的不同之處，就是它是第一次「出自人心之創造的革命力」的、「一種正在進行所及深遠的社會變遷」，「他是完全有意識性」的，是「人的自覺的企圖」〔註65〕。

（二）「一個革命」論

1925 年，在黨的第四次全國代表大會上，張申府因與黨內部分同志意見齟齬，憤而退黨，再加上 1927 年大革命失敗的影響，思想逐漸發生變化，開始對「猛烈的流血革命」表示「懷疑」〔註66〕，認爲「武力赤化」只不過是「爲救亡起見」「不失爲一個可試試的辦法」〔註67〕。現在這個辦法既已「失敗」，他也就放棄了社會主義（共產主義）革命思想，而形成自己獨具特色的「一個革命──即國民革命論」。

張申府的國民革命思想是建立在他對革命概念的理解上的。張申府認爲革命有三個含義：第一個含義是革命的「專門意思」，是指「社會的生產力長大了，長大到了某個程度，原來與它相應的社會制度（社會經濟結構）不能相容了，反而成了拘束，於是便非破裂不可，於是便非重造一個與這個長大的生產力相應的新社會制度不可。即這便是革命。」第二個含義是「革命最普泛的意思」，「就是根本改革」。在不太專不太泛之間，就是革命的第三個含義，「所謂革命，照馬克思的說法，是有兩層的。一爲奪取政權，二爲改造社會。即是，先推翻舊統治階級，以次建設新社會制度。現在所謂革命，可以說就是這個意思。」〔註68〕但有時他也強調革命的專門意思，認爲「革命是社會結構由積漸而致的驟然變革。」「社會結構的所以形成，一方有社會生產力，一方有與之相應而成的社會制度，社會制度乃是一種有惰性的東西，是懶怠變化的。等到生產力逐漸增長，原來與之相應的社會制度，不但越來越與之不相應了，而且越來越變成空礙，於是雙方的矛盾牴牾，逐漸增加。等

〔註64〕張申府：《張申府文集》，第三卷，河北人民出版社 2005 年版，第 48 頁。
〔註65〕張申府：《張申府文集》，第三卷，河北人民出版社 2005 年版，第 49 頁。
〔註66〕張申府：《張申府文集》，第一卷，河北人民出版社 2005 年版，第 90 頁。
〔註67〕張申府：《張申府文集》，第一卷，河北人民出版社 2005 年版，第 75 頁。
〔註68〕張申府：《張申府文集》，第一卷，河北人民出版社 2005 年版，第 96 頁。

到這種矛盾牴牾，增加到某種數目，也就是社會生產力，增長到某種數目，於是舊來的社會制度逐必然地而不得不破裂；同時在那逐漸增長的生產力下，養成的一種新社會力量，便自然而然地把一種在舊社會制度中孕育了的新社會制度揭發出來，而一種新社會結構於是逐得逐漸地形成。即這便是今日所謂革命。今日所謂革命，是不能外乎這個的。」根據對革命的這一理解，張申府指出有兩個問題需要注意，「第一要注意：革命是關於社會結構的事，社會結構不變更，無論社會政治上，怎樣的混亂，也算不得革命」；「第二要注意：一個社會之所以革命，並非一朝一夕之故，乃是積漸而致的；只是以革命本身而論，則革命卻是一種突然驟然的變更」。〔註69〕

那麼，革命的原因何在呢？張申府認爲，人們之所以革命，主要有四個原因。

第一，革命是歷史的必然。根據革命的定義，張申府指出，革命是「客觀」的，「革命起於客觀的要求」〔註70〕，因此「革命是一椿人爲的自然的事」，「革命是不得已的」〔註71〕，是不以人的意志爲轉移的。在這種意義之下，顯然，所謂革命乃是一種「必然的社會現象」，也就是說，革命「是一種必然的，人不怎麼能如之何的自然現象，只是這種自然現象，特別與人關係密切罷了，以集合人與人的關係而成的所謂社會也者爲主體罷了。」〔註72〕

第二，革命出於對「社會變化的自覺」，是人們在認識歷史發展趨勢基礎上的主動行爲。既然革命「是一種必然而無可如何的社會現象或自然現象」，人們參加革命似乎是行其「所不得不然」，那麼，人在其中又有什麼意義呢？爲什麼有的人革命，有的人不革命，甚而有的人反革命呢？推原其故，「乃是人之所以革命乃是環境使之，乃由生活情況湊合而成」。「這除了不得不然的成分以外，即除了不自覺的成分以外，必然還有個對於社會變化的自覺。這就是說，一個眞正的革命者，不但必具開闊的胸襟、熱烈的心腸、冷靜的頭腦，堅決的意志，必然還更有一種比別人靈銳的感覺：他之所以革命，必然是在社會變化上，覺察到了什麼，必然是從社會變化上，感覺到了一種反革命或不革命的人所不能感覺或沒有感覺的刺激，因此才有革命的反應，因此才

〔註69〕　張申府：《張申府文集》，第一卷，河北人民出版社 2005 年版，第 122～123 頁。
〔註70〕　張申府：《張申府文集》，第一卷，河北人民出版社 2005 年版，第 97 頁。
〔註71〕　張申府：《張申府文集》，第三卷，河北人民出版社 2005 年版，第 111 頁。
〔註72〕　張申府：《張申府文集》，第一卷，河北人民出版社 2005 年版，第 123 頁。

有革命的行動。我相信，客觀地看來，我們的所以革命，實在於此。」〔註73〕
那麼一個革命者在社會變化上究竟感覺到了什麼呢？這就是「社會一度革命」，社會就「一度顯著地進化」。張申府相信，「一個革命者在社會變動上，第一所感覺到的，就是這個。因爲感覺到了這個，因爲要促進社會的進化，這便是一個革命者所以要革命的第一個緣故。」社會本是必然地自要變動的，本是必然地自要進化的。但人既然是社會關係的構成者，在社會變動上，自也有其應盡的本分。這個本分就是「使得社會進化可以順利地進行」〔註74〕。一個革命者便是能夠履行這種本分者，履行這種本分，也就是革命者的歷史使命。因此，「革命者之所以革命不過是爲的與社會變化相應，而使其進行得順利。」〔註75〕

第三，革命是爲了實現「生之擴大」的人生理想。張申府認爲，「一個革命者，如要革命得徹底，必須對於人生有種至極深刻的認識」〔註76〕，必須有一種「革命的」、「客觀的」、「美學的」（「因爲美是圓滿的人生中最後的標準的緣故」）人生觀，這種人生觀就是「生之擴大」的人生觀。人爲什麼而生？人爲什麼而活著？張申府指出：「人只是爲生而生，人不過爲活著而活著。所以生之一字，乃人生最偉大最重要之一字」，凡是一種切實的人生觀，必不能不根據這樁簡單而概括的事實。「根據這樁事實，而定一種切實客觀的人生觀，那便只在使人人都得逐其生，使人人都得善其生，簡單言之，便在『生之擴大』。即這便是人生理想，即這便是人生歸宿，革命的最後目的，是不能外乎這個的。」〔註77〕因此人們之所以革命，實現「生之擴大」的人生理想，也是一個極要緊極根本的緣故。

第四，革命是爲得個人，爲得自己。一般說來，革命是爲大眾的。一個社會裏，如果非大多數人自覺地或不自覺地都需要革命，革命絕不能成功。少數人的革命是沒有的事。但革命卻並非因此就全不爲個人，革命既爲大眾，也爲個人。這有兩層意思，「就一意義說，我所謂爲一種人生觀而革命，就是爲的那種人生觀所要代表的一個一個而彼此有關係的個人，而絕不是爲的一句空洞的見解。」就第二層意義說，「革命是爲大眾的」，「假如你是革命的，

〔註73〕張申府：《張申府文集》，第一卷，河北人民出版社 2005 年版，第 123～124 頁。
〔註74〕張申府：《張申府文集》，第一卷，河北人民出版社 2005 年版，第 124 頁。
〔註75〕張申府：《張申府文集》，第一卷，河北人民出版社 2005 年版，第 125 頁。
〔註76〕張申府：《張申府文集》，第一卷，河北人民出版社 2005 年版，第 125 頁。
〔註77〕張申府：《張申府文集》，第一卷，河北人民出版社 2005 年版，第 126 頁。

你當然是革命的大眾中的一分子」，「你是大眾中的一分子，當然的結論：革命也爲你自己。」那麼，爲自己什麼呢？爲滿足「自己的欲望」。爲滿足自己的什麼欲望？「特別是生之欲望。人不受壓迫，生活不窮困，大概是不會革命的。恐怕人的所以革命，第一步大概都如此。」〔註78〕

總之，用張申府的話來說，人們之所以革命，「第一，是爲個人而革命；但第二，絕不止於是爲個人而革命，更是爲革命而革命；但第三，也不僅僅是爲革命而革命，更還是爲人生的最高理想，即是『生之擴大』，而革命。」〔註79〕

張申府認爲，「凡是參預中國革命或關懷中國革命的人，必須切實地了然於中國革命的性質。」那麼，中國革命的性質是什麼呢？中國「今日」的革命，是怎樣的一種革命呢？「大凡一地一時的革命，必依該地已往的歷史（社會變遷）與當時的經濟狀況（社會變遷達到的階段）而決斷，而在今日全世界息息相關的時代，尤要看國際的情勢，國際的趨向。這樣子規定了的局面，是只能有一不能有二的，……所以，吾便主張：最適於一個地方一個時代的革命必然只有一個。」〔註80〕簡單言之，近代中國的經濟狀況，以及國際的情勢、國際的趨向是：「一方中國是多年沈頓於封建制度（經濟意義的）農業經濟之中，近年受了帝國主義必然的侵略，已漸在帝國主義宰制之下，上了資本主義化的第一階段，農業手工業已趨敗落，大工業不能自由振興，政治失了獨立，人民犬不聊生，而封建制度的殘餘勢力在帝國主義者利用之下猶在頑強橫行；一方國際是帝國主義者方在爭奪殖民地製造殖民地的大戰以後，以建設社會主義勞農專政相標榜的國家既經成立十載，各地被壓民族被壓階級的蠢動無時或已，資本主義到了帝國主義的末期，破綻矛盾已經大露，最近帝國主義者的經濟雖略現穩定之象，而內部的不寧卻在日演日劇。」〔註81〕在這種局勢之下，「中國的革命，中國的唯一革命，是只有國民革命的，除此以外再沒有別的，再沒有別的革命的可能。不但當下沒有別的，就在所能想得到看得及的將來，也必不會有別的。但令人力做到，就由這個唯一無偶的國民革命，就可以達到所有今日眞正的革命者所想達的目的。」〔註82〕這個

〔註78〕 張申府：《張申府文集》，第一卷，河北人民出版社 2005 年版，第 128 頁。
〔註79〕 張申府：《張申府文集》，第一卷，河北人民出版社 2005 年版，第 131 頁。
〔註80〕 張申府：《張申府文集》，第一卷，河北人民出版社 2005 年版，第 108 頁。
〔註81〕 張申府：《張申府文集》，第一卷，河北人民出版社 2005 年版，第 109 頁。
〔註82〕 張申府：《張申府文集》，第一卷，河北人民出版社 2005 年版，第 109 頁。

唯一的國民革命，就是孫中山「努力了四十年而今已上了大成功的大道的國民革命」〔註83〕，而不是張申府原來信奉的共產革命，他認為，「自一九二七年以後，中國只有國民革命，更沒有共產革命！」〔註84〕

在近代中國，很多人在提倡國民革命的同時，也倡導社會革命，張申府本人也曾說過，「今日乃是革命的時代，而且是社會革命時代。因為在現代的中國，非社會先革命，必無別的革命可能。」「今日的革命是要建設一個新社會的。」〔註85〕那麼，國民革命與社會革命的關係如何呢？張申府既然相信「一個革命說」，為什麼還要提什麼社會革命呢？張申府說，「我既已承認只有一個最適於今日中國的革命，而且承認就由這一個革命就可以達到所有真正的革命者所要達的目的，當然是不承認此外還有什麼別的社會革命的。換話來說，我認為社會革命實已包括於國民革命之中，二者並不相外，二者更不可以相非。今日中國的革命，叫作國民革命可，叫作社會革命也無不可。只看所重是那一方面。」「中國今日的革命，既有好幾方面，就民主獨立建設自主國家說，是國民革命，就推翻封建制度打倒帝國主義而以超資本主義的方法建設國家資本開發工業解決土地問題說，就是社會革命。這道理，其實是顯然的。最後目的既在實現民生主義（即社會主義）經濟平等，非社會革命而何。既不能忽略了超資本主義的生產方法，既要推翻應來的宗法社會封建勢力，非社會革命而何。就是政治上真正的民主，而非像西洋近代的假民主，也是非社會革命不辦的。社會革命本是對政治革命而言。照現在似乎不應該稱引（其實不必這樣地小器。至少不以人廢言的古訓是應該遵守的）馬克思的說法，政治革命就是奪取政權（推翻舊政權建設新政權），社會革命就是改造社會（建設新社會制度）。今日的中國革命，當然必不止於奪取政權。更深切言之，現代的革命，本沒有會不兼是社會革命的。不兼是社會革命的變動，只是政變，只是籙忒達（Coup detat），算不了什麼革命。」〔註86〕

國民革命的長遠目標是實現理想的大同社會，近期目標則是獨立、民主、「建設一種越過資本主義的生產方法」。張申府認為，「我們國民革命的目的本在打倒軍閥，打倒帝國主義在中國的勢力，使一切被壓迫的民眾都興起來，建設了真正民主獨裁的國家，於是更進而打倒霸佔全世界的帝國主義制度，

〔註83〕 張申府：《張申府文集》，第一卷，河北人民出版社 2005 年版，第 101 頁。
〔註84〕 張申府：《張申府文集》，第一卷，河北人民出版社 2005 年版，第 110 頁。
〔註85〕 張申府：《張申府文集》，第一卷，河北人民出版社 2005 年版，第 137 頁。
〔註86〕 張申府：《張申府文集》，第一卷，河北人民出版社 2005 年版，第 111 頁。

以實現人類最高的大同理想。」〔註87〕換句話說,「國民革命的最大動機,當然在反帝國主義。」這又含有兩個「成分」,「一爲建設一種越過資本主義的生產方法,一爲民族的獨立。」但鑒於當時中國的政治情形及世界趨勢,中國的革命「便還有第三種成分,就是政治上的眞正民主。」這「三者是一系的,而不可以偏重,自然更不可以缺一。」中國革命既有這三個成分,當然中國革命上了成功之路之後,「第一步必須推翻帝國主義在中國的勢力,建設眞正民主的獨立國家。更以超資本主義的方法(或說非資本主義的,我以爲不如說超資本主義的,更爲妥當。因爲資本主義以前的生產製度,如封建時代的制度,也是非資本主義的)振興工業,解決土地問題,改良農林漁鹽茶絲瓷各業,人人都得安生樂業,最後遂推翻全世界的帝國主義,完全實現了國際平等政治平等經濟平等天下爲公的大同社會。」〔註88〕也就是說,經過國民革命之後所要達到的社會制度,既「不是什麼流行的資本主義,更不是由資本主義長成的帝國主義;自也不是,要維持『殘餘的封建制度』,以及什麼從以前的制度遺留下來的思想習慣勢力;而乃是一種所謂大同主義或『共通主義』」〔註89〕。

需要注意的是,所謂打倒軍閥,乃是打倒所有的軍閥;所謂打倒帝國主義在中國的勢力,乃是打倒所有一切的帝國主義在中國的勢力,而非僅限於其中的某一部分,而且就是完全打倒了帝國主義在中國的勢力,而沒有根本推翻帝國主義的制度,中國革命還是不得謂之竟了全功的。也就是說,國民革命的對象是制度,而不是人。張申府指出,在革命的對象問題上,有一種流行的錯誤見解,即「把革命對象說的好像革命在對人。」他認爲「這實在是一個極大的錯誤。」「第一,因其忽略了根本;第二,因其違反了革命的本意」。因此「不免使得革命多生枝節,多所糾紛」。例如打倒軍閥一個口號,就不免犯了這種錯誤。只說打倒軍閥,而不更注意於產生軍閥的制度,結果舊的軍閥,表面上似乎打倒了,而卻繼生了一大群的新軍閥,究竟於實何裨!那麼,眞正的革命對象,到底是什麼?張申府「鄭重斬截地說,革命乃是對於制度,絕不是對於人。」中國的革命是要打倒帝國主義與「殘餘的封建制度」。所以要打倒帝國主義,就是因爲帝國主義是一種制度。「你如眞要打倒

〔註87〕　張申府:《張申府文集》,第一卷,河北人民出版社 2005 年版,第 103 頁。
〔註88〕　張申府:《張申府文集》,第一卷,河北人民出版社 2005 年版,第 110 頁。
〔註89〕　張申府:《張申府文集》,第一卷,河北人民出版社 2005 年版,第 127 頁。

軍閥資本家與地主貪官污吏土豪劣紳，你也只有從根本上打倒產生這種種什麼軍閥資本家等等的制度。如果只知對人，而制度不管，結果必致表面上舊的像是打倒了，而新的又復產生，而且說不定你自己就也變成你自己所要打倒的人」。一個人無論他怎樣，張申府始終堅決地相信「個人無罪」。一個人之所以有罪惡的行為，都是「社會制度與習慣使之，個人實在不能負那種責任。」個人習慣的養成當然不外由於社會制度與教育，「而教育自也是一種社會的制度」。所以一切罪惡，究其實，都不能不加在社會制度身上。要使世界無罪惡，「只有革制度的命，由好的制度，好的教育，以養成好的習慣，這樣子乃能使人無復罪惡的行為。」〔註90〕因此，國民革命的對象「絕對在制度，而不在人。」〔註91〕

關於革命的依靠力量或主力軍，張申府的思想有一個發展變化的過程。在大革命期間，張申府認為國民革命的主體與共產革命一樣，是革命的農工階級，「今日所以革命，乃為的民眾，亦成於民眾。今日的革命，尤其以工農為主體。」〔註92〕大革命失敗後，又把小資產階級加入革命陣營之內，「至於誰來執行這種革命，當然就是大家都曉得的革命的農工與小資產階級。這也是缺一不可的。」〔註93〕到抗日戰爭和解放戰爭期間，張申府則反對在中國進行階級劃分，反對階級鬥爭學說，認為「中國因為生產落後，階級劃分不清楚。至少今日還不是應該由一階級當政的時候。今日應該力求階級諧和，不應該加強階級對立、擴大階級鬥爭。」〔註94〕因此國民革命「是人民的，而非一個階級的」。他說：「現在是正過在一個革命的時代。而且是一個人民的革命的時代。」〔註95〕也可以說，「現在的時代是人民的時代，也就是老百姓（的）時代，普通人的時代。」所謂人民的時代還有一個意思是說，「這個時代不但不是君主貴族的時代，不是祭司神父的時代。也不是那個階級的時代」，而是「一般人民的擡頭」〔註96〕。顯然，張申府已經把國民革命的主體歸結到抽象的「人民」身上。

〔註90〕張申府：《張申府文集》，第一卷，河北人民出版社2005年版，第129～130頁。
〔註91〕張申府：《張申府文集》，第一卷，河北人民出版社2005年版，第131頁。
〔註92〕張申府：《張申府文集》，第一卷，河北人民出版社2005年版，第97頁。
〔註93〕張申府：《張申府文集》，第一卷，河北人民出版社2005年版，第110頁。
〔註94〕張申府：《張申府文集》，第一卷，河北人民出版社2005年版，第582頁。
〔註95〕張申府：《張申府文集》，第一卷，河北人民出版社2005年版，第467頁。
〔註96〕張申府：《張申府文集》，第一卷，河北人民出版社2005年版，第645頁。

　　誰來領導革命呢？既然革命是客觀的，那麼「誰最能客觀，誰最能認識客觀，誰就最能爲革命的領導者。」〔註97〕革命需要政黨的領導，「今日革命，不能無黨，黨如革命的參謀部，黨如革命的急先鋒。有眞正革命的黨，才能使革命事業容易成功。」〔註98〕因此國民革命「必須有嚴明的強有力的革命黨」〔註99〕來領導。這個黨就是國民黨，「既不是什麼共產黨無政府黨，也不是什麼此外的什麼第三黨第四黨」〔註100〕。「中國國民革命是中國國民黨的責任」〔註101〕，因爲「革命的國民黨是以國民革命爲職志的」，之所以如此，是因爲張申府的前提是：「中國是唯有一個革命的，即是國民革命，由這一個革命就可以在中國達到現代世界的革命的最高目的；吾既不承認一個範圍裏同時有兩種革命，也不承認一個革命可以有截然的兩截。既然如此，革命者自也當然只有一種革命者。黨的問題，自然也只有一個黨的問題。」〔註102〕

　　總之，張申府的「一個革命說」的意思就是：「徹底解決中國問題只需要一個革命。這一個革命既是政治革命，又是社會革命。既不是有產階級的革命，也不是無產階級的革命。而乃是國民革命，而乃是民族革命，而乃是全國革命。在這一個革命過程中逐由三民主義的徹底實行，平坦順逐地發展到大同社會：即所謂『以進大同』，而把三民主義的理想圓滿實現。本來劃分不清的階級，便直進而消滅之，以成無階級的社會。」〔註103〕而革命的範圍，仍然是世界性的，「今日世界是大通的。民眾是無國界的。今日的革命，尤其合世界成一個整個。」〔註104〕

〔註97〕張申府：《張申府文集》，第一卷，河北人民出版社2005年版，第97頁。
〔註98〕張申府：《張申府文集》，第一卷，河北人民出版社2005年版，第116頁。
〔註99〕張申府：《張申府文集》，第一卷，河北人民出版社2005年版，第117頁。
〔註100〕張申府：《張申府文集》，第一卷，河北人民出版社2005年版，第115頁。
〔註101〕張申府：《張申府文集》，第一卷，河北人民出版社2005年版，第116頁。
〔註102〕張申府：《張申府文集》，第一卷，河北人民出版社2005年版，第115頁。
〔註103〕張申府：《張申府文集》，第一卷，河北人民出版社2005年版，第306頁。
〔註104〕張申府：《張申府文集》，第一卷，河北人民出版社2005年版，第98頁。

第五章 「大同個人主義」：社會改造的理想目標

一、社會改造的目標模式

　　五四運動前，人們雖然以歐美作為社會改造的榜樣，以某種形式的資本主義制度作為社會改造的目標，但是並沒有明確地提出這個問題。五四運動後，隨著「社會改造」思潮的逐步開展，關於社會改造的目的問題終於提上了中國先進分子的議事日程。人們開始探討在當時的國際國內環境下，中國究竟應該向何處去、社會改造的理想目標究竟是什麼這個大問題。1919 年 11 月，瞿秋白、鄭振鐸等在《新社會》發刊詞中明確提出了應當弄清楚中國社會改造的理想目標的問題：「中國舊社會的黑暗是到了極點了！他的應該改造是大家知道的了。但是我們應向那一方面改造？改造的目的是什麼？我們應該怎樣改造？改造的方法和態度是怎樣的呢？這都是改造的先決問題，主張改造的人所不可不明白解答的。」〔註1〕在為《新社會》撰寫的廣告詞中，他們也說明該刊著重研討的是「社會性質及其進化底法則及程序是怎樣的」、「現代社會的壞處是什麼」、「世界的社會改造問題是什麼」、「中國社會怎樣改造」、「將來的社會是什麼樣的」〔註2〕等問題。

　　「提出中國社會改造的目標模式這個大問題，標誌著中國先進思想界具有了一種新的時代自覺。」〔註3〕但是，問題提出了，回答它卻不容易。他們

〔註 1〕 《新社會發刊詞》，《新社會》第一號。
〔註 2〕 《新青年》第七卷第六號。
〔註 3〕 《胡繩論「從五四運動到人民共和國成立」》，社會科學文獻出版社 2001 年版，第 96 頁。

最初提供的答案是非常籠統的。《新青年》於 1919 年 12 月發表由陳獨秀執筆的《本志宣言》說:「我們理想的新時代新社會,是誠實的,進步的,積極的,自由的,美的,善的,和平的,相愛互助的,勞動而愉快的,全社會幸福的。希望那虛僞的,保守的,消極的,束縛的,階級的,因襲的,醜的,惡的,戰爭的,軋轢不安的,懶惰而煩悶的,少數幸福的現象,漸漸減少,至於消滅。」〔註 4〕非常明顯,這個「新時代新社會」的藍圖,是針對現存社會中的不良現象而設計出來的。所設計的這個眞、善、美的理想王國,反映的是人們對未來社會的美好心願。它所做出的各項規劃性描述,是非常抽象的。在這裡,一切具體的社會制度和社會關係,全然變得不清楚了。即便提出問題的瞿秋白等本人所給出的答案也同樣是籠統的,他們只是說要謀求「向最好的方面去改造」,改造的目的「就是想創造德莫克拉西的新社會——自由平等,沒有一切階級一切戰爭的和平幸福的社會」〔註 5〕。用這樣朦朧而美好的理想來規定社會改造的目標,顯然難以算得上是科學的答案,而且也是難以付諸實際操作的。不過,做出這種關於中國社會改造目標的嘗試性描述,畢竟表明在「五四」後的新形勢下,爲拯救國家民族而尋求正確的路向與航程,制定正確的行動綱領,已經是一件刻不容緩的大事。〔註 6〕

　　第一次世界大戰徹底暴露了資本主義社會制度的弊端,先進的中國人逐漸喪失了對資本主義的興趣和信心;而十月革命和蘇維埃社會主義制度的建立則爲人們提供了新的選擇和新的希望,因此,五四運動後,這種產生於西方又反對資本主義制度的社會主義思想就成爲人們熱烈追求的目標。不僅像李大釗、陳獨秀等具有初步共產主義思想的知識分子在積極介紹十月革命和社會主義,就是像孫中山、胡漢民、戴季陶等資產階級革命派,梁啓超、張東蓀等資產階級改良派,王光祈等小資產階級知識分子,甚至軍閥陳炯明、政客王揖唐等,也都競相宣傳、介紹社會主義。這時的所謂社會主義,除了馬克思的科學社會主義外,還有第二國際的「議會社會主義」,聖西門、傅立葉、歐文的空想社會主義,無政府主義的「互助論」,托爾斯泰的「泛勞動主義」,英國的「基爾特社會主義」,甚至包括類似歐美的勤工儉學的「工讀主義」或「工學主義」等。當時,大部分刊物「都似乎有不談社會主義,則不

〔註 4〕《新青年》第七卷第一號。
〔註 5〕《新社會發刊詞》,《新社會》第一號。
〔註 6〕《胡繩論「從五四運動到人民共和國成立」》,社會科學文獻出版社 2001 年版,第 96～97 頁。

足以稱新文化運動的出版物的氣概」〔註7〕。很多人都把社會主義當作社會改造的理想目標，「我們對於社會主義總當認為最後的標的。」〔註8〕

二、共產主義大同與三民主義大同

　　與這種思想背景相適應，張申府也把社會主義或共產主義作為其社會改造思想的最後目標。他認為，「社會主義已成為不可侮的怪物」，「社會主義是想解勞動之軛的，更切實言之，便是要使勞動居其應當居的地位。勞動運動的歸趨，就在實現社會主義制，社會主義運動最靠得住的戰鬥員，又就是勞動階級。」但社會主義也非最終的目標，比社會主義更高一級的則是共產主義，「說社會主義，共產主義便也含在裏邊。」張申府引用光明運動領導人巴比斯（H·Barbuse）的話說，「共產主義並不是社會主義之一方面，乃是他真實的精華，乃是他從來未有的適足的表示。」因此，張申府認為，「主張社會主義而不主張共產主義只是不要精華罷了。」〔註9〕因此，張申府認為，社會改造的「本目的乃是生產共有，分配共管，無階級、無國、無家、無政府的共產社會。」〔註10〕換而言之，「一切生產器具大家共有。一切生產結果大家共有。公共生產，公共消費。不犧牲個人於公眾，不犧牲公眾於個人。全體享樂，各個享樂。社會良善組織，人人圓滿發達。普通說來，這就是所謂共產主義。」〔註11〕

　　張申府之所以選擇共產主義作為其社會改造的理想目標，是因為他相信，「至少在目前與目前的將來，有百利無一弊的一事，是不會有的。最壞的是無辦法。當百敝之秋，有一個綱舉目張的辦法，各方最好就容他試一下。這樣子，現狀庶幾才有可逃出之一日。我對於布爾什維克的辦法，抱持的也是這樣的態度。」〔註12〕因此他認為，為社會改造起見，共產主義的「武力赤化或者不失為一個可試試的辦法」〔註13〕。1925年後，尤其是大革命失敗後，張申府對階級鬥爭和無產階級專政失去信心，「對於猛烈的流血革命也是

〔註7〕　周佛海：《實行社會主義與發展實業》，《社會主義討論集》，上海新時代叢書
　　　　　社1921年版，第252頁。
〔註8〕　張東蓀：《一個申說》，《改造》第三卷第六期。
〔註9〕　張申府：《張申府文集》，第一卷，河北人民出版社2005年版，第231頁。
〔註10〕　張申府：《張申府文集》，第一卷，河北人民出版社2005年版，第44頁。
〔註11〕　張申府：《張申府文集》，第三卷，河北人民出版社2005年版，第48頁。
〔註12〕　張申府：《張申府文集》，第一卷，河北人民出版社2005年版，第74頁。
〔註13〕　張申府：《張申府文集》，第一卷，河北人民出版社2005年版，第75頁。

懷疑的」〔註14〕，認為共產革命作為一種社會改造的實驗已經失敗，可以說，「自一九二七年以後，中國只有國民革命，更沒有共產革命！」〔註15〕於是，張申府轉而提倡「一個革命」──即國民革命說，希望通過國民革命，實現三民主義的大同社會。

所謂三民主義大同社會，即「由國民革命走上社會主義之路」〔註16〕，它有以下兩個步驟：一是打倒軍閥，徹底消滅帝國主義制度，圓滿實現三民主義，建設真正民主獨立的國家，即「貫徹了（好）打倒帝國主義的政策，實現了三民主義的整個，以達於大同的社會。」〔註17〕張申府認為，社會改造的「目的本在打倒軍閥，打倒帝國主義在中國的勢力，使一切被壓迫的民眾都興起來，建設了真正民主獨裁的國家，於是更進而打倒霸佔全世界的帝國主義制度，以實現人類最高的大同理想。」「真面目的自由平等，是必須這樣子才得的到的。」「既然如此，顯然，所謂打倒軍閥，乃打倒所有的軍閥。所謂打倒帝國主義在中國的勢力，乃打倒所有一切的帝國主義在中國的勢力，而非僅限於某一部分，而且就是完全打倒了帝國主義在中國的勢力，而沒有根本推翻帝國主義的制度，中國革命還是不得謂之竟了全功的。」〔註18〕但這種革命並不是他以前主張的無產階級的共產革命，而是國民革命，他說：「我十餘年來越來越相信一個『一個革命說』。意思就是：徹底解決中國問題只需要一個革命。這一個革命既是政治革命，又是社會革命。既不是有產階級的革命，也不是無產階級的革命。而乃是國民革命，而乃是民族革命，而乃是全國革命。在這一個革命過程中遂由三民主義的徹底實行，平坦順遂地發展到大同社會：即所謂『以進大同』，而把三民主義的理想圓滿實現。本來劃分不清的階級，便直進而消滅之，以成無階級的社會。」〔註19〕

二是採用超資本主義的方法發展經濟。張申府認為，中國革命走上成功之路後，第一步當然是必須推翻帝國主義在中國的勢力，建設真正民主的獨立國家，但更主要的是要「以超資本主義的方法（或說非資本主義的，我以

〔註14〕張申府：《張申府文集》，第一卷，河北人民出版社 2005 年版，第 90 頁。
〔註15〕張申府：《張申府文集》，第一卷，河北人民出版社 2005 年版，第 110 頁。
〔註16〕張申府：《張申府文集》，第一卷，河北人民出版社 2005 年版，第 229 頁。
〔註17〕張申府：《張申府文集》，第一卷，河北人民出版社 2005 年版，第 101 頁。
〔註18〕張申府：《張申府文集》，第一卷，河北人民出版社 2005 年版，第 103 頁。
〔註19〕張申府：《張申府文集》，第一卷，河北人民出版社 2005 年版，第 306 頁。

為不如說超資本主義的，更為妥當。因為資本主義以前的生產製度，如封建時代的制度，也是非資本主義的）振興工業，解決土地問題，改良農林漁鹽茶絲瓷各業，人人都得安生樂業，最後遂推翻全世界的帝國主義，完全實現了國際平等政治平等經濟平等天下為公的大同社會。」〔註20〕

三、大同社會的主要特徵

不管是共產主義大同，還是三民主義大同，所區別者在其實現途徑或手段，而不在其基本形態。張申府雖未對未來的大同社會進行具體的描述，但卻勾劃了其主要特徵。

（一）「大同個人主義」

張申府認為，社會的核心問題是「群與己，少與多」的關係問題，「過顧社會則礙個人，過重小己亦妨社會」〔註21〕。又說：「多少年來我常與人說，人類最大的問題就是群與己的問題，就是個人與社會的關係問題。如果偏重個人，則會擾亂社會秩序；如果偏重社會，則會妨礙個人自由。二者對於人類進步都是不利的。如何把社會和個人安排得各如其分，各得其所，秩序自由雙方兼得，這是自古至今沒有解決的一個問題。」〔註22〕在張申府的思想中，「群」與「己」、「個人」與「社會」的矛盾十分尖銳，無法真正解脫。他既對以個性獨立、個性發展為核心的個人主義、自由主義心嚮往之，又對以集體主義為目的的大同境界和馬克思主義理論體系懷有深深的崇敬之意。這種內心的矛盾，張申府既然在現實社會中難以真正解決，便只能寄託於未來理想的大同社會。

張申府心目中的理想社會，是個人與社會的和諧統一。「不犧牲個人於公眾，不犧牲公眾於個人」，「社會良善組織，人人圓滿發達」〔註23〕。也就是說，「想著世界大同，不可不並行圓滿發展個人，個人純粹獨立，佔據的事業破滅以後，在創造的事業上個人絕對自由的、個人主義。」〔註24〕事實上，張申府認為，個人主義與集體主義似相反而實相成，二者在其理想狀態或其

〔註20〕 張申府：《張申府文集》，第一卷，河北人民出版社2005年版，第110頁。
〔註21〕 張申府：《張申府文集》，第三卷，河北人民出版社 2005 年版，第 155～156頁。
〔註22〕 張申府：《張申府文集》，第一卷，河北人民出版社 2005 年版，第 512 頁。
〔註23〕 張申府：《張申府文集》，第三卷，河北人民出版社 2005 年版，第 48 頁。
〔註24〕 張申府：《張申府文集》，第三卷，河北人民出版社 2005 年版，第 19 頁。

終極目的上是相通的：「如何可以自由？自由在個人主義。如何得個人主義？得個人主義在知有人，亦不知有人。知有人，不以己害人。不知有人，不以人礙己。個人主義之極致，即是大同之極致。大同之極致，即是個人主義之極致。故此個人主義爲大同個人主義。解群與己之糾者，在於是。」〔註25〕那麼如何才能實現理想的「大同個人主義」呢？張申府寄希望於人類的理性：「解決此問題自宜更循人性而審選群制。巴甫洛夫的制約反射之律，於此實大有助益……換辭來說，人生必須由科學的進展，人性的認識，社會的改制，教育的更新，以達於仁之境。」〔註26〕他認爲通過科學的發展，認識並改造人的本性，同時據此作出理性選擇，改造社會制度，創建群己和諧的合理社會，最終實現「自由人的自由結合」〔註27〕。

（二）「生」之人生觀

大同社會的人生觀，是「生」之人生觀。所謂「生」之人生觀，就是「使人人都得遂其生，使人人都得善其生，簡單言之，便在『生之擴大』。即這便是人生理想，即這便是人生歸宿」〔註28〕，張申府認爲，社會改造的最後目的，是不能外乎這個的。

「生之一字，乃人生最偉大最重要之一字，凡是一種切實的人生觀，必有能不根據這椿簡單而概括的事實。」〔註29〕那麼，「人爲什麼而生？人爲什麼而活著？」張申府指出，要回答這個人生意義的問題，「第一先應分開『是』的方面與『應』的方面，就是『是怎樣』的方面與『應怎樣』的方面。」這兩方面雖然有聯繫，卻未必一致。普通問「爲什麼生活」的問題，常常是把這兩方面混在一起。因爲「爲什麼」三字本有兩個意義，一個在先的，「爲什麼原因」；一個在後的，「爲什麼目的」。大體言之，可以說，「是」的方面就是原因方面；「應」的方面就是目的方面。同時，也還可以說，「是」的方面就是事實方面；「應」的方面則是道德方面。

根據這一分析，張申府認爲，「事實上，人爲什麼活著呢？簡捷地答，第一層，就是爲活著而活著，爲生活而生活。」也就是說，人只是爲生而生，

〔註25〕張申府：《張申府文集》，第三卷，河北人民出版社 2005 年版，第 80 頁。
〔註26〕張申府：《張申府文集》，第三卷，河北人民出版社 2005 年版，第 155～156頁。
〔註27〕張申府：《張申府文集》，第一卷，河北人民出版社 2005 年版，第 326 頁。
〔註28〕張申府：《張申府文集》，第一卷，河北人民出版社 2005 年版，第 126 頁。
〔註29〕張申府：《張申府文集》，第一卷，河北人民出版社 2005 年版，第 126 頁。

人不過爲活著而活著，「於此之外而求人生意義，都是沒有意義的。」〔註30〕
但這還不夠，還有個第二層，「則是爲遂其生，爲美其生，爲擴大其生，乃有
生活上的種種。」〔註31〕一切生物第一件要緊的事就是生，就是維持其生存。
一切生物所以生活第一件都是爲的生活。這不但於人爲然，凡是生物其實都
是如此。所以「你如願知道人生意義，你最好先看蟻生意義，猿生意義，狗
生意義，貓生意義。」〔註 32〕這似乎有點兒盲目，但是事實卻是如此的。這
似乎對於原問題並沒有回答，但是事實方面，即「是」的方面的回答，卻只
有如此。對人來說，這是無意識的，不自覺的。關於這個問題的自覺的方面，
也就是應當怎樣的方面，既然「事實上人既是爲生而生以至爲善生大生而生，
因此人生的目的便應當是使人人都得遂其生，善其生，美其生，擴大其生。」
〔註33〕張申府說，「既假定了人生，自不可不有以善之。如何善其生？是在使
生者皆得遂其生。次之，則應充實其生，優美其生。人生理想，應在人生中，
如是而已。」〔註34〕什麼是「善」與「美」呢？張申府認爲，「所謂善與美者，
也就是使生活易，使生活易於進步的意思。人人都得生得活著不但是人的義
務也是人的權利；不但是人的本分也是人的使命。」〔註 35〕在其它地方，張
申府又說：「照我的說法，人生乃是爲的遂生，大生，美生。這就是：第一，
要使生活得遂，要生活得下去；第二，還要把生活擴大，把生活開拓，把生
活向前發展，不但要我得生，還要人能活，不但現在要生，還要將來能活；
第三，便是要生活美，生活充實，生活閎高，生活秀麗，活的快活，不但我
活的快活，並且人人都活的快活。」〔註36〕顯然，「生」之人生觀的著眼點和
落腳點不僅是個人的，更是集體的，是社會的，是推己及人的。既然人生理
想就是使人人都得遂其生，善其生，美其生，那麼，人類個體作爲不同生命
體的存在，便都是平等的，都有其存在和發展的權利，在生物學意義上是如
此，在社會學、政治學意義上仍然如此。張申府極端反對侵犯人的生活的行
爲，他說：「人類應該有一個根本的信念，便是承認彼此都是人。既然彼此都

〔註30〕張申府：《張申府文集》，第三卷，河北人民出版社 2005 年版，第 73 頁。
〔註31〕張申府：《張申府文集》，第一卷，河北人民出版社 2005 年版，第 159 頁。
〔註32〕張申府：《張申府文集》，第三卷，河北人民出版社 2005 年版，第 216 頁。
〔註33〕張申府：《張申府文集》，第一卷，河北人民出版社 2005 年版，第 160 頁。
〔註34〕張申府：《張申府文集》，第三卷，河北人民出版社 2005 年版，第 217 頁。
〔註35〕張申府：《張申府文集》，第一卷，河北人民出版社 2005 年版，第 160 頁。
〔註36〕張申府：《張申府文集》，第一卷，河北人民出版社 2005 年版，第 420 頁。

是人，便應該彼此都有個相當的瞭解。人是生物。彼此最應該瞭解的，就是彼此都要生，彼此都要活著。」人們不能因為別人的生活方式不同於己就對其加以迫害，「假如你不能使人都好好地活著，然而因為別人所用以自謀其活著的方法適為你所不喜，於是假你偶得的機會，從而笑罵之，或則甚至假你偶得的權力，從而除戮之，那你便不自信為殘忍，吾也必謂你為殘忍人。」但張申府之所以反對暴力不是反對行使暴力的人，也不僅僅是反對暴力本身，而是反對以暴力侵犯人的生活，「所惡於強暴者惡其侵人的生活。所惡於惡強暴者，惡其因阻強暴之侵人生活，乃根本取強暴者之生活。惡強暴，惡其為強暴，非惡其為人！」〔註37〕這樣說來，為生而生的人生觀，不但在事實上是如此，在道德上，在理想上，也是如此，「這是歷來實用的人生觀——人生理想」〔註38〕，也是「一種切實客觀的人生觀」〔註39〕。根據這種人生觀，再睜眼看看現實社會，不用說善其生，美其生，許多人都還不得生，都還不得遂其生，「吾們的責任，吾們的使命，吾們的理想，吾們的目的，已就明擺在眼前！」〔註40〕

（三）「仁」的理想

「仁」是張申府大同思想的核心，社會改造的目的，就是「由科學的進展，人性的認識，社會的改制，教育的更新，以達於仁之境」〔註41〕。張申府批判繼承了中國傳統文化、尤其是儒家文化的「仁」學思想，並賦予其新的合乎時代精神的含義。

在張申府的思想中，「仁」佔有很高的地位，他說：「『仁』與『科學法』，是我認為人類最可寶貴的東西的。仁出於東，科學法出於西。」〔註42〕具體來說，仁即是人的本性，是人之所以為人的本質因素，是構成人類社會的根本條件，也是「人間的最高的理想」，「是人與人間最好的關係」，「是中國文明最大的貢獻。」〔註43〕「仁從二人，成群之本。」「仁者人也，是人之所以為人，是為人處世之最高準則，是為人最應操守之中。仁，行起來就是忠與恕。而行的

〔註37〕 張申府：《張申府文集》，第三卷，河北人民出版社 2005 年版，第 207 頁。
〔註38〕 張申府：《張申府文集》，第三卷，河北人民出版社 2005 年版，第 73 頁。
〔註39〕 張申府：《張申府文集》，第一卷，河北人民出版社 2005 年版，第 126 頁。
〔註40〕 張申府：《張申府文集》，第一卷，河北人民出版社 2005 年版，第 160 頁。
〔註41〕 張申府：《張申府文集》，第三卷，河北人民出版社 2005 年版，第 156 頁。
〔註42〕 張申府：《張申府文集》，第三卷，河北人民出版社 2005 年版，第 64 頁。
〔註43〕 張申府：《張申府文集》，第一卷，河北人民出版社 2005 年版，第 318 頁。

準則，則是義。禮是義之節文。」〔註44〕「仁是人與人間最親切的關係。所謂仁者人也。仁是人之所以為人，所謂生生之謂仁，所謂仁是相人偶。社會不過人的關係的集合。最高理想的社會定是仁的社會。仁字從二人。承認己外有人，是作人的起碼點。也是人類社會，人能組成社會的最起碼點。」〔註45〕

在張申府看來，仁就是「生動靈活，能感覺，有深厚純篤的同情」〔註46〕。仁即生：仁是生之元，「可種而生者謂之仁」〔註47〕，「仁、易、生：是中國哲學中三個最根本緊要的字，而實是一體的。生生之謂仁。生生之謂易。仁者生之仁。易者生之性。離仁無生。離生無易。離生也何用仁？離仁，易息。易息，一切休止。」〔註48〕仁是能感覺，「能感覺就是仁」〔註49〕，張申府引用北宋理學家謝良佐（1050～1130，世稱上蔡先生）的話說，「有知覺識痛癢便喚作仁」。綜合生、感二義，張申府寫道，「更深切著明講來，便是如上蔡說：『活者為仁』。仁就是活，仁就是活的，仁就是生意融融，仁就是盎然有活趣，仁是活潑潑地，仁必有活靈靈，活潑潑的氣象，欣欣然，栩栩然，活生生的景象：『藹乎若春陽之溫，盎乎若醴酒之醇』。」在此基礎上，便形成了仁的種種引申含義。

除此之外，張申府還對仁作了民主、理性、寬容等自由主義的解釋。仁就是民主，因為「民主最近於中國天下為公的大同理想，最近於『仁』與『中』的哲學，最近於恕道，最近於講情理講理性的風尚。」〔註50〕而「最民主的人類關係應就是『仁』的關係。民主政治的極致應就是『仁』的政治。」〔註51〕理性是民主的精神，既然仁就是民主，那麼，仁與理性也是相合的，「仁及忠恕之道都是理性之道。忠，盡己為人。恕，推己及人。仁，首在活靈靈地感到他人。所以，仁及忠恕，都是假定有他人，都是承認他人，容許他人，重視他人的。沒有理性，這個如何作得到？」〔註52〕「『仁者人也』。沒有仁，

〔註44〕張申府：《張申府文集》，第三卷，河北人民出版社 2005 年版，第 410 頁。
〔註45〕張申府：《張申府文集》，第三卷，河北人民出版社 2005 年版，第 253 頁。
〔註46〕張申府：《張申府文集》，第一卷，河北人民出版社 2005 年版，第 581 頁。
〔註47〕張申府：《張申府文集》，第一卷，河北人民出版社 2005 年版，第 318 頁。
〔註48〕張申府：《張申府文集》，第三卷，河北人民出版社 2005 年版，第 180～181 頁。
〔註49〕張申府：《張申府文集》，第一卷，河北人民出版社 2005 年版，第 511 頁。
〔註50〕張申府：《張申府文集》，第一卷，河北人民出版社 2005 年版，第 409 頁。
〔註51〕張申府：《張申府文集》，第一卷，河北人民出版社 2005 年版，第 502 頁。
〔註52〕張申府：《張申府文集》，第三卷，河北人民出版社 2005 年版，第 423～424 頁。

眞難乎其爲人。而理性，可以說，就是仁在人的生活行事上的一個表見。」「仁
從二人。假使只一個囫圇整個，沒有分理，沒有表裏，沒有對待，也便無所
謂理。」〔註53〕因此，「眞正有理性的人一定有正義感，必然也有熱情，尤其
要仁。」〔註54〕顯然，這一意義的仁，是以自利利他的個人主義爲基礎的，
張申府說：「人不可爲己太多，以至爲人太少。也不可爲人太多，以至爲己太
少。爲人太少則不應。爲己太少則不行。爲人有兩種，或直爲人，或望人互
爲人。爲己也有兩種，或但爲己，或望人各爲己。最好：由眞積力久而入以
至自然而然，無爲而無不爲地，人互爲人，亦各爲己。這也就是純眞成熟的
理性的仁及忠恕之道。」〔註55〕「仁者有我，也無我。無我，不在物我之間，
建成壁壘。有我，所以能推己及人，盡己爲人。」〔註56〕「無我者，大公無
私，無偏無頗。有我者，有與人不同處，乃能作獨立的貢獻，乃能促社會的
進步，而堂堂皇皇地做一個頂天立地的人。」〔註57〕這就是所謂英雄本色，「無
我地有一個我」〔註58〕。

（四）「共通主義」

張申府認爲，通過革命或社會改造，我們所要促成的理想的社會制度，「當
然一定不是什麼流行的資本主義，更不是由資本主義長成的帝國主義；自也
不是，要維持『殘餘的封建制度』，以及什麼從以前的制度遺留下來的思想習
慣勢力；而乃是一種所謂大同主義或『共通主義』。」〔註59〕在這種社會中，
處於矛盾對立的雙方將實現和諧與統一：「由理論與實踐的統一，學問與其應
用的統一；以至治人者與治於人者的統一，或管者與作者的統一，也即說者
想者與行者的統一；勞心者與勞力者的統一，或工農與知識分子的統一，以
及農業與工業的統一，鄉村與城市的統一；科學與勞動的統一，學問（及藝
術）與人民的統一；生活與文化的統一，現實與理想的統一；由此遂而造成
一個多樣一體，自由而又聯合的無階級的活社會」〔註60〕。到那時，「不但在

〔註53〕 張申府：《張申府文集》，第三卷，河北人民出版社 2005 年版，第 394 頁。
〔註54〕 張申府：《張申府文集》，第一卷，河北人民出版社 2005 年版，第 712 頁。
〔註55〕 張申府：《張申府文集》，第三卷，河北人民出版社 2005 年版，第 424 頁。
〔註56〕 張申府：《張申府文集》，第三卷，河北人民出版社 2005 年版，第 283 頁。
〔註57〕 張申府：《張申府文集》，第三卷，河北人民出版社 2005 年版，第 282 頁。
〔註58〕 張申府：《張申府文集》，第三卷，河北人民出版社 2005 年版，第 285 頁。
〔註59〕 張申府：《張申府文集》，第一卷，河北人民出版社 2005 年版，第 127 頁。
〔註60〕 張申府：《張申府文集》，第一卷，河北人民出版社 2005 年版，第 358～359
頁。

某個人，在想像上，在體驗上，而且進而在一般人，在一般實踐上，在一切物質上，都實現了天人合融，物我不隔的境界。」〔註61〕

（五）人民的文明

在未來的大同社會，將會出現一種新的文明，即人民的文明，這種新的文明將真正「以人民為主體」，它「不但是為人民，由人民，而且確屬人民，是人民的」。張申府認為，人民的文明是古今中外一切優秀文明的一切優秀質素的結晶體，涵括了一切優秀文明的一切優良品格。一、平等。人民的文明將「漸漸遂泯盡了一切貧富、貴賤、智愚的分別痕跡」，「使過去不得發展的從此都得發展上去」，「從此，全社會和平前進。從此，各方面平衡發展。」二、進步。一切人、事、物都將得到發展的機會，而不復是「這一部分壓迫那一部分，這一部分剝削那一部分，這一部分障礙那一部分」。三、科學。不僅科學將會得到重大的發展，而且科學與社會將會實現完美的結合。科學，尤其是科學法的兩個最顯著的特徵，實事求是與精益求精，必將在人民的文明裏得到充分的發揚，因為「本來人民，第一實落，第二認真，不懂得虛假浮空，漠忽苟且。」四、「仁」。仁、生、中、公、忠、恕將是人民的文明的基本特徵。「麻木、冷酷、死板、機械、偏頗、過分、虛偽、欺騙、狹隘、自私、爾虞我詐、有己無人，都要從此絕跡。」五、實。「一個人的生活總要又實，又廣，又微。」實就是樸樸實實，腳踏實地，踐履篤實。廣就是認識深刻，所見者廣，包容者寬。微就是「致廣大而盡精微」，對事理研析入微，對人民體貼入微。六、理性。承認旁人，重視旁人，關心旁人，體貼旁人，替旁人設想，遇事設身處地，切近人情，平易近人，平情論事，平實主張，這都是理性或有理性或通情理的應有表現。在人民的文明裏，「必是理性與情感，充分而平行發展的。」七、民主。「人之有善，若己有之。與人為善，相互負責。相視而笑，莫逆於心。」在人民的文明裏，定都作得真實而徹底。人與人之間雖有競而無爭，每個人都將得到充分的發展，「無自廣以狹人。匹夫匹婦不獲自盡，民主罔與成厥功」。八、群己和諧。在人民的文明裏，「再無小己的問題，個性的爭論。個個人都有專長。個個人的專長都得發揮盡致。個個人都有所事。個個人的所事都能圓滿無量。人人都得盡量發展，就是人人都得自盡。但卻是在全盤組織設計之下，為的個個人人；而不是任情隨意，為的某家小己。所謂個性，應止於此。」九、生。所謂人性，「首要就在切認

〔註61〕張申府：《張申府文集》，第二卷，河北人民出版社 2005 年版，第 345 頁。

人人都是人，都要生。因此，妨礙人之生，毀滅人之生，就是無人性。」因此人民的新文明，「必會對於適當的個性、群性、人性，都有如實適當的照顧；必會體現遂生、大生、美生的人生理想。」〔註62〕

大同，是兩千多年來中國社會思想的精華，是中華民族關於理想社會的結晶。它吸引了無數仁人志士為之奮鬥，鼓舞著千百萬人為建設美好的社會而不斷努力。自從《禮記·禮運篇》對大同社會藍圖做出令人神往的描繪以來，歷代都有許多思想家對其進行加工、補充和注解，到了近代，洪秀全、康有為、孫中山汲取古今中外關於未來社會理想的思想精髓，將中國傳統大同思想由歷史退化論的理論轉換為歷史進化論的理論，將理想的大同社會由對過去美好歷史的懷念轉換為對未來理想社會的期盼，分別形成了洪秀全太平天國大同思想、康有為大同思想和孫中山民生主義大同思想，共同組成了中國近代大同思想的輝煌篇章。張申府在批判繼承中國傳統及近代大同思想和西方烏托邦思想的基礎上，形成了自己獨具特色的大同思想。與洪秀全、康有為、孫中山等人不同的是，張申府並沒有著意於經濟制度、社會結構、行政組織等具體社會制度方面的描述，而是更傾向於對大同精神的闡釋，在他看來，與具體制度相比，在對未來理想社會藍圖進行描述時，大同精神是更為本質性的東西，沒有大同精神作支撐，對大同社會具體制度的描述只不過是徒具形式罷了，它永遠擺脫不了自己空想社會主義的本性。從這一角度說，張申府似乎更準確地把握住了馬克思和恩格斯對共產主義社會只規定原則而不確定具體制度的精神。正如恩格斯在批評空想社會主義時所說：「解決社會問題的辦法還隱藏在不發達的經濟關係中，所以只有從頭腦中產生出來。社會所表現出來的只是弊病；消除這些弊病是思維著的理性的任務。於是，就需要發明一套新的更完善的社會制度，並且通過宣傳，可能時通過典型示範，從外面強加於社會。」「這種新的制度一開始就注定要成為空想的，它越是制定的詳盡周密，就越是要陷入純粹的幻想」。〔註63〕但是，張申府的大同思想仍然注定是空想的，他沒有找到實現大同社會的科學途徑，他反對階級鬥爭，反對暴力革命，反對無產階級專政，也就無法把大同理想從空想變為科學。

〔註62〕張申府：《張申府文集》，第一卷，河北人民出版社 2005 年版，第 666～668 頁。

〔註63〕《馬克思恩格斯選集》，第三卷，人民出版社 1972 年，第 724 頁。

結　語

一、社會改造是十九世紀以來中國歷史的主題

所謂社會改造，在近代中國的話語情境中，是指人們有意識地擺脫封建主義的羈絆，而入於超封建主義狀態的歷史過程，它有廣、狹兩個含義。狹義的社會改造是指以政治、經濟制度爲核心的社會制度從封建主義向資本主義、社會主義的改變。這是五四運動後興起的社會改造思潮的含義。廣義的社會改造除政治、經濟制度的變革外，還應包括人的改造，即作爲社會主體的人的思想觀念、思維方式、生活態度和風俗習慣從封建蒙昧狀態向自由理性狀態的轉變。由於社會是由人構成的，制度是爲人設計的，因此，說到社會改造，就不能迴避人的改造，離開人的改造的社會改造是不全面的，也是不能成功的。職是之故，本文所謂的社會改造，是指廣義的社會改造。它是制度改造和人的改造這兩條主線密不可分、時刻互動、有機交織而成的歷史變遷過程。其中，人的改造是社會改造的出發點和落腳點，其最終目的則是人的全面自由而持續的發展。

根據社會改造的含義，我們可以說，社會改造是十九世紀以來中國歷史的主題〔註1〕。十九世紀以來中國社會的內部危機和民族危機是社會改造的因

〔註1〕關於十九世紀以來近代中國歷史的主題，研究者們普遍認爲，由於社會基本矛盾的限定，如何反帝反封建、怎樣救亡圖存以及建立一個什麼樣的國家、如何建立這樣一個國家就成爲近代中國歷史的主題。晚清以來逐漸形成的各種社會政治思潮均圍繞這一主題而發展、衝突和分化，社會各階級、階層、政派及其代表人物大體上也是圍繞這一主題來尋求對策，給出種種答案。除此之外，也有學者提出中國近代歷史的主題是爭取民族獨立、探尋「中國向何處去」，也就是「在中國傳統文化不能保持之後，中國應當走什麼道路？中國應當在當代世界中建立一個如何形態的國家，才能適合中國的需要，保障

由，其中，社會危機是社會改造首先要解決的問題，也是十九世紀以來始終需要解決而並未徹底解決的問題。近代中國的民族危機是社會改造的外部原因和刺激因素，民族危機加劇了中國內部危機的程度並使其具有新的特點、出現新的問題，傳統的危機處理方式已經無能為力，社會改造提上了歷史日程；西學東漸為危機的處理和社會改造提供了新的思想資源和解決方式。人的改造（改人性）與制度的革新（變制度）是社會改造的主要內容，救亡圖存、富強獨立、實現中華民族的偉大復興是社會改造的近期目標，理想的大同社會是社會改造的終極目標。近代中國的社會改造思想萌芽於洋務運動後期，洋務運動本身在主觀上並不是為了社會改造，在客觀上卻不自覺的充當了社會改造的工具，從而成為社會改造的先聲。正是由於洋務運動的蔽端與失敗，才在洋務運動後期出現了社會改造思想的萌芽。

　　中國近代是一個王朝危機、社會危機、民族危機互相糾結、互相影響的時代，而其中又以社會危機最為根本。在西方入侵前數十年，當歷史跨入十九世紀的時候，不僅清王朝陷入王朝末年的統治危機之中，中國的封建社會也陷入了嚴重的危機，這種「內部的危機遠不只是秦漢以來王朝循環的又一次重演，明清數百年間出現的若干重大趨勢，諸如人口激增與農業商業化等，經過長期累積，到乾嘉之際已造成傳統中華帝國體制難以應付的複雜態勢，

生存、發展和榮譽？」（參見朱義祿、張勁：《中國近現代政治思潮研究》，上海社會科學院出版社 1998 年版。胡秋原：《一百三十年來中國思想史綱——鴉片戰爭後中國根本問題及五種解決方案》，學術出版社 1983 年版）。這實質是反帝反封建主題的具體化。這種觀點偏重於民族矛盾，而對國內矛盾重視不夠。上世紀 80 年代，李澤厚提出「救亡壓倒啟蒙」的雙重主題論，雖然引起爭論，但反對者提出的「救亡喚起啟蒙」說、「救亡與啟蒙相互促進」說、「救亡超越啟蒙」說，反對的僅是李澤厚的「救亡壓倒啟蒙」的觀點，對救亡與啟蒙的雙重主題則並未否認（參見李澤厚：《中國現代思想史論》，安徽文藝出版社 1994 年。金沖及：《救亡喚起啟蒙》，載《人民日報》1988 年 12 月 5 日。彭明：《論五四反帝反封建的革命精神——兼論救亡與啟蒙的相互促進》，載沙健孫、龔書鐸主編：《走什麼路——關於中國近現代歷史上的基本重大是非問題》，山東人民出版社 1997 年。丁守和主編：《中國近代啟蒙思潮》上卷，社會科學文獻出版社 1999 年，「緒論」）。事實上，啟蒙與救亡雙重主題說只是一個偽問題，因為顯然，啟蒙對應的是反封建，救亡對應的是反帝，而啟蒙與救亡並不是兩個同一層次上的概念，反封建並不僅啟蒙一種手段，將啟蒙與救亡並列顯然是邏輯混亂。因此本文把社會改造作為近代中國歷史的主題，雖然以國內矛盾為立論的基點，但並不忽視民族矛盾，而認為民族矛盾是社會改造的刺激因素，反帝救亡、民族獨立是社會改造的近期目標。

致使內部動盪有了特殊的複雜性。」〔註2〕這種複雜形勢是由多種現象交織而成的，除了王朝衰落的因素外，更多地是明清以來持續不斷的人口激增與商業化所造成的。「數億規模的人口，大規模跨區域移民與流民，地方士紳權力的發展，農業大面積的商業化，區域內與區域間貿易的發展，水路交通的發達，城鎮化的趨勢，等等」，這些都是傳統帝國體制難以控制的問題。另一方面，清帝國政治體制本身也正在發生深刻的衰敗。除了歷代都有的腐敗外，人口激增、移民、基層社會的活力又使得官僚機器相應地更加低效率，商業化的發展則爲權錢交易提供了前所未有的可能。爲適應行政事務的繁劇而自發進行的若干調整，例如吏胥的增多，幕友制度的發展等，本身又帶來了新的麻煩。隨著人口激增，科舉競爭愈益激烈，仕途任命與陞遷也日趨艱難，加上清廷大規模地實施捐納以緩解財政困難，在在都加劇了官場的裙帶關係、賄賂公行。這一系列新舊交織的問題，對十九世紀前期的中國來說，是陌生而又困難的。〔註3〕「問題已遠不只是清王朝的衰落，而更是自『秦漢規模』而成的中華帝國的基本制度本身，如何轉型以吸納新的變遷。」〔註4〕正是在這一背景下，在地主階級內部，出現了要求社會改造的呼聲。許多論者將思考的目標指向了基本的政治—社會體制即「爲治大法」，提出了改革基本制度的種種設想。但「藥方只販古時丹」，這些設想的思想資源均未脫中國傳統思想的藩籬，而只是在「三代之世」的理想社會裏兜圈子。

鴉片戰爭後，隨著外國資本主義勢力的入侵，中國逐步淪爲半殖民地半封建社會，不僅產生了新的民族危機，而且加劇了原有的內部社會危機，並使這一危機呈現出新的特點，體制內的改革已經遠不足以解決問題了。恩格斯在《家庭、私有制和國家的起源》中指出：「只有野蠻人才能使一個在垂死的文明中掙扎的世界年輕起來。」〔註5〕在中國封建社會的歷史中，當漢族政權面臨腐朽崩潰時，少數民族入主中原曾數度使危機中的封建制度苟延殘喘。但這一次，古老的中華民族承受的不再是落後的邊疆少數民族——「蠻

〔註2〕彭明、程歗主編：《近代中國的思想歷程（1840～1949）》，中國人民大學出版社 1999 年，第 1 頁。

〔註3〕彭明、程歗主編：《近代中國的思想歷程（1840～1949）》，中國人民大學出版社 1999 年，第 51 頁。

〔註4〕彭明、程歗主編：《近代中國的思想歷程（1840～1949）》，中國人民大學出版社 1999 年，第 17 頁。

〔註5〕《馬克思恩格斯選集》，第四卷，人民出版社 1972 年版，第 153 頁。

夷」的鐵蹄，而是具有高度文明的西方資本主義血與火的洗禮，她不能再次從那些野蠻的刺激中變得年輕起來，而必須在洋人炮彈的火光和歐風美雨中獲得新生。深重的民族危機說明了社會改造的緊迫性，西學東漸則為社會改造提供了新的理論資源和思想資源。但在鴉片戰爭後很長一段時間內，近代中國並未形成系統的社會改造思想。雖然魏源、徐繼畬、梁廷楠等已經表示了對西方政治制度的歆羨〔註6〕，馮桂芬、洪仁玕開始考慮如何限制君主專制的問題〔註7〕，但還沒有明確提出以西方民主制度代替傳統君主專制制度的問題。19世紀60年代興起的洋務運動，是在清政府已受到西方列強兩次鴉片戰爭的嚴重打擊，又受到正在興起的太平天國農民革命的嚴重威脅的形勢下，一部分洋務官僚，以「中學為體，西學為用」為宗旨，以「自強」、「求富」為口號，企圖採用資本主義國家軍事裝備和科學技術，以強化和鞏固清王朝封建統治的一種運動。它要解決的是王朝危機和民族危機，而不是社會危機。規範、影響和制約這一運動的指導思想是「中體西用」，其內涵是以傳統的政治經濟結構和倫理道德觀念為框架，以西方現代科學技術為手段，進而鞏固現存秩序。這種指導思想從根本上決定了洋務運動只能是淺層次的邊緣性變革，充其量只是傳統體制內的政策創新，而不是體制外的社會改造。

列寧說：「專制制度和日益發展的資產階級社會的需要之間存在著無法消除的矛盾。專制制度不能不阻礙社會的發展。資產階級的階級利益、知識分子（離開了他們，現代資本主義生產是不可想像的）的利益與專制制度的衝突越來越大」。〔註8〕資本主義生產方式是封建專制制度的天然敵人，資本主

〔註6〕 魏源認為，美國既不專制又不世襲的民主制度比中國乾綱獨斷的「古今官家之局」優越得多，既「公」且「周」，盡善盡美，可「垂奕世而無弊」。他還稱讚實行民主政治的瑞士是「西土之桃花源」。（魏源：《海國圖志》五十卷本卷三十八，百卷本附，百卷本卷四十七。）徐繼畬稱讚打了天下而不做皇帝的華盛頓是「異人」，「幾於天下為公」，像中國古代堯舜那樣了不起。（《瀛環考略》卷下）梁廷楠稱讚美國，凡一國賞罰禁令，「咸於民定其議」，「未有統領，先有國法，法也者，民心之公也，統領限期而易……既不能據而不退，又不能舉以自代，其舉其退，一公之民。（《合省國說》）

〔註7〕 馮桂芬公開表示中國「君民不隔不如夷」，稱讚西方的政治制度優於中國，認為「傳賢不傳子」的制度是西方富強的一個重要原因，並提出一系列改革設想。洪仁玕勸天王洪秀全行事不要獨斷，多交群臣討論，並建議開設新聞館「以收民心公議」，一切大政均「宜立法以為準」。（馮桂芬：《校邠廬抗議》，洪仁玕：《資政新篇》）

〔註8〕 《列寧全集》，第八卷，人民出版社1986年版，第5頁。

義的發展必然導致反對封建專制主義的社會改造思想的產生。從十九世紀七十年代開始，隨著洋務派民用企業的興辦和民族資本主義的產生，在挽救民族危機和發展資本主義要求的驅使下，在西方資產階級民主思想的影響下，中國開始出現了社會改造思想的萌芽，要求變封建專制制度爲君主立憲制度。恩格斯指出：「排除民族壓迫是一切健康和自由發展的基本條件」，〔註9〕「一個大民族，只要還沒有民族獨立，歷史地看，就甚至不能比較嚴肅地討論任何內政問題」。〔註10〕因此，「當一個富有生命力的民族受外國侵略者壓迫的時候，它就必須把自己的全部力量、自己的全部心血、自己的全部精力用來反對外來的敵人。」〔註11〕由於鴉片戰爭後民族危機日益加深，「帝國主義和中華民族，封建主義和人民大眾的矛盾」成爲近代中國社會的主要矛盾，「而帝國主義和中華民族的矛盾，乃是各種矛盾中最主要的矛盾」，因此，社會改造的主要任務，「就是打擊這兩個敵人，就是對外推翻帝國主義壓迫的民族革命和對內推翻封建地主壓迫的民主革命，而最主要的任務是推翻帝國主義的民族革命」〔註12〕。擺在中國人民面前最緊迫的任務是爭取民族獨立，救亡圖存已成爲時代的要求，社會的主潮，歷史的必然。因此，本來由中國內部危機誘發的社會改造要求遂以救亡圖強的形式出現。

二、人的改造與制度改造的平衡是社會改造成功的關鍵

　　1905 年，孫中山在英國向嚴復垂詢革命大計時，嚴復勸他先從人的改造下手：「以中國民品之劣，民智之卑，即有改革，害之除於甲者將見於乙，泯於丙者將發之於丁。爲今之計，惟急從教育上著手，庶幾逐漸更新乎！」孫中山卻答道：「俟河之清，人壽幾何？君爲思想家，鄙人乃實行家也。」〔註13〕這段話表明，近代中國的社會改造思想有兩種思路、兩個路向：一是制度改造論，即通過制度的改造實現社會改造，包括政治制度改造論和社會制度改造論；二是人的改造論，即主張通過人的改造實現社會改造。當然，這種劃分只是相對而言，注重的是兩種思路、兩個路向的總體傾向，實際上，制度的改造與人的改造本身就具有交叉性，不可能作一刀切的劃分。由於社會危機的顯露程度和人們對社會危機的認識程度的差異，近代中國的社會改造思

〔註 9〕《馬克思恩格斯選集》，第四卷，人民出版社 1972 年，第 428 頁。
〔註 10〕《馬克思恩格斯選集》，第四卷，人民出版社 1972 年，第 427 頁。
〔註 11〕《馬克思恩格斯選集》，第二卷，人民出版社 1972 年，第 632 頁。
〔註 12〕《毛澤東選集》，第二卷，人民出版社 1991 年版，第 630、637 頁。
〔註 13〕嚴復：《嚴復集》，第五冊，中華書局 1986 年版，第 1550 頁。

想在不同的歷史時期有不同的表現形式。從這個角度看，近代中國的社會改造思想（萌芽時期除外）經歷了從以政治制度變革爲中心（從 1895 年的公車上書到 1915 年《青年雜誌》創刊，是爲第一階段）到主要注重人的改造（從《青年雜誌》創刊到 1919 年的五四運動，是爲第二階段），再到以政治制度變革帶動社會經濟制度變革的發展歷程（從五四運動到 1949 年中華人民共和國成立，是爲第三階段）。維新變法和辛亥革命提出了政治制度變革的要求，而新文化運動則把人性改造作爲思想的中心點，五四運動後的社會改造思想又把社會經濟制度的變革作爲重點。當然，這一規律並不是絕對的，在提出政治制度變革要求的同時，人的改造的要求也已提上議事日程，在人的改造正如火如荼之時，政治制度的變革並未停下腳步，社會經濟制度變革的要求也提了出來。

　　林毓生先生認爲，在 19 世紀 90 年代的中國第一代知識分子同 20 世紀初的第二代知識分子之間，有一個共同的特點，即「借思想文化以解決問題」，他們認爲，要振興腐敗沒落的中國，只能從徹底轉變中國人的世界觀和完全重建中國人的思想意識著手。文化改革是其它一切必要變革的基礎，而實現文化變革——符號、價值和信仰體系的改革——的最好途徑是改變人的思想，改變人對宇宙和人生現實所持的整個觀點，以及改變對宇宙和人生現實之間的關係所持的全部概念，即改變人的世界觀。林毓生稱這種觀點爲「借思想文化以解決問題的途徑」，它主張：作爲一種思想體系的基本思想的改變，是最根本的改變，是其它改革的根源，強調必先進行思想和文化變革然後才能實現社會和政治變革〔註 14〕。思想文化改造的實質是人的改造。根據林毓生的結論，我們可以說，在 19 世紀末 20 世紀初中國知識分子的思想當中，人的改造論具有無可置疑的優先地位。事實上，縱觀近代中國社會改造的思想歷程，我們發現，雖然人的改造論從梁啓超、嚴復，到魯迅、胡適，其傳統綿延不絕，從未間斷，但除五四運動前後外，制度改造論始終佔據著主導地位，從康有爲、孫中山的政治制度改造論，到陳獨秀、毛澤東的社會制度改造論，不管是在思想影響上，還是在社會實踐上，這一態勢基本沒有發生變化。因此我們認爲，與其說近代中國盛行的是「借思想文化以解決問題的途徑」，不如說是「借制度改造以實現社會改造的途徑」。

〔註14〕林毓生：《中國意識的危機——「五四」時期激烈的反傳統主義》，貴州人民出版社 1988 年版，45～47 頁。

　　人的改造論和制度改造論都有一個致命的缺陷，那就是各走極端，片面化，非要在二者之間分出一個先後主次來。人的改造論片面強調人的改造而忽視制度改造，認爲人的改造要先於或重於制度改造，只要人改造好了，制度改造就是水到渠成之事；相反，制度改造論則片面強調制度改造更爲重要，更爲根本，制度改造成功了，社會改造也就完成了。總之一句話，人的改造與制度改造不能協調平衡，完美配合。近代中國社會改造之所以屢屢失敗，難獲成功，原因大半在此。戊戌變法和辛亥革命時期，人的改造落後於制度改造，因此制度改造的結果只能是徒具形式而無精神；到新文化運動時期，好不容易出現了人的改造與制度改造協調配合的契機，但由於接受改造的只限於少數知識分子，啓蒙不僅未能普及於大衆，甚至不能影響制度內的政治掌權者，落後的制度難以容納啓蒙的結果；而在國民革命和新民主主義革命時期，人的改造更是淪爲制度改造的附庸。對於這一點，一些馬克思主義理論家是有所認識的，在新啓蒙運動中，他們批評五四啓蒙運動脫離當時現實社會的政治實踐和鬥爭，啓蒙沒有很好地利用到社會的經濟政治方面，「民主的思想既沒有實現民主政治，而科學精神也沒有能夠把封建的經濟生活加以改造，社會生產主要還停留在自然的手工階段。」〔註15〕而在如火如荼的國民革命過程中，冷靜的思想啓蒙也一時間沒有了用武之地，「以致文化理論，常常落在政治社會的後面，相隔不知有多少里程」。如果說這時還有可以稱得上思想運動的東西，那就只能算是貼標語、喊口號了，「只是在政策應用下的鼓動宣傳」而已。總之，在國民革命時期，「文化運動的特殊性被抹煞了」〔註16〕。但在國民黨法西斯統治日益嚴酷和民族危亡迫在眉睫的歷史條件下，他們很難擺脫這種宿命。在他們看來，人的改造是附屬於社會經濟制度改造、是作爲社會經濟制度改造論的一部分內容而存在的。他們雖然在理論上正確解決了以人的改造推動制度改造、在制度改造中實現人的改造的辯證關係，希望二者齊頭並進，相得益彰，但在實踐中卻迷信「革命決定論」，認爲只要革命成功，社會經濟制度得到改造，人的改造問題就會自然而然地得到解決，或者希望在革命的炮火中打碎自身的封建枷鎖，實現人性和人格的鳳凰涅槃，這顯然是不切實際的幻想。

〔註15〕 艾思奇：《什麼是新啓蒙運動》，丁守和：《中國近代啓蒙思潮》，下卷，社會
　　　　科學文獻出版社 1999 年版，第 172 頁。
〔註16〕 何乾之：《近代中國啓蒙運動史》，《何乾之文集》，中國人民大學出版社 1989
　　　　年版，第 373 頁。

　　事實上，早在新文化運動時期，一些先進的知識分子就已經認識到，近代中國社會的根本問題，就在於封建時代的人與制度既不能承受社會前進的步伐，也不能適應世界發展的潮流。但在社會改造的途徑問題上，他們卻不可避免地走上了割裂人的改造與制度改造的不歸路。張申府社會改造思想的價值所在，就在於他不僅認識到社會改造要以人的改造和制度改造爲切入點，而且認識到人的改造與制度改造的平衡和協調是社會改造成功的關鍵。他說，「果然世界有罪惡，罪惡責任絕不在個人。」因爲第一，「人是不是天性願意作惡？人如不是生來就想作惡，後來如果作了惡，必是境遇迫的，社會擠的。罪在社會，惡在境遇，個人何尤？」第二，「如若作惡是天性，天性既然如此，個人更無責任可言。」所以「社會是萬惡之成就者。人性是罪惡之教唆者。」所以我們要想改造社會，就只有「革社會之命；調理人之性。」〔註17〕張申府相信，「要換世界，須改人性與變制度」〔註18〕，一方面改造社會政治經濟制度，一方面改造人自身。他引用馬克思的話說，「哲學家們只不過種種地解說了世界；要緊的乃是去變更之。」而所謂世界，人當然也在其中，是世界的一部分。因此「說世界變更，人之變更，自在意中」〔註19〕。張申府本人就是「在改人性方面努力」，希望「從人性上打點改人性的預備，從旁幫那直去變制度的」。人性的內幕不徹底地明白了，制度改造只能是一句空話，而「制度一改，人性立變」，也是「不可能的事」〔註20〕。只有人的改造與制度改造相互平衡，相互協調，以人的改造推動制度改造、在制度改造中實現人的改造，二者齊頭並進，相得益彰，才能最終實現近代中國的社會改造。

〔註17〕張申府：《張申府文集》，第三卷，河北人民出版社2005年版，第41頁。
〔註18〕張申府：《張申府文集》，第一卷，河北人民出版社2005年版，第75頁。
〔註19〕張申府：《張申府文集》，第一卷，河北人民出版社2005年版，第125頁。
〔註20〕張申府：《張申府文集》，第一卷，河北人民出版社2005年版，第75頁。

參考文獻

一、中文著作

1. 《馬克思恩格斯選集》，人民出版社 1972 年版。
2. 《列寧全集》第八卷，人民出版社 1959 年版。
3. 《毛澤東選集》，人民出版社 1977 年版。
4. 張申府：《張申府文集》，河北人民出版社 2005 年版。
5. 張申府：《思與文》，河北教育出版社 1996 年版。
6. 張申府：《所思》，生活・讀書・新知三聯書店 1986 年版。
7. 張申府：《所憶》，生活・讀書・新知三聯書店 1986 年版。
8. 張申府：《張申府散文》，中國廣播電視出版社 1993 年版。
9. 張申府：《張申府學術論文集》，齊魯書社 1985 年版。
10. 張申府：《羅素哲學譯述集》，教育科學出版社 1989 年版。
11. 張申府譯，維特根什坦著：《名理論》，北京大學出版社 1988 年版。
12. 〔美〕舒衡哲：《張申府訪談錄》，北京圖書館出版社 2001 年版。
13. 〔美〕舒衡哲：《中國啓蒙運動——知識分子與「五四」遺產》，新星出版社 2007 年版。
14. 郭一曲：《現代中國新文化的探索——張申府思想研究》，廣東人民出版社 2002 年版。
15. 嚴復：《嚴復集》，中華書局 1986 年版。
16. 梁啓超：《梁啓超選集》，上海人民出版社 1984 年版。
17. 孫中山：《孫中山選集》，人民出版社 1981 年版。
18. 魯迅：《魯迅全集》，人民出版社 1987 年版。
19. 胡適：《胡適文集》，北京大學出版社 1998 年版。

20. 李大釗：《李大釗全集》，河北教育出版社 1999 年版。

21. 陳獨秀：《陳獨秀著作選》，上海人民出版社 1993 年版。

22. 張岱年：《張岱年全集》，河北人民出版社 1996 年版。

23. 張岱年等：《文化的衝突與融合》，北京大學出版社 1997 年版。

24. 郭湛波：《近五十年中國思想史》，山東人民出版社 1997 年版。

25. 李澤厚：《中國古代思想史》，天津社會科學出版社 2003 年版。

26. 李澤厚：《中國近代思想史》，天津社會科學出版社 2003 年版。

27. 李澤厚：《中國現代思想史》，天津社會科學出版社 2003 年版。

28. 高瑞泉主編：《中國近代社會思潮》，華東師範大學出版社 1996 年版。

29. 高瑞泉：《中國現代精神傳統》，上海古籍出版社 2005 年版。

30. 張汝倫：《現代中國思想研究》，上海人民出版社 2001 年版。

31. 熊月之：《中國近代民主思想史》，上海社會科學院出版社 2002 年版。

32. 耿雲志等：《西方民主在近代中國》，中國青年出版社 2003 年版。

33. 方敏：《「五四」後三十年民主思想研究》，商務印書館 2004 年版。

34. 彭明、程歠：《近代中國的思想歷程（1840～1949）》，中國人民大學出版社 1999 年版。

35. 彭明：《五四運動史》，人民出版社 1998 年版。

36. 許紀霖：《二十世紀中國思想史論》，東方出版中心 2000 年版。

37. 許紀霖、陳達凱主編：《中國現代化史》第一卷，學林出版社 2006 年版。

38. 羅榮渠：《現代化新論》，商務印書館 2006 年版。

39. 何乾之：《近代中國啓蒙運動史》，生活書店 1937 年版。

40. 陳唯實：《新人生觀與新啓蒙運動》，民族革命出版社 1939 年版。

41. 盧風：《啓蒙之後》，湖南大學出版社 2003 年版。

42. 姜義華：《理性缺位的啓蒙》，上海三聯書店 2000 年版。

43. 丁守和：《中國近代啓蒙思潮》，社會科學出版社 1999 年版。

44. 丁守和：《辛亥革命時期期刊介紹》，人民出版社 1987 年版。

45. 王忍之等編：《辛亥革命前十年間時論選集》，生活·讀書·新知三聯書店 1978 年版。

46. 中共中央馬恩列斯著作編譯局研究室編：《五四時期期刊介紹》1～3 集，生活·讀書·新知三聯書店 1978 年版。

47. 張允候等：《五四時期的社團》1～4 冊，生活·讀書·新知三聯書店 1979 年版。

48. 陳哲夫等：《二十世紀中國思想史》，山東人民出版社 2002 年版。

49. 陳哲夫等：《現代中國政治思想流派》，當代中國出版社 1999 年版。

50. 王金鋙、李子文：《中國現代政治思想史》，吉林大學出版社 1991 年版。

51. 林茂生、王維禮、王檜林主編：《中國現代政治思想史（一九一九～一九四九）》，黑龍江人民出版社 1984 年版。

52. 高軍、王檜林、楊樹標：《中國現代政治思想評要》，華夏出版社 1990 年版。

53. 朱義祿、張勁：《中國近現代政治思潮研究》，上海社會科學出版社 1998 年版。

54. 唐士其：《西方政治思想史》，北京大學出版社 2002 年版。

55. 蔡尚思：《中國現代思想史資料簡編》1～5 卷，浙江人民出版社 1982 年版。

56. 遼寧大學哲學系：《中國現代哲學史資料彙編》（內部資料），1982 年版。

57. 遼寧大學哲學系：《中國現代哲學史資料彙編續集》（內部資料），1983 年版。

58. 馮崇義：《羅素與中國》，生活·讀書·新知三聯書店 1994 年版。

59. 馮崇義：《國魂，在國難中掙扎》，廣西大學出版社 1995 年版。

60. 胡偉希：《十字街頭與塔——中國近代自由主義思潮研究》，上海人民出版社 1991 年版。

61. 閆潤魚：《自由主義與近代中國》，新星出版社 2007 年版。

62. 高力克：《歷史與價值的張力——中國現代化思想史論》，貴州人民出版社 1992 年版

63. 高力克：《五四的思想世界》，學林出版社 2003 年版。

64. 歐陽哲生：《自由主義之累——胡適思想之現代闡釋》　江西教育出版社 2003 年版。

65. 黃嶺峻：《激情與迷思——中國現代自由派民主思想的三個誤區》，華中科技大學出版社 2001 年版。

66. 章清：《「胡適派學人群」與現代中國自由主義》，上海古籍出版社 2004 年版。

67. 張寶明：《啟蒙與革命：「五四」激進派的兩難》，學林出版社 1998 年版。

68. 張寶明：《自由神話的終結》，上海三聯書店 2002 年版。

69. 張寶明：《現代性的流變》，社會科學文獻出版社 2005 年版。

70. 馬勇：《超越革命與改良》，上海三聯書店 2001 年版。

71. 張光芒：《啟蒙論》，上海三聯書店 2002 年版。

72. 洪峻峰：《思想啟蒙與文化復興》，人民出版社 2006 年版。

73. 劉曉虹：《中國近代群己觀變革探析》，復旦大學出版社 2001 年版。

74. 劉桂生主編：《時代的錯位與理論的選擇——西方近代思潮與中國「五四」啓蒙思想》，清華大學出版社 1989 年版。

75. 陳少明、單世聯、張永義：《被解釋的傳統——近代思想史新論》，中山大學出版社 1995 年版。

76. 楊奎松、董士偉：《海市蜃樓與大漠綠洲——中國近代社會主義思想研究》，上海人民出版社 1991 年版。

77. 蕭功秦：《與政治浪漫主義告別》，湖北教育出版社 2001 年版。

78. 蕭功秦：《危機中的變革——清末現代化進程中的激進與保守》，上海三聯書店 1999 年版。

79. 宋惠昌：《人的發現與人的解放：近代中國價值觀的嬗變》，四川人民出版社 2008 年版。

80. 袁洪亮：《近代人學思想史》，人民出版社 2006 年版。

81. 尚明：《中國近代人學與文化哲學史》，人民出版社 2007 年版。

82. 沈湘平：《理性與秩序：在人學的視野中》，北京師範大學出版社 2003 年版。

83. 王中江：《近代中國思維方式演變的趨勢》，四川人民出版社 2008 年版。

84. 王中江：《進化主義在中國》，首都師範大學出版社 2002 年版。

85. 胡軍：《分析哲學在中國》，首都師範大學出版社 2002 年版。

86. 陳來：《現代中國哲學的追尋》，人民出版社 2001 年版。

87. 李維武：《二十世紀中國哲學本體論問題》，湖南教育出版社 1991 年版。

88. 劉偉、饒東輝：《中國近代政體發展史》，華中師範大學出版社 1998 年版。

89. 劉世軍：《近代中國政治文明轉型研究》，復旦大學出版社 2000 年版。

90. 邢建國等：《秩序論》，人民出版社 1993 年版。

91. 陶東風：《社會轉型與當代知識分子》，上海三聯書店 1999 年版。

92. 劉曄：《知識分子與中國革命：近代中國國家建設研究》，天津人民出版社 2004 年版。

93. 「從五四運動到人民共和國成立」課題組：《胡繩論「從五四運動到人民共和國成立」》，社會科學文獻出版社 2001 年版。

94. 李新、陳鐵健：《中國新民主主義革命史：偉大的開端》，中國社會科學出版社 1983 年版。

95. 任定成：《在科學與社會之間》，武漢出版社 1997 年版。

96. 張劍：《中國近代科學與科學體制化》，四川人民出版社 2008 年版。

97. 耿雲志：《近代中國文化轉型研究導論》，四川人民出版社 2008 年版。

98. 鄭大華、彭平一：《社會結構變遷與近代文化轉型》，四川人民出版社 2008 年版。

99. 鄒小站：《西學東漸：迎拒與選擇》，四川人民出版社 2008 年版。

100. 善峰：《梁漱溟社會改造構想》，山東人民出版社 1996 年版。

101. 李世濤：《知識分子立場——自由主義之爭與中國思想界的分化》，時代 文藝出版社 2002 年版。

102. 李世濤：《知識分子立場——民族主義與轉型期中國的命運》，時代文藝 出版社 2002 年版。

103. 李世濤：《知識分子立場——激進與保守之間的振蕩》，時代文藝出版社 2002 年版。

104. 寶成關：《西潮與回應——近四百年思想嬗替研究》，吉林人民出版社 2004 年版。

105. 寶成關：《西方文化與中國社會——西學東漸史論》，吉林教育出版社 1994 年版。

106. 劉軍寧主編：《北大傳統與近代中國》，中國人事出版社 1998 年版。

107. 朱學勤：《書齋裏的革命：朱學勤文選》，長春出版社 1999 年版。

108. 周陽山：《自由與權威》，臺灣三民書局股分有限公司 1990 年版。

109. 周陽山：《學術與政治的對話——憲政與民主》，臺灣正中書局 1992 年版。

110. 何信全：《儒學與現代民主》，中國社會科學出版社 2001 年版。

111. 石元康：《當代西方自由主義理論》，上海三聯書店 2000 年版。

112. 石元康：《從中國文化到現代性：典範轉移？》，臺北東大圖書公司 1998 年版。

113. 江宜樺：《自由民主的理路》，新星出版社 2006 年版。

114. 林啟彥：《步向民主：中國知識分子與近代民主思潮》，中華書局（香港） 有限公司 1989 年版。

115. 傅樂詩等：《近代中國思想人物論——保守主義》，臺北時報文化出版事 業有限公司 1980 年版。

116. 史華慈等：《近代中國思想人物論——自由主義》，臺北時報文化出版事 業有限公司 1980 年版。

117. 殷海光：《到奴役之路》，臺灣文學出版社 1985 年版。

118. 殷海光：《中國文化的展望》，上海三聯書店 2002 年版。

119. 韋政通：《中國思想史》，上海書店出版社 2003 年版。

120. 韋政通：《現代中國思想家》第八輯，臺灣巨人出版社 1978 年版。

121. 韋政通：《中國思想傳統的創造轉化——韋政通自選集》，雲南人民出版社 2002 年版。

122. 韋政通等：《自由民主的思想文化》，臺灣自立報系 1990 年版。

123. 李明輝：《儒家視野下的政治思想》，北京大學出版社 2005 年版。

124. 〔美〕林毓生：《中國傳統的創造性轉化》，生活‧讀書‧新知三聯書店 1988 年版。

125. 〔美〕林毓生：《政治秩序與多元社會》，臺灣聯經出版事業公司 1990 年版。

126. 〔美〕林毓生：《中國意識的危機》，貴州人民出版社 1986 年版。

127. 〔美〕余英時：《現代儒學的回顧與展望》，生活‧讀書‧新知三聯書店 2004 年版。

128. 〔美〕余英時：《中國思想傳統的現代詮釋》，江蘇人民出版社 2003 年版。

129. 〔美〕余英時：《中國近代思想史上的胡適》，臺灣聯經出版事業公司 1984 年版。

130. 〔美〕余英時：《從價值系統看中國文化的現代意義》，臺灣時報文化出版事業有限公司 1985 年版。

131. 〔美〕余英時：《重尋胡適歷程》，廣西師範大學出版社 2004 年版。

132. 〔美〕周策縱：《五四運動史》，嶽麓書社 1999 年版

133. 〔美〕張灝：《梁啓超與中國思想的過渡》，江蘇人民出版社 1995 年版。

134. 〔美〕張灝：《張灝自選集》，上海教育出版社 2002 年版。

135. 〔美〕張灝：《烈士精神與批判意識》，廣西師範大學出版社 2004 年版。

136. 〔美〕張灝：《危機中的中國知識分子》，新星出版社 2006 年版。

137. 〔美〕張灝：《幽暗意識與民主傳統》，新星出版社 2006 年版。

138. 〔美〕蕭公權：《近代中國與新世界：康有爲變法與大同思想研究》，江蘇人民出版社 1997 年版。

139. 〔美〕蕭公權：《中國政治思想史》，遼寧教育出版社 1998 年版。

140. 〔美〕本傑明‧史華茲：《尋求富強：嚴復與西方》，江蘇人民出版社 1995 年版。

141. 〔美〕羅茲曼：《中國的現代化》，江蘇人民出版社 2003 年版。

142. 〔美〕費正清：《中國：傳統與變革》，江蘇人民出版社 1992 年版。

143. 〔美〕墨子刻：《擺脫困境——新儒學與中國政治文化的演進》，江蘇人民出版社 1990 年版。

144. 〔美〕柯文：《在傳統與現代性之間——王韜與晚清改革》，江蘇人民出版社 2003 年版。

145. 〔美〕艾愷：《最後的儒家——梁漱溟與中國現代化的兩難》，江蘇人民
　　　出版社 2003 年版。

146. 〔美〕列文森：《儒教中國及其現代命運》，中國社會科學出版社 2000 年
　　　版。

147. 〔美〕格里德：《胡適與中國的文藝復興——中國革命中的自由主義（1917
　　　～1937）》，江蘇人民出版社 1996 年版。

148. 〔美〕郭穎頤：《中國現代思想中的唯科學主義》，江蘇人民出版社 1995
　　　年版。

149. 〔美〕魏斐德：《歷史與意志：毛澤東思想的哲學透視》，中國人民大學
　　　出版社 2005 年版。

150. 〔美〕莫里斯·邁斯納：《馬克思主義、毛澤東主義與烏托邦主義》，中
　　　國人民大學出版社 2005 年版。

151. 〔美〕莫里斯·邁斯納：《李大釗與中國馬克思主義的起源》，中共黨史
　　　資料出版社 1989 年版。

152. 〔美〕詹姆斯·R·湯森、布蘭特·沃馬克：《中國政治》，江蘇人民出版
　　　社 1995 年版。

153. 〔美〕愛德華·希爾斯：《論傳統》，上海人民出版社 1991 年版。

154. 〔美〕梯利：《西方哲學史》，商務印書館 1995 年版。

155. 〔美〕薩拜因：《政治學說史》，商務印書館 1986 年版。

156. 〔美〕科恩《論民主》，商務印書館 1988 年版。

157. 〔美〕喬·薩托利：《民主新論》，東方出版社 1998 年版。

158. 〔英〕J·S·密爾：《代議制政府》，商務印書館 1997 年版。

159. 〔英〕約翰·密爾：《論自由》，商務印書館 2005 年版。

160. 〔英〕羅素：《羅素文集》，改革出版社 1996 年版。

161. 〔英〕羅素：《自由之路》，文化藝術出版社 2005 年版。

162. 〔英〕羅素：《西方的智慧》，文化藝術出版社 2005 年版。

163. 〔英〕羅素：《我的哲學發展》，商務印書館 1996 年版。

164. 〔英〕羅素：《西方哲學史》，商務印書館 2005 年版。

165. 〔英〕羅素：《社會改造原理》，上海人民出版社 2001 年版。

167. 〔英〕羅素：《中國問題》，學林出版社 1996 年版。

168. 〔英〕安東尼·阿巴拉斯特：《西方自由主義的興衰》，吉林人民出版社
　　　2004 年版。

170. 〔英〕邁克爾·歐克肖特：《政治中的理性主義》，上海譯文出版社 2003
　　　年版。

171. 〔英〕哈耶克：《自由秩序原理》，生活・讀書・新知三聯書店 1997 年版。

172. 〔英〕H.P.里克曼：《理性的探險》，商務印書館 2006 年版。

173. 〔德〕馬克斯・韋伯：《新教倫理與資本主義精神》，陝西師範大學出版社 2002 年版。

174. 〔德〕卡西勒：《啓蒙哲學》，山東人民出版社 1988 年版。

175. 〔法〕邦雅曼・貢斯當：《古代人的自由與現代人的自由》，上海世紀出版翻譯集團 2003 年版。

176. 〔法〕羅狄—劉易斯：《笛卡爾和理性主義》，商務印書館 1997 年版。

二、英文著作

1. Schwarcx.Vera, *Time for Telling Truth is Running out*, New Haven:Yale University,1992.

2. Bertrand Russell, *The Problem of China*, New York;The Centrury Co.,1922.

3. Vera Schwarcz, *The Chinese Enlightenment:Intellectuals and the Legacy of the May Forth Movement of 1919*, Berkeley:University of California Press,1986.

4. Edward Hallett Carr：*Conditions of Peace*,London Macmillan ＆ Co.Ltd, 1942.

5. Shiping Hua:*Scientism and Humanism:Two Cultures in Post-Mao China*,State University of New York Press,1995.

6. Isaiah Berlin. *Four Essay on Liberty*. Oxford University Press ,1969.

7. F. A. Hayek, *The Road to Serfdom*, Chicago:Chicago University Prdss,1944.

8. F. A. Hayek, *Law,Legislation and Liberty:Volume2.* China Social Sciences Publishing House Changcheng Books Ltd, Beijing,1999..

9. Wang Fan-sen, Fu Ssu-nien: *A Life in Chenese History and Politics*, Cambridge University Press,2000.

三、學術論文

1. 張拴平博士論文：《張申府哲學思想研究》，許全興指導，中央黨校 2001 年。

2. 郭一曲博士論文：《張申府思想研究》，李宗桂指導，中山大學 2001 年。

3. 雷頤：《「仁」與「科學法」——漫話張申府》，《讀書》1992 年第 7 期。

4. 雷頤：《中國現代史上的張申府》，《北京大學學報》1998 年第 2 期。

5. 雷頤：《羅素研究專家張申府》，《文史哲》1994 年第 4 期。

6. 雷頤：《張申府與中國現代思潮》，載《文化的衝突與融合》，北京大學出版社 1997 年版。

7. 羊滌生：《張申府與羅素》，載《文化的衝突與融合》，北京大學出版社 1997 年版。

8. 胡軍：《羅素與張申府》，載《文化的衝突與融合》，北京大學出版社 1997 年版。

9. 許全興：《張申府與現代中國哲學》，載《文化的衝突與融合》，北京大學出版社 1997 年版。

10. 朱進東：《張申府與周恩來的早期交往》，《江蘇教育學院學報》1998 年第 3 期。

11. 張永義：《邏輯分析及其限制——略論張申府和馮友蘭、金岳霖思想方法的異同》，載《論衡叢刊》，中山大學出版社 1999 年版。

12. 郭一曲：《張申府思想研究概述》，《哲學動態》2000 年第 12 期。

13. 郭一曲：《從「辯證綜合」到「綜合創新」——張申府對張岱年的影響》，《現代哲學》2001 年第 2 期。

14. 郭一曲：《論張申府的文化觀》，《學術研究》2001 年第 5 期。

15. 郭一曲：《另一種傳記——讀〈張申府訪談錄〉》，《中共黨史研究》2001 年第 5 期。

16. 郭一曲：《解析的辯證唯物主義：張申府的哲學思想》，《中國哲學史》2001 年第 4 期。

17. 董德福：《張申府生平及其學術概略》，《江西社會科學》2001 年第 1 期。

18. 張拴平：《張申府哲學思想述評》，《寧夏黨校學報》2001 年第 6 期。

19. 張拴平：《中國現代史上的張申府》，《社會科學論壇》2001 年第 1 期。

20. 張拴平、張建華：《黨的創始人之一張申府的早期革命活動》，《檔案天地》2003 年第 4 期。

21. 張拴平、張建華：《張申府坎坷曲折的一生》，《黨史博采》2003 年第 11 期。

22. 鄭斌：《張申府——不該被遺忘的學者政治家》，《滄州師範專科學校學報》2004 年第 2 期。

23. 雷永生：《走近張申府——讀〈張申府文集〉》，《社會科學論壇》2005 年第 8 期。

24. 湯一介：《重讀大師——評〈張申府文集〉》，《出版廣角》2005 年第 8 期。

25. 湯一介：《會通中西　鎔鑄古今——讀〈張申府文集〉》，《社會科學論壇》2005 年第 10 期。

26. 俞興茂：《張申府與廣州大學無緣》，《武漢文史資料》2006 年第 7 期。

27. 干春松：《張申府的文化綜合主義和新啟蒙主義》，《孔子研究》2006 年第 5 期。

28. 李秀雲：《張申府的副刊編輯思想》，《新聞界》2007 年第 1 期。

29. 孟毅輝、彭繼紅：《青年毛澤東社會改造思想論要》，《湖湘論壇》2003 年第 6 期。

30. 東方溯：《毛澤東早期社會改造思想的邏輯發展》，《齊魯學刊》1995 年第 4 期。

31. 時廣東：《梁漱溟、毛澤東關於中國社會改造思想的趨同和差異》，《社會科學研究》1996 年第 6 期。

32. 時廣東：《毛澤東與梁漱溟在中國社會改造道路問題上的根本分歧》，《重慶師範學院學報（哲社版）》1994 年第 3 期。

33. 彭繼紅、龍雪飛：《「五四」時期青年毛澤東社會改造思想的轉變》，《湖南科技大學學報（社會科學版）》2005 年第 9 期。

34. 史習基：《論李大釗對中國社會改造問題的探索》，《中共福建省委黨校學報》1999 年第 10 期。

35. 馮夏根、李瑞：《五四時期羅家倫對社會改造問題的探索》，《西南師範大學學報（人文社會科學版）》2004 年第 7 期。

36. 劉立振：《社會改造與羅素理想中的社會》，《中國地名》2006 年第 12 期。

37. 王宗昱：《鄉村是文化之本——讀善峰〈梁漱溟社會改造構想研究〉有感》，《東嶽論叢》1998 年第 1 期。

38. 奚洪敏：《社會改造與人的改造》，《理論建設》1995 年第 8 期。

39. 卿文光：《論希臘理性與近代理性的若干差異及其緣由》，《哲學研究》2004 年第 7 期。

40. 〔德〕H.博德爾：《理性的區分》，《世界哲學》2006 年第 2 期。

41. 程志敏：《理性本源》，《人文雜誌》2001 年第 4 期。

42. 黃紅生、陳凡：《理性的歷史演變及中國社會的理性建構》，《東北大學學報（社會科學版）》2005 年第 9 期。

43. 魏敦友：《理性的傳統譜系與當代轉型》，《社會科學輯刊》2003 年第 2 期。

44. 顧紅亮：《「理性」與現代性的價值依託》，《人文雜誌》2006 年第 6 期。

45. 申建林：《對理性主義自由觀的反思》，《武漢大學學報（社會科學版）》2001 年第 5 期。

46. 盧風：《論辯理性與民主政治》，《天津社會科學》2004 年第 2 期。

47. 黃南珊：《論西方理性觀念的整體流變》，《學術論叢》1994 年第 4 期。

48. 張瀾：《理性論綱》，《學術交流》1994 年第 1 期。

49. 黃力之：《理性的異化與現代文明的極限》，《哲學研究》2001 年第 12 期。

50. 〔美〕羅蒂（R.Rorty）：《理性、文化在西方哲學中的幾種含義》,《現代外國社會科學文摘》1994 年第 1 期。

51. 〔德〕W.威爾士：《理性：傳統和當代》,《哲學譯叢》2000 年第 4 期。

52. 高力克：《科學主義與「五四」知識分子的人文宗教》,《學術月刊》2000 年第 12 期。

53. 施展旦：《對中國現代科學主義價值化認知的反思》,《內蒙古社會科學（漢文版）》2002 年第 7 期。

54. 段治文：《中國近代唯科學主義思潮新論》,《天津社會科學》1997 年第 2 期。

55. 閻潤魚：《近代中國唯科學主義思潮評析》,《教學與研究》2000 年第 10 期。

56. 江瓊：《關於「科學主義」思潮的辨析——從「科學與玄學論戰」說起》,《東南學術》2003 年第 4 期。

57. 尤小立：《現代中國科學派科學主義傾向的自我解以任鴻雋的科學理念為解讀中心》,《江蘇社會科學》2006 年第 5 期。

58. 李向勇：《論科學主義思潮對馬克思主義傳播的影響》,《探索》2002 年第 2 期。

59. 李俠：《簡評哈耶克對科學主義的批判》,《自然辯證法研究》2004 年第 2 期。

60. 林合華：《梁啓超科學文化觀中的科學主義之維》,《重慶社會科學》2007 年第 3 期。

61. 徐亞東：《陳獨秀與胡適科學觀之比較——兼論「五四」的「唯科學主義」問題》,《中州學刊》2007 年第 3 期。

62. 李麗：《科學主義與馬克思主義在中國的出場境遇》,《科學技術與辯證法》2006 年第 12 期。

63. 李麗：《科學主義的價值之維》,《北方論叢》2007 年第 2 期。

64. 朱紅文：《近代唯科學主義的形成及其實質》,《上海社會科學院學術季刊》1995 年第 3 期。

65. 蕭顯靜：《科學主義的內涵分析》,《清華大學學報（哲學社會科學版）》2004 年第 6 期。

66. 劉劍君：《中國現代科學主義政治哲學反思》,《文史哲》1997 年第 1 期。